La nouvelle vie de *Mado Côté,* **retraitée**

Catalogage avant publication de Bibliothèque et Archives nationales du Québec et Bibliothèque et Archives Canada

Laberge, Rosette
La nouvelle vie de Mado Côté, retraitée
ISBN 978-2-89585-553-8
I. Titre.
PS8623.A24N68 2014 C843'.6 C2014-942742-5
PS9623.A24N68 2015

Image de la couverture : Shutterstock, Natalia Klenova

Les Éditeurs réunis bénéficient du soutien financier de la SODEC et du Programme de crédit d'impôt du gouvernement du Québec.

Nous remercions le Conseil des Arts du Canada de l'aide accordée à notre programme de publication.

Nous reconnaissons l'aide financière du gouvernement du Canada par l'entremise du Fonds du livre du Canada pour nos activités d'édition.

Édition :
LES ÉDITEURS RÉUNIS
www.lesediteursreunis.com

Distribution au Canada :
PROLOGUE
www.prologue.ca

Distribution en Europe :
DNM
www.librairieduquebec.fr

Suivez Les Éditeurs réunis sur Facebook.

Pour communiquer avec l'auteure : rosette.laberge13@gmail.com

Visitez le site Internet de l'auteure : www.rosettelaberge.com

Imprimé au Québec (Canada)

Dépôt légal : 2015
Bibliothèque et Archives nationales du Québec
Bibliothèque nationale du Canada
Bibliothèque nationale de France

ROSETTE LABERGE

La nouvelle vie de *Mado Côté*, **retraitée**

LES ÉDITEURS RÉUNIS

De la même auteure

Un voisinage comme les autres – tome 1 : Un printemps ardent (roman)

Un voisinage comme les autres – tome 2 : Un été décadent (roman)

Un voisinage comme les autres – tome 3 : Un automne sucré-salé (roman)

Un voisinage comme les autres – tome 4 : Un hiver fiévreux (roman)

Souvenirs de la banlieue – tome 1 : Sylvie (roman)

Souvenirs de la banlieue – tome 2 : Michel (roman)

Souvenirs de la banlieue – tome 3 : Sonia (roman)

Souvenirs de la banlieue – tome 4 : Junior (roman)

Souvenirs de la banlieue – tome 5 : Tante Irma (roman)

Souvenirs de la banlieue – tome 6 : Les jumeaux (roman)

Maria Chapdelaine – Après la résignation (roman historique)

La noble sur l'île déserte – L'histoire vraie de Marguerite de Roberval, abandonnée dans le Nouveau Monde (roman historique)

Le roman de Madeleine de Verchères – La passion de Magdelon (roman historique)

Le roman de Madeleine de Verchères – Sur le chemin de la justice (roman historique)

Le roman de Madeleine de Verchères – Les héritiers de Verchères (roman historique)

Sous le couvert de la passion (nouvelles)

Histoires célestes pour nuits d'enfer (nouvelles)

Ça m'dérange même pas ! (roman jeunesse)

Ça s'peut pas ! (roman jeunesse)

Ça restera pas là ! (roman jeunesse)

Pour Chatelaine, Olivia et Laurent,
qui sont toujours près de moi
malgré la distance qui nous sépare.

Chapitre 1

Allongée sur le dos, Mado émerge difficilement de son sommeil. Les yeux fermés, elle se concentre sur le silence qui règne dans son condo en s'efforçant de ne penser à rien. De toute façon, même si elle voulait réfléchir, elle en serait incapable. Elle a abusé de l'alcool hier soir comme jamais auparavant et elle en paie maintenant le gros prix. Il y avait près d'une vingtaine de personnes en tout. Le vin coulait à flots pendant le souper et elle ne s'en est pas privée. Il n'aurait pas fallu qu'elle le fasse non plus parce que c'était son *party* de départ à la retraite. Ses collègues avaient pensé à tout. Ils avaient même invité Monique, sa meilleure amie, à se joindre à eux. Elle était la seule étrangère à son milieu de travail. Après un repas bien arrosé, ils sont tous allés boire un verre dans un bar. Mado a honoré sans se faire prier tous les *shooters* qui se sont retrouvés devant elle. Plus la soirée avançait, plus elle était de bonne humeur, mais elle demeure convaincue que c'est le champagne qui l'a achevée. Elle le sait, c'est comme ça chaque fois qu'elle en boit. En plus de détester les bulles, Mado trouve qu'elles ne lui vont pas du tout. La preuve, il lui suffit d'une coupe pour perdre la mémoire. À voir l'état dans lequel elle est présentement, il n'y a aucun doute qu'elle en a abusé. Elle est tellement moche qu'à mesure que les secondes passent même le silence qui règne autour d'elle ne fait qu'empirer l'intensité de son mal de tête.

Si quelqu'un entrait dans sa chambre en ce moment et la voyait ainsi, il croirait sûrement qu'elle est morte. C'est d'ailleurs un peu comme ça qu'elle se sent, l'inconfort en plus. À la seule idée de se tourner sur le côté, elle est prise de haut-le-cœur. Quant à se lever, c'est tout simplement au-dessus de ses forces. Heureusement, elle n'a pris aucun engagement aujourd'hui. Elle a refusé l'invitation à bruncher de sa mère, celle de ses enfants ainsi que celle de ses amis. Elle leur a dit qu'elle voulait passer sa première journée de retraite seule chez elle et qu'ils auraient amplement le temps de se reprendre pour la souligner puisque de toute façon elle a la vie devant elle. Même André, son *chum*, s'est fait retourner comme une crêpe.

— C'est non, lui a-t-elle dit en lui caressant la joue, pas le premier jour de ma retraite, j'ai envie d'être seule. Et ne t'avise pas de venir sonner à ma porte parce que je ne t'ouvrirai pas. On pourrait déjeuner ensemble dimanche, si tu veux.

— Je pourrais aller t'attendre chez toi. Penses-y un peu, comme ça, tu pourrais te glisser dans des draps bien chauds.

Une fois de plus, Mado se félicite de ne pas lui avoir donné sa clé malgré son insistance récurrente.

— Déjà que je ne suis pas invité à ta fête, s'est-il plaint, tu pourrais au moins me donner la chance d'être le premier à savoir comment ça s'est passé. Je t'en prie ! Et puis je ne te vois jamais bourrée.

— Veux-tu arrêter tes enfantillages, l'a-t-elle intimé. Tu sais aussi bien que moi que ce n'est pas mon genre de me saouler.

— Je ne connais personne qui reste en contrôle le soir de son *party* de départ à la retraite. On s'en reparlera. N'oublie pas que tu peux m'appeler à n'importe quelle heure si tu as besoin.

André a fait une pause, puis a poursuivi avec un « je t'aime » accompagné de son légendaire clin d'œil.

Mado est officiellement à la retraite depuis moins de 24 heures. Même si elle planifiait sa sortie depuis des mois, elle a du mal à réaliser que sa vie professionnelle vient de prendre fin. Désormais, elle pourra traîner au lit aussi longtemps qu'elle en aura envie. Elle pourra même lire sa *Presse* sans sauter une seule ligne si elle le souhaite.

— En tout cas, a-t-elle dit à Jean-Pierre, son patron, s'il y a une chose dont je ne m'ennuierai pas, c'est bien de me lever aux aurores. Tu sais à quel point je déteste avoir une heure pour me réveiller.

— Et une pour te coucher, a-t-il ajouté en riant.

Ce n'est un secret pour personne. Même si elle doit se lever tôt, Mado demeure incapable de se coucher de bonne heure pour autant. Elle n'y peut rien, c'est quand la noirceur tombe qu'elle est au meilleur de sa forme. Elle lit ou elle regarde une série télévisée qu'elle a enregistrée un soir où elle avait une réunion. Il lui arrive aussi parfois de cuisiner jusqu'aux petites heures du matin. Elle trouve toujours quelque chose à faire pour s'occuper.

— À moi les grasses matinées et les soirées prolongées autant que je veux ! Il y a si longtemps que j'en rêve !

— Tu m'en reparleras ! Je te donne six mois tout au plus avant de venir me supplier de te reprendre. Tu n'es pas faite pour rester inactive.

Puis, sur un ton railleur, il a ajouté :

— Fais-moi confiance. Je vais te manquer plus vite que tu penses.

Les paroles de Jean-Pierre, que tous appellent affectueusement JP, ont eu l'effet d'une bombe. Il est trop tôt pour lui donner raison, mais son petit doigt lui dit qu'il vaut mieux qu'elle s'occupe si elle ne veut pas se mettre à déprimer. Son beau-frère lui a dit qu'on se sent comme si c'était toujours samedi, lorsqu'on est à la retraite, mais il y a quand même des limites. Certes, elle s'est promis de faire tout ce qu'elle n'a jamais le temps d'accomplir, mais elle n'ira pas bercer des bébés à l'hôpital juste pour passer le temps. Elle ne se portera pas volontaire non plus pour garder ses petits-enfants à outrance. Et il est hors de question qu'elle offre ses services pour aller distraire les personnes âgées dans les résidences. La seule vue de ces bâtiments lui donne froid dans le dos. Et puis elle n'est pas pressée d'aller les rejoindre. Comme on dit, son tour viendra bien assez vite.

Mado adorait son travail, tellement qu'il lui arrivait de dire à la blague à JP qu'il ne devrait pas la payer.

— Je ne travaille pas, ne cessait-elle de lui répéter, je m'amuse.

— Alors il ne te reste plus qu'à faire don de ton salaire à une bonne œuvre, lui lançait-il. Au nombre qui existe, tu as l'embarras du choix ! Et dans le pire des cas, je peux même te fournir mon numéro de compte bancaire.

— Je te remercie, ça va être correct. Le jour où j'aurai trop d'argent, j'en connais trois qui se feront un plaisir de m'aider à le dépenser.

Si Mathieu, Jimmy et Émilie sont sa fierté, elle doit reconnaître qu'ils sont des puits sans fond chacun à leur manière. Ils lui demandent rarement de l'argent en termes clairs, mais au bout du compte le résultat est le même. Tôt ou tard, Mado finit immanquablement par allonger quelques billets. Et si, par malchance, ça ne fonctionne pas avec elle, ses trois chérubins majeurs et vaccinés ne se gênent pas pour aller solliciter leur grand-mère maternelle.

Mado respire aussi doucement qu'elle peut. Elle a non seulement un mal de tête carabiné, mais elle a l'impression qu'un dix-roues lui a roulé sur le corps. Pire encore, elle se sent prise comme dans un étau. Elle frémit à la seule pensée de bouger le petit doigt. Elle est aussi assoiffée qu'un chameau dans le désert et elle a besoin d'aller au petit coin. On peut dire qu'elle a droit à un lendemain de veille de catégorie tsunami. Elle respire plus profondément et ouvre ensuite un œil, puis l'autre. Un peu plus et elle se croirait la belle au bois dormant qui se réveille après avoir dormi 100 ans. Elle lève un bras dans les airs – enfin, à quelques centimètres de son matelas – et le laisse retomber. C'est fou, le moindre petit effort lui demande plus d'énergie qu'elle en a. Elle promène son regard partout dans la pièce sans même bouger la tête. Il fait tellement clair qu'elle se dit qu'elle a dû oublier de fermer les stores au moment de se coucher.

— Quelle heure peut-il bien être ?

C'est dans un effort ultime qu'elle parvient à attraper son cellulaire sur la table de chevet. Elle l'ouvre aussitôt qu'elle l'a en mains. Comme elle ne veut pas mettre ses lunettes, elle plisse les yeux pour voir l'heure. Les chiffres dansent devant elle, mais ne semblent pas être sur le même fond d'écran que d'habitude. Elle plisse davantage les yeux et approche l'appareil dans l'espoir de mieux voir. La seconde d'après, elle l'éloigne. Il n'y a rien à faire. Il y a vraiment quelque chose qui cloche. Elle conclut aussitôt que dans sa hâte elle a dû prendre le téléphone de quelqu'un d'autre au bar et le laisse tomber à côté d'elle avant de refermer les yeux. Elle verra ça plus tard. La voix de sa mère envahit son cerveau.

— C'est scandaleux, il est 14 h 25 et tu es encore couchée ! Ce n'est pas comme ça que je t'ai élevée.

Mado esquisse un sourire. À l'âge qu'elle a, elle peut très bien décider de ne pas se lever de la journée si c'est ce qu'elle veut et personne n'aura rien à dire, surtout pas sa mère. Il y a longtemps qu'elle ne s'en fait plus avec ce que les autres pensent ou disent à son sujet. Elle a réalisé tellement de choses dans sa vie qui n'ont pas fait l'unanimité qu'elle a appris à se protéger contre tous les détracteurs qui ont croisé son chemin. Perdue dans ses pensées, Mado effleure son cellulaire. Elle le reprend et l'ouvre. Elle l'approche de ses yeux et essaie de voir la photo en fond d'écran. Elle ne comprend rien. Elle tourne l'appareil de tous les côtés, regarde encore une fois l'écran et doit reconnaître que c'est bel et bien son téléphone. Mais quelque chose ne va pas. Le fond d'écran de son cellulaire a toujours été rose. Comme elle n'est pas très axée sur la technologie – ou plutôt pas très habile –, elle a le même depuis le jour où elle l'a acheté. Elle n'oubliera jamais l'air amusé du vendeur quand elle lui avait dit qu'elle voulait le téléphone avec le fond d'écran rose. Il lui avait expliqué qu'elle pouvait mettre la photo qu'elle désirait, mais elle n'avait rien voulu entendre. C'était le rose qu'elle choisissait et il était hors de question qu'elle change d'idée. Alors qu'elle ne s'est pas attardée à l'image comme telle, Mado regarde désormais son fond d'écran de plus près et a l'impression de reconnaître l'endroit. Elle attrape vite ses lunettes sur sa table de chevet et les chausse. Et c'est à ce moment qu'elle ouvre la bouche toute grande. Elle n'en croit pas ses yeux. Un jeune homme d'une trentaine d'années pose sur son lit.

Elle se redresse, se prend la tête et hurle de toutes ses forces :

— Non !

Bien que l'immeuble qu'elle habite soit complètement en béton et parfaitement insonorisé, elle a crié si fort que même le voisin du sous-sol a dû l'entendre. Qu'est-ce que c'est que ça ? Comment cet homme a-t-il pu se retrouver dans sa chambre alors qu'elle est toute seule ? Elle se donne la peine de vérifier à côté d'elle : il n'y a personne. Mado a l'impression d'être en plein cauchemar. C'est à ce moment qu'elle constate dans quel état est son lit. Non seulement la couette n'est plus dessus, mais les draps sont défaits au pied et le deuxième oreiller trône au milieu du lit. Elle commence à avoir des chaleurs. Elle promène ensuite son regard partout. Les vêtements qu'elle portait la veille jonchent le sol. Elle aperçoit même l'une de ses bottes à l'entrée de la pièce. Plus elle en voit, moins elle comprend. Et plus elle maudit le champagne et ses satanées bulles.

Elle reprend son cellulaire, cligne des yeux plusieurs fois et scrute la photo. Des gouttes de sueur perlent maintenant sur son front. Nul doute, l'image a bel et bien été prise dans sa chambre, de surcroît sur son lit. Elle reconnaît ses draps fuchsia, sa lampe de chevet en cristal et sa tête de lit. Mais elle n'a aucun souvenir de cet homme. Aucun ! Elle se lève d'un trait. Il faut vite qu'elle aille sous la douche pour se remettre les idées en place. Elle voudrait courir jusqu'à la salle de bain, mais elle en est incapable. Elle est tellement courbaturée qu'elle a du mal à mettre un pied devant l'autre. Elle regarde encore la photo dans l'espoir de la voir disparaître. Elle observe l'inconnu de plus près. Des cheveux noirs en broussaille, un sourire éclatant, un corps taillé au couteau… Mado a sous les yeux un homme magnifique complètement nu dans son lit et elle ne se rappelle absolument rien. Elle n'en croit pas ses yeux. Elle se demande sérieusement ce qu'il faisait dans sa chambre. Elle voudrait effacer le cliché, mais elle ignore comment y parvenir. Alors qu'elle est sur le point d'accuser ses amis de lui avoir joué un tour, elle remarque que ses lunettes sur la photo sont à l'endroit même où elle vient de les prendre. Pire encore, il y a quelques minutes elle était couchée à droite dans le lit alors qu'elle dort toujours à gauche. Elle se dit qu'elle est en train de devenir folle.

Au moment où Mado va sortir de sa chambre, la sonnerie de son cellulaire la fait sursauter, comme d'habitude. Au lieu de faire entendre une petite musique rigolote ou un extrait d'une pièce classique, son téléphone crache des mesures de heavy metal dès que quelqu'un cherche à la joindre. Évidemment, cela ne manque jamais d'attirer les regards sur elle, peu importe l'endroit ou le moment où elle retentit. C'est son fils Jimmy qui la lui a installée. Mado veut toujours la changer, mais elle ne l'a pas encore fait. En vérité, c'est qu'elle n'est pas meilleure avec les sonneries qu'avec les photos. C'est simple, elle ignore comment faire. Mado répond à la troisième sonnerie.

— Salut, la nouvelle retraitée, s'écrie joyeusement son amie Monique à l'autre bout du fil. Depuis 7 heures que je me retiens de t'appeler pour savoir comment s'est passée ta nuit.

Il y a très longtemps que Mado ne s'est pas sentie aussi mal. Elle revient sur ses pas, s'assoit au pied du lit, respire à fond et dit :

— Je comptais justement sur toi pour m'en parler. Tu ne me croiras pas, mais je ne me rappelle rien. Vas-y, je t'écoute.

— Non ! Non ! Parle d'abord.

— Mais je viens de te le dire, je n'ai aucun souvenir de la fin de ma soirée. La dernière chose que je me rappelle, c'est d'avoir levé ma première coupe de champagne dans les airs pour l'avaler aussitôt d'un trait. Après, c'est le *black-out* total.

Mado lui parle de la photo du jeune homme qui fait maintenant office de fond d'écran sur son cellulaire. Monique éclate de rire. Il n'y a qu'à Mado que ce genre de choses arrive.

— Tu me niaises, lance Monique. Tu es vraiment en train de me dire que tu ne te souviens pas du bel Alex qui t'es tombé dessus au bar ? Voyons donc, tu l'embrassais à pleine bouche. Je t'ai même prise en photo, au moins à deux reprises. Et tu as insisté pour qu'il te ramène chez toi. C'est moi qui lui ai donné ton adresse. Alors, est-ce que tu as sauté la clôture ?

Monique n'attend même pas la réponse de Mado avant d'ajouter d'un cri venant du cœur :

— Maudite chanceuse ! J'espère que tu réalises la chance que tu as.

En temps normal, Mado se serait empressée de répliquer, mais pas aujourd'hui. Décidément, les choses vont de mal en pis. Elle regarde une fois de plus son cellulaire et fouille désespérément dans sa mémoire à la recherche d'un souvenir en lien avec cet homme. Comment a-t-il pu se retrouver chez elle ? Et flambant nu dans son lit ?

— Tu n'aurais pas dû me laisser faire, j'ai un *chum*, se défend Mado d'une voix brisée. Tu me connais, c'est loin d'être dans mes habitudes de faire ce genre de choses. Non ! Tu me fais marcher !

Si Mado ne comprend rien à ce qui lui arrive, à l'autre bout du fil Monique a beaucoup de difficulté à croire que son amie n'a aucun souvenir.

— J'ai tout fait pour t'arracher à ses bras, mais tu m'as envoyée paître à chacune de mes tentatives. Tu n'arrêtais pas de me répéter que tu étais assez grande pour savoir ce que tu faisais, que c'était ton *party* et que tu avais le droit de faire tout ce que tu voulais, même coucher avec lui si c'était ce que tu souhaitais. Je n'en revenais pas de t'entendre parler de cette façon.

— C'est impossible que je t'aie dit ça, conteste Mado de plus en plus inquiète. Et puis, c'est qui, cet Alex ?

— Si j'ai bien compris, c'est un collègue de travail du mari d'une des filles qui était là. Il me semble qu'elle s'appelle Nathalie. À la seconde où il t'a été présenté, tu as mis le grappin dessus et vous ne vous êtes plus quittés du reste de la soirée. Il devait être près de 2 heures du matin quand vous êtes partis.

Mado est désespérée. Si ce que Monique dit est juste, elle n'a vraiment pas de quoi être fière. Elle se demande bien comment elle a pu perdre les pédales au point de ramener chez elle un inconnu de l'âge de l'un de ses enfants. Elle se dit que ça n'a aucun sens, qu'il y a sûrement quelque chose qui lui échappe, qu'elle va se réveiller et que sa vie va reprendre son cours comme avant.

Puisque Mado reste silencieuse, Monique revient à la charge.

— Il est vraiment nu comme un ver sur ton lit?

— Oui, répond Mado en râlant.

— Est-ce que tu m'aimes, Mado?

— Quelle question! La plupart du temps, oui. Mais pas lorsque tu me laisses partir avec un parfait étranger.

Monique est tellement excitée par l'histoire de son amie qu'elle ne prend même pas la peine de relever le dernier commentaire.

— Alors, je t'en prie, envoie-moi cette photo au plus vite que je me rince l'œil. Il y a tellement longtemps que je n'ai pas vu un homme nu que j'ai peur de ne plus me souvenir à quoi ça ressemble.

— Pas question. Je veux l'enlever, pas l'envoyer à tous mes contacts. Et j'ignore complètement comment procéder. Si André voit ça, je ne suis pas mieux que morte.

— Oh! Oh! Il faut que tu me promettes une chose. Tu ne dois pas la supprimer tant et aussi longtemps que je ne l'aurai pas vue. Je te le demande au nom de notre amitié. Je suis prête à sauter dans mon auto à l'instant s'il le faut, même si je suis encore en pyjama. Et après, je pourrai t'aider à remettre ton ancien fond d'écran, si tu veux.

Les deux femmes sont amies depuis tellement longtemps qu'elles ont cessé de compter le nombre d'années. Peu importe ce qui leur arrive, elles savent qu'elles peuvent toujours compter l'une sur l'autre.

Bien que l'offre de Monique soit tentante, Mado la refuse. Elle a beaucoup trop de choses à penser pour le moment. Et puis comment pourrait-elle espérer se souvenir de la soirée si elle n'a plus cette photo ? Ce n'est pas de cette façon qu'elle avait prévu d'occuper sa première journée de retraite. Preuve qu'on peut encore faire des niaiseries, même à 55 ans. À mesure que les minutes s'écoulent, Mado sent les remords monter en elle. Elle commence à manquer d'air.

— Je vais te le demander une dernière fois, s'exclame Monique. Tu es vraiment certaine de n'avoir aucun souvenir d'Alex ?

— Puisque je te le dis ! réplique Mado. Je donnerais tout ce que je possède pour savoir ce que j'ai fait.

— Oh ! s'écrie Monique, c'est encore plus excitant !

— Je t'interdis de raconter ça à qui que ce soit, l'intime Mado. Il faut que je te laisse.

Mado se dirige vers la salle de bain. Elle décide de prendre un bain plutôt qu'une douche. Elle aura plus de temps pour réfléchir.

Elle reste immergée jusqu'à ce qu'un grand frisson la parcourt. La température de l'eau dans laquelle elle trempe lui est devenue tout à coup insupportable. Elle ne prend pas la peine de s'essuyer et enfile sa robe de chambre en ratine de coton. Alors qu'elle voyait venir sa retraite avec bonheur, voilà maintenant qu'elle est en plein cauchemar, cauchemar dont elle est incapable de se sortir. Elle a beau regarder la photo d'Alex, ça ne réveille pas l'ombre d'un souvenir en elle, mais ça commence à attiser d'autres pulsions, par contre.

L'esprit encore passablement embrouillé par les effets de l'alcool de la veille, Mado tourne encore en rond lorsque le soleil se couche. Elle traîne péniblement son corps sans pouvoir poser les fesses sur une chaise plus d'une minute. À part quelques gorgées d'eau, elle n'a rien avalé depuis qu'elle s'est levée. Elle évite de regarder du côté de sa chambre. Elle n'a pas pris la peine de refaire son lit, pas plus d'ailleurs que de ranger ses vêtements. Il s'en faut de peu pour qu'elle imagine un grand ruban jaune à la porte comme celui que les policiers installent pour protéger une scène de crime. Pour le moment, tout porte à croire que c'est elle, la criminelle. Et si elle passe devant un miroir, elle tourne vivement la tête pour ne pas se voir.

Machinalement plus que par besoin, Mado jette un œil à l'heure sur son cellulaire. Prise d'un excès de colère en apercevant ce jeune prétentieux dans sa plus simple expression, elle se retient à deux mains pour ne pas lancer son téléphone contre le mur. Elle parviendrait peut-être à effacer la photo, mais pas les événements. Elle se contente de déposer l'appareil sur la table basse et s'étend de tout son long sur le canapé. Les yeux à demi fermés, elle essaie de retrouver un semblant de bien-être alors qu'un tas d'émotions se bousculent à l'intérieur d'elle. Elle a l'impression d'être embarquée dans les montagnes russes de La Ronde sans avoir pris le soin de s'attacher avant le départ. Elle prend de grandes inspirations et expire avec bruit, comme elle l'a appris dans ses cours de méditation il y a quelques années. Elle se concentre sur sa respiration autant qu'elle peut et elle repousse toutes les pensées qui affluent à son esprit. Faire le vide de cette manière n'a jamais été son fort.

Au moment où elle commence à respirer de façon plus régulière, un signal lui indique qu'elle vient de recevoir un texto. Elle mettrait sa main au feu que c'est André qui veut de ses nouvelles. Sa première réaction est de l'ignorer. Pourquoi le lire puisqu'elle ne saura pas quoi lui répondre ? Cependant, comme il n'est pas le seul à lui envoyer des textos, elle s'empare de son téléphone et regarde qui lui a écrit. C'est Alex.

J'espère que tu as aimé la petite vidéo ! ☺

Mado relit le bref message trois fois plutôt qu'une.

De quelle vidéo parles-tu ?

Elle s'assure de ne pas avoir fait de fautes d'orthographe et appuie sur Envoyer. Quelques secondes suffisent pour qu'elle reçoive une réponse à sa question.

Celle que j'ai mise sur ta galerie. Et ton fond d'écran ?

Ces mots la font paniquer. Elle clique sur l'icône Galerie et repère rapidement la vidéo. Elle est sans voix dès qu'elle visionne les premières images. Elle se voit en train de faire l'amour avec Alex. Elle lance rageusement son cellulaire sur le canapé et se met à arpenter le salon dans tous les sens. Cette fois, les choses vont trop loin. Elle n'a toujours aucun souvenir de sa petite virée avec lui. Aucun ! Elle observe son téléphone chaque fois qu'elle passe devant le fauteuil. Elle soupire de plus en plus fort.

— C'est assez pour aujourd'hui, dit-elle à voix haute.

Elle prend son cellulaire, l'éteint et le dépose sur la table d'appoint. Elle va chercher le sac de Doritos dans son garde-manger et une bouteille de Perrier. Elle allume la télévision, insère le DVD du film *Le diable s'habille en Prada* dans le lecteur et le met en marche. Elle espère de tout son cœur que son film culte parviendra à l'empêcher de penser.

Chapitre 2

— Qu'est-ce qui t'arrive, ma belle ? demande André après un long baiser langoureux. On dirait que tu as passé la nuit sur la corde à linge. Je t'avais dit que tu l'échapperais, cette soirée.

Mado comprend très vite que, malgré tous les efforts qu'elle a faits pour se coiffer et se maquiller ce matin, elle ne bernera personne sur son état réel. C'est simple, elle ne s'est pas encore remise de son *party*. Elle ne se souvient toujours pas de ce qu'elle a fait avec Alex. Même la petite vidéo, qui est pourtant très révélatrice, ne lui dit rien du tout. Elle se voit bien en train de faire l'amour avec lui, mais aussi belles et aussi inspirantes que soient ces images, elles n'ont aucune résonance pour elle, si ce n'est qu'il y a des moments où elle est plus frustrée qu'une vieille fille qui réalise tout ce qu'elle a manqué. Elle ne fait pas exception à la règle. Comme bien des femmes de son âge, elle caresse secrètement le fantasme de faire l'amour avec un étalon dans la fleur de l'âge. Dire qu'elle avait tout ce qu'il fallait sous la main et que son cerveau lui bloque l'accès à ce souvenir. Si elle ne se retenait pas, elle se mettrait à hurler jusqu'à en perdre la voix.

— Il va falloir que je l'accepte, s'exclame-t-elle, le champagne, c'est terminé pour moi.

Elle pèse ses mots. D'un côté, elle veut lui donner l'heure juste, alors que, de l'autre, elle ne désire pas qu'il souhaite en savoir plus que nécessaire sur sa soirée, du moins pas avant qu'elle ait eu le temps de démêler le vrai du faux.

André la regarde et sourit. Voilà déjà près de deux ans qu'ils se fréquentent. Il lui a suffi d'un regard pour qu'il en tombe amoureux. Il aime tout de cette femme, même ses défauts. D'ailleurs, s'il n'en tenait qu'à lui, il y a longtemps qu'ils habiteraient ensemble. Il trouve ridicule qu'ils aient chacun leur condo, alors qu'un seul suffirait à abriter leur amour. Il lui a offert à plusieurs reprises de venir s'installer chez lui, mais chaque fois il s'est fait éconduire. Il y a des jours où André se dit qu'il aime Mado plus qu'elle ne pourra jamais l'aimer. Le simple fait d'y penser le met tout à l'envers, mais, comme il ne peut pas envisager sa vie sans elle, il n'a pas vraiment le choix.

— Et ton *party*?

Mado plisse le nez tout en remontant ses lunettes. Elle doit user sur-le-champ de ses qualités de communicatrice. Elle doit tout dire sans rien divulguer de compromettant.

— J'ai passé une très belle soirée, et tu ne sais pas la meilleure: ils avaient invité Monique.

Piqué au vif par ce qu'il vient d'entendre, André fait la moue et croise les bras.

— Il me semblait que c'était réservé exclusivement à ceux qui travaillaient avec toi.

Mado se doutait bien qu'André n'apprécierait pas de savoir que son amie était à la petite fête alors que lui en avait été exclu. Si elle l'écoutait, ils seraient toujours collés l'un sur l'autre. Elle le lui répète chaque fois que l'occasion se présente: «Aussi bien t'habituer, parce que jamais je n'accepterai de fusionner avec toi. J'aime être avec toi, mais j'aime aussi être seule. Je veux que tu fasses partie de ma vie, mais je refuse que tu sois toute ma vie.» Mado n'irait pas jusqu'à dire qu'André a des comportements de dépendant affectif, mais elle doit le garder à distance si elle ne veut pas se faire envahir. Elle est bien avec lui, mais elle a besoin d'un espace rien qu'à elle. Avant que son deuxième mari meure tout comme son premier du cancer, elle n'était pas comme ça. Elle aimait le quotidien avec un homme et elle s'abandonnait totalement dans ses bras. Maintenant, elle ne s'accorde plus le droit d'aimer à fond. Elle tient solidement le pied enfoncé sur la pédale de frein, et ce n'est pas demain la veille qu'elle le lèvera.

— Ne le prends pas comme ça, lui dit-elle en lui touchant la main. Je te l'ai déjà dit, depuis le temps que Monique et moi sommes amies, elle connaît pratiquement tous les gens avec qui je travaillais, et, si ça peut te rassurer, j'étais la première surprise de la voir là.

— Je comprends. Tu sais comme moi que lorsqu'on aime quelqu'un on veut être présent à tous les moments importants de sa vie. Et pour moi, ton *party* de départ à la retraite en était un. Mais oublie ça ! Alors, cette soirée ?

— C'était super. On était environ une vingtaine. On a mangé dans un restaurant thaïlandais, tu sais, celui tout près du centre commercial. Il faudra que je t'y emmène. C'est tellement bon. Après, on est allés boire un verre dans un bar. Tu m'excuseras, j'ai oublié le nom. Tu connais mon patron, ou plutôt mon ex-patron, il n'a pas arrêté de faire le pitre. On a ri comme des fous avec lui.

Mado fait une pause de quelques secondes. Il n'y a rien qu'elle déteste le plus que de parler d'une soirée à quelqu'un qui n'y était pas. C'est classique, tout ce qui nous a paru très drôle sur le moment devient par la suite un fait divers sans intérêt. Et puis, il va sans dire qu'elle n'a aucune envie de rentrer dans les détails de sa fin de soirée. Moins elle en dira, moins il y a de possibilités que ses frasques parviennent aux oreilles d'André.

— C'est fou le nombre de *shooters* qui sont apparus devant moi pendant la soirée. Ça arrivait de partout. J'en ai même reçu un d'un illustre inconnu. Le type buvait un verre au bar et il m'a payé un cognac qui sentait tellement bon que j'ai pris le temps de le savourer.

— Va-t-il falloir que je commence à te surveiller ? taquine André en portant la main de Mado à sa bouche pour y déposer un baiser.

André la regarde avec passion, et ce, même si elle n'a pas l'air en forme et qu'elle manque d'entrain. Il ressent un désir incontrôlable pour elle, une envie irrésistible de lui faire l'amour, de la conduire au septième ciel.

— Je pense qu'une petite sieste te ferait le plus grand bien, ajoute-t-il en lui faisant un clin d'œil. On pourrait aller chez toi, c'est plus près.

Voilà la dernière chose dont Mado a besoin en ce moment ! Et il n'est pas question qu'elle le laisse entrer chez elle avant d'avoir remis un peu d'ordre. Pour ça, il faudrait d'abord qu'elle trouve le courage de s'y mettre. Au moment où elle ouvre la bouche pour répondre, elle entend le signal caractéristique de l'arrivée d'un texto, ce qui la fait sursauter. Elle sort nerveusement son cellulaire de son sac à main et l'ouvre en prenant soin de le coller sur elle pour qu'André ne voie pas l'écran.

J'attends toujours ta réponse... ☺

Elle se dépêche de le refermer et de le ranger en se disant qu'elle réglera son compte à Alex aussitôt qu'elle sortira du restaurant. Elle expire plus fort qu'elle ne l'aurait voulu et dit :

— Ne le prends pas mal, mais je n'ai pas envie de m'envoyer en l'air pour le moment. Le simple fait de penser m'épuise, et je n'ai pratiquement rien mangé depuis hier. Je dois absolument aller voir ma mère en partant d'ici avant qu'elle mette la police à mes trousses. S'il te plaît, laisse-moi juste le temps de me remettre sur pied.

André la regarde avec attention. Il voit bien que quelque chose ne va pas, mais il connaît assez sa Mado pour savoir qu'il ne pourra rien en tirer tant qu'elle n'aura pas décidé de lâcher le morceau. C'est probablement sa mère qui fait encore des siennes, ou l'un de ses enfants qui l'inquiète.

— Est-ce qu'on commande ? demande Mado. Je suis affamée.

***

Mado a coupé court au dîner avec André et est partie aussitôt sa dernière bouchée avalée. Elle sait bien qu'elle n'a pas été à la hauteur, mais dans les circonstances c'est le mieux qu'elle pouvait faire. Elle stationne son auto devant la villa où sa mère a son appartement et coupe le moteur. Elle sort son cellulaire de son sac et le regarde fixement comme s'il allait lui dicter la réponse à la question d'Alex. Elle passe plusieurs minutes à l'observer, le jette d'un geste rageur sur le siège du passager et descend du véhicule en râlant.

— Tant pis, il attendra.

Mado n'aime pas venir rendre visite à sa mère ici. Ce n'est pas que l'endroit soit laid, mais il lui rappelle chaque fois qu'un jour son tour viendra. Et ça, ça lui fout les jetons. S'il n'avait tenu qu'à elle, sa mère demeurerait encore dans sa maison. Certes, il aurait fallu prendre quelques dispositions pour faciliter son quotidien, mais au moins elle serait restée dans ses affaires et elle aurait continué d'avoir un semblant de vie. Elle aurait gardé la forme aussi. Depuis qu'elle habite son petit appartement, Gertrude a perdu non seulement en qualité de vie mais en capacités. N'avoir plus rien à faire d'autre que lire et regarder la télévision la tue à petit feu. Il faut dire qu'elle ne se mêle pas aux autres si elle considère qu'ils ne sont pas à la hauteur de ses exigences. N'entre pas qui veut dans la vie de sa chère mère.

Mado salue quelques personnes au passage. Elle est toujours surprise de voir à quel point certains locataires se plaisent ici.

C'est du moins l'impression qu'ils donnent lorsqu'on les regarde. Difficile à croire, mais Mado connaît plus de gens dans cet endroit que sa mère. C'est d'ailleurs elle qui lui donne des nouvelles de ses voisins. Il y a plus de deux ans que Gertrude s'est installée à la villa et elle n'en a pas encore fait le tour. Elle sait qu'il y a une bibliothèque, une chapelle, une salle d'ordinateurs... Elle le sait, et ça lui suffit. Elle est tellement antisociale qu'une fois sur deux elle mange dans son appartement plutôt que de descendre à la salle à manger. Ce n'est pas d'hier que Mado déplore l'inaptitude à vivre en société de sa mère.

Comme d'habitude, Gertrude l'attend à la porte de son logement et la regarde venir depuis la sortie de l'ascenseur.

— Je commençais à me demander si j'avais mal compris, lui lance sa mère, il est plus de 15 heures.

Mado fait comme si elle n'avait rien entendu.

— Tu as l'air en forme, maman, s'écrie-t-elle d'une voix joyeuse.

— Certainement plus que toi, riposte Gertrude. As-tu passé la nuit sous un pont ? Tu fais peur à voir tellement tu es blême.

Il n'y a pas mieux que Gertrude pour complimenter quelqu'un. Mado n'a pas envie de se prendre la tête et décide de lui répondre gentiment.

— Disons que j'ai abusé un peu trop de l'alcool à mon *party* de départ à la retraite. C'est là que je constate que je n'ai plus 20 ans. À l'époque, je pouvais passer une nuit blanche et ça ne paraissait pas. Aujourd'hui, je mets des jours à reprendre le dessus.

— Considère-toi comme chanceuse. À mon âge, on met des semaines à se remettre d'une innocente coupe de vin. La vie est trop injuste ; même si on a de l'argent plein les poches, on n'est plus capable de rien faire. Regarde-moi, ce n'est pas une vie. J'attends juste que la mort vienne me chercher.

Décidément, la conversation ne prend pas la direction qu'aurait souhaitée Mado. C'est souvent comme ça avec sa mère. Et les choses ne font qu'empirer depuis qu'elle demeure à la villa. Quand elle y pense, Mado se dit que c'est probablement normal. En ces lieux, Gertrude n'a rien qui la rattache à son ancienne vie. Le deux-pièces qu'elle a loué est si exigu qu'elle a été forcée de se défaire de tous ses meubles beaucoup trop massifs. Elle aurait pu en profiter pour marquer sa nouvelle vie et s'offrir un décor à son goût, mais au lieu de ça elle a opté pour des objets sans valeur qui n'ont aucune âme. Résultat : elle ne se sent pas chez elle, pas plus que ceux qui viennent lui rendre visite d'ailleurs. Mado a parfois l'étrange sensation de se trouver dans l'antichambre de la mort. Elle se demande souvent comment sa mère fait pour supporter ça jour après jour.

— Tu ne devrais pas parler de cette manière, lui reproche Mado. Qui dit que tu ne nous enterreras pas tous ?

— Au risque de me répéter, ma vie n'a plus aucun sens ici.

— C'est bien parce que tu le veux, maman, se risque à dire Mado.

Gertrude regarde sa fille d'un air sévère. Elle est consciente d'être en grande partie responsable de son bonheur, mais il n'en demeure pas moins que sa vie n'est plus la même depuis que son mari l'a quittée. Lorsqu'il vivait encore, ils avaient des projets et des rêves. Ils voyageaient au moins une fois par année et recevaient régulièrement leurs amis. Du jour au lendemain, la vie de Gertrude a basculé du tout au tout. C'était fini, les voyages et les réceptions. Quand on est seule et que tout notre entourage est en couple, on n'intéresse plus personne. Elle a bien quelques amies, mais elle ne les voit pratiquement jamais. Soit elles passent l'hiver en Floride avec leur époux, soit elles sont trop occupées pour lui accorder quelques heures de leur temps si précieux.

— J'aimerais bien te voir à ma place, ajoute sa mère. Tant et aussi longtemps que tu étais au travail, la vie était belle. Mais une fois à la retraite, tu vas vite t'apercevoir qu'il y a beaucoup moins de monde autour de toi.

Mado se sent attaquée par les paroles de Gertrude et elle déploie l'artillerie lourde pour se défendre.

— Je n'ai laissé que mon emploi au cégep. Je siège encore à trois conseils d'administration et je fais partie de la chorale aussi.

— Tant mieux, alors ! Pour moi, la retraite a été le début de la fin. Comme disait souvent mon grand-père, l'homme n'est pas fait pour ne rien faire. Il doit avoir une raison de se lever le matin, sinon il court tout droit à sa perte.

Pour une fois, Mado est d'accord avec sa mère. La retraite ne convient pas à tout le monde.

— Maman, dit Mado d'une voix douce, est-ce que tu voudrais qu'on fasse des activités ensemble maintenant que j'ai plus de temps ?

Gertrude est touchée par l'offre de sa fille, mais au lieu de le lui montrer, elle reste de marbre.

— Ne perds pas ton temps avec une vieille grincheuse comme moi.

— Dis-moi ce qui te ferait plaisir.

Deux petites larmes apparaissent au coin des yeux de Gertrude, ce qui n'échappe pas à Mado.

— Il y a tellement longtemps que je me suis posé la question que je ne sais même pas quoi te répondre. Pourrais-tu me laisser un peu de temps pour y penser ?

Mado s'attendait à tout sauf à cette réponse. Elle doit avouer qu'elle est vraiment fière d'elle. Elle ne pourra pas changer la vie de sa mère d'un coup de baguette magique, mais si elle peut au moins l'améliorer, ne serait-ce que quelques heures par semaine, ce sera déjà ça.

— Ça te dirait qu'on aille manger une pâtisserie ?

— Mais il est presque 16 heures.

— Qui a dit qu'il y avait une heure pour manger un dessert ? Prépare-toi, j'en connais une bonne à quelques pâtés de maisons. Tu vas adorer leur tiramisu.

***

Lorsque Mado arrive chez elle, Monique l'attend devant sa porte. Elle n'a pas pris la peine d'avertir qu'elle venait, mais ce n'est pas nouveau. Deux fois sur trois, elle débarque comme un cheveu sur la soupe. Les deux amies se font la bise et Mado déclare :

— Tu aurais dû rentrer, ma clé est toujours au même endroit.

— Je viens d'arriver. J'espère que tu as ce qu'il faut pour accompagner le Trapiche que j'ai apporté.

— Ne compte pas sur moi pour boire du vin ce soir, j'ai eu plus que ma dose vendredi. Mais j'ai des biscottes et du fromage en quantité si tu en veux, par contre.

Elles ne sont pas sitôt entrées que Monique supplie Mado de lui montrer la photo d'Alex. C'est sans grand plaisir que cette dernière sort son cellulaire de son sac pour le lui remettre.

— Mais ce n'est pas tout, lance Mado. Imagine-toi donc qu'il a même tourné une vidéo pendant nos ébats.

— Oh, s'écrie Monique, c'est tellement excitant. On se croirait en plein film de filles.

Dès que Monique pose son regard sur la photo d'Alex, elle se transforme en adolescente finie. Elle grossit l'image, enlève les icônes. Une vraie groupie !

— Wow ! Quel beau mec ! Il était déjà très beau habillé, mais là... J'espère que tu es consciente de la chance que tu as.

— On repassera pour la chance. Pour l'instant, cette histoire me donne plus de trouble qu'autre chose.

— Montre-moi vite la vidéo !

— Si tu penses que je vais te laisser regarder mes prouesses au lit, tu te mets le doigt dans l'œil jusqu'au coude.

Monique ne capitule pas aussi facilement, et maintenant qu'elle tient le cellulaire de Mado, elle a bien l'intention de visionner la vidéo avant de le lui redonner. Contrairement à son amie, Monique se débrouille très bien avec la technologie. Pendant que Mado sort les fromages et les biscottes, elle clique sur Galerie et repère aussitôt la vidéo, qui, soit dit en passant, est la seule que le téléphone contient. Quand Mado réalise ce que son amie est en train de faire, elle lui ordonne de lui rendre son téléphone. Monique ne fait ni une ni deux et court s'enfermer dans la salle de bain. Mado tambourine à la porte, mais Monique ne lui répond pas. Découragée, elle abandonne et retourne à la cuisine. Appuyée sur le comptoir, elle est furieuse contre Monique au point qu'elle l'ignore quand cette dernière vient la rejoindre.

— Tu dois absolument revoir Alex, lance Monique.

Mado ne réagit pas. Depuis le temps qu'elles sont amies, ce n'est pas la première fois qu'elles sont en désaccord, ou même que l'une des deux boude l'autre.

— Arrête de faire la tête, l'intime Monique. Je sais très bien que je n'aurais pas dû la visionner, mais tu me connais, je suis de nature curieuse. Je ne comprends toujours pas que tu n'aies aucun souvenir de lui et de ce que vous avez fait ensemble. Vous avez baisé comme des bêtes et tu ne te rappelles rien. Ça n'a aucun sens.

Aucune des deux femmes n'est capable de rester très longtemps fâchée contre l'autre.

— Je ne me suis jamais sentie aussi mal de toute ma vie, dit Mado. Au point où j'en suis, je vais boire du vin avec toi.

— Bonne idée ! Mais tu devrais le revoir, parce que sinon tu n'auras jamais l'esprit tranquille.

Mado tend la main pour reprendre son cellulaire, l'ouvre, va chercher le dernier texto qu'Alex lui a envoyé et lui répond.

On pourrait aller manger ensemble demain soir.

La réponse d'Alex ne se fait pas attendre.

Avec plaisir. Où et à quelle heure ?

Au Cube, à 19 heures.

J'y serai sans faute, compte sur moi!

Mado se sent soulagée. On dirait qu'elle vient d'enlever une tonne de pression de ses épaules seulement en tapant quelques malheureuses lettres.

— C'est ce que tu avais de mieux à faire, confirme Monique.

— Je le saurai bien assez tôt, répond Mado en leur servant à boire.

Chapitre 3

André attendait avec tellement d'impatience que Mado soit à la retraite qu'il est à peine 9 heures lorsqu'il lui téléphone. Comme il était plus de minuit quand Monique est partie et qu'elle avait beaucoup de sommeil à rattraper, Mado dort encore à poings fermés quand le téléphone sonne.

André comprend qu'il l'a réveillée lorsqu'il entend les premiers mots qu'elle prononce et, fidèle à lui-même, il se confond aussitôt en excuses. Mado l'aurait normalement prié d'arrêter, mais pas aujourd'hui, elle le laisse aller jusqu'au bout de sa litanie sans même réagir.

— Est-ce que tu m'appelles pour quelque chose de spécial ?

— Oui et non, répond-il d'une voix enjouée. D'abord, je suis en manque de toi et, ensuite, je voudrais t'offrir un cadeau pour marquer ta nouvelle vie. Je t'invite à aller passer quelques jours à l'Anse-Saint-Jean pour souligner ta retraite. Peux-tu être prête pour midi ?

André n'a pas choisi cet endroit au hasard, il sait parfaitement que c'est un des villages préférés de Mado. Elle y est allée au moins cinq fois à ce jour et ne lui a encore trouvé aucun défaut. Dès que son auto s'engage sur la route en lacets qui mène au fjord, les souvenirs se bousculent immanquablement dans sa tête. Des paysages à couper le souffle sur la terre comme sur la mer ! Des tables toutes plus succulentes les unes que les autres qui valent largement le détour. Des gens si attachants qu'on voudrait tous les avoir comme amis. Dès sa première visite, Mado est tombée sous le charme de l'auberge qui se trouve en face du pont couvert, et c'est sans compter les mets divins qu'on y sert. Elle affectionne particulièrement les pétoncles au miel et au citron et les îles au fromage qui flottent sur une mer de chocolat blanc. Elle salive rien qu'à y penser.

Elle aime aller flâner à la marina quand il fait beau ; le chant des oiseaux et l'odeur de la mer rendent l'endroit presque féerique. Elle s'installe dans la verrière du restaurant l'Islet qui surplombe le fjord et profite du paysage en savourant la salade à la truite fumée de la maison ou la côte de veau à la sauce aux canneberges dont elle ne se lasse jamais. Et que dire de la tourtière qui n'a pas son égale à des kilomètres à la ronde ? Là-bas, la cuisine est tout simplement exceptionnelle, et la propriétaire est une femme unique. Il faut l'entendre vanter les mérites de son coin de pays avec toute la fougue qui l'anime. Quand elle vous parle, vous avez l'impression d'être la personne la plus importante du monde.

Ajoutons à tout cela le kayak de mer et les randonnées en forêt jusqu'à la chute qui ruisselle sur le versant de la montagne ou encore le sentier qui conduit les marcheurs à l'Anse de Tabatière, juste au-dessus du fjord. Quand on est là-haut et qu'on surplombe l'immensité qui se déploie sous nos yeux, on se sent aussi petit qu'un grain de sable perdu sur une plage de Cuba. Il y a peu d'endroits où Mado aime aller été comme hiver, mais l'Anse-Saint-Jean fait partie de ceux-là. Le ski, la motoneige, la pêche sur la glace, tout y est pour satisfaire les envies des visiteurs d'ici et d'ailleurs. Curieusement, ils sont plus nombreux à traverser l'océan pour venir découvrir ce joyau que les gens qui habitent à quelques heures à peine de là.

— C'est très gentil, répond Mado, mais tu tombes mal. J'ai déjà un engagement pour ce soir.

— Tu peux sûrement le remettre, argumente-t-il.

Si André savait pourquoi elle refuse son invitation, probablement qu'il lui raccrocherait au nez et ne voudrait plus jamais lui adresser la parole.

— Mais j'ai déjà fait les réservations, poursuit-il.

Ce n'est pas la première fois qu'il la met devant le fait accompli, et cela l'enrage à tout coup.

— Combien de fois t'ai-je dit de me parler de tes projets avant ! Il va falloir qu'on mette les choses au clair une fois pour toutes. Ce n'est pas parce que je suis à la retraite que je vais passer tout mon temps collée sur toi. J'ai besoin d'air, c'est pourtant simple à comprendre !

Mado réalise rapidement qu'elle a été bête avec lui, alors que la seule chose qu'il voulait était lui faire plaisir. D'un autre côté, il commence drôlement à l'énerver.

— Je suis désolée, ajoute-t-elle, je n'aurais pas dû te parler de cette façon, j'ai juste besoin de souffler un peu. Je termine à peine de travailler et tu voudrais que je saute à pieds joints dans une autre vie, comme ça, en claquant des doigts. J'ai besoin d'un peu de temps pour m'habituer à ma nouvelle situation.

André devrait savoir depuis le temps qu'elle déteste se faire organiser. D'autant plus qu'il réagissait de la même manière qu'elle lorsqu'il est parti à la retraite. On aurait dit que tout le monde autour de lui s'était donné le mot pour l'occuper, alors que tout ce dont il rêvait était de ne pas avoir de projets pour un temps. Il s'est battu comme un diable dans l'eau bénite pour qu'on le respecte, et il est le mieux placé pour savoir comment Mado se sent.

Celle-ci est bien décidée à ne laisser personne lui dicter sa conduite, pas même son amoureux. S'il le faut, elle retournera travailler pour avoir la paix. « Ce n'est pas vrai que je vais devoir me battre pour chaque moment de liberté. »

— Tu as raison, finit-il par admettre, j'en fais peut-être un peu trop. Je m'occupe de tout annuler et je te rappelle demain.

Mado dépose son téléphone sur la table de chevet, tire sa couette jusqu'au-dessus de sa tête et se tourne sur le côté dans l'espoir de se rendormir. Alors qu'elle était euphorique à l'idée de partir à la retraite, elle commence déjà à regretter son ancienne vie. Lorsqu'elle était au travail, elle était maîtresse de son temps. Elle soupire et essaie de ne penser à rien, ne serait-ce qu'une minute. Quelques secondes plus tard, elle revoit la photo d'Alex et pense à tout ce que sa rencontre a bousculé dans sa vie. Elle a bien l'intention de mettre un point final à cette histoire, mais elle sait qu'elle en gardera des traces indélébiles, des traces qui lui reviendront en mémoire probablement au moment où elle s'y en attendra le moins. Quant à sa relation avec André, sans être parfaite, elle lui convenait jusqu'à la semaine dernière, mais Mado réalise aujourd'hui que la situation laisse à désirer et qu'ils sont parfois à des années-lumière l'un de l'autre sur certains points. Il va falloir que les choses se placent rapidement entre eux. Bien que les gestes d'André partent d'une bonne intention, Mado sait trop bien que, si elle se sent le moindrement dirigée, elle prendra ses jambes à son cou et se sauvera. Aussi longtemps qu'elle sera de ce monde, jamais elle n'acceptera de vivre dans l'ombre de qui que ce soit. Elle n'irait pas jusqu'à dire que c'est ce qu'André souhaite, mais c'est ainsi qu'elle s'est sentie tout à l'heure et ça lui fait un peu peur. Monsieur déciderait tout alors que madame n'aurait qu'à suivre sans dire un mot ? Jamais !

Mado retombe dans les bras de Morphée la seconde d'après pour n'en revenir que lorsque la sonnette de la porte retentit et la tire brusquement de sa rêverie. Elle se frotte les yeux et se lève pour aller répondre. Un deuxième coup de sonnette se fait entendre au moment où elle sort de sa chambre. Son humeur se détériore à chaque pas qu'elle fait. Elle ne prend même pas la peine de vérifier qui se trouve de l'autre côté de la porte et ouvre. C'est alors qu'elle tombe nez à nez avec une immense gerbe de roses rouges. Il y en a tellement qu'elle n'essaie même pas de les compter.

— Êtes-vous madame Côté ? demande le livreur en inclinant la tête pour qu'elle le voie.

Mado acquiesce.

— C'est pour vous. Bonne journée !

Les bras encombrés, Mado porte son bouquet à la cuisine et retourne se coucher. Mais elle n'arrive pas à retrouver le sommeil, les pensées affluent dans sa tête sans qu'elle puisse les contrôler. Bien qu'elle ne soit pas tellement nostalgique, elle se revoit le jour de son mariage au bras de Jean-Charles, son deuxième mari. Ils s'étaient mariés à la fin du mois de novembre. C'était un mariage de rêve, Mado avait tout organisé dans les moindres détails. Elle avait pourtant juré, quand Rodrigue était décédé trois ans plus tôt, de ne jamais se remarier. Elle avait tellement eu de peine qu'elle repoussait tous les prétendants qui osaient l'approcher. Elle se souviendra toujours à quel point JC, comme elle l'appelait affectueusement, avait pu être patient avec elle. Il travaillait dans le même département, il était entré dans sa vie à titre d'ami et leur amitié s'était naturellement transformée au fil des mois en un amour profond. Ils avaient tout pour eux, l'amour, la passion, le désir et ils étaient bien ensemble. Ils riaient tout le temps et souvent sans raison. Des tas de projets s'offraient à eux, dont celui d'avoir un enfant et celui de se construire un avenir à deux. Ils ne se sont pas contentés de donner un frère à Mathieu, ils lui ont aussi donné une sœur, le trésor de son père. Aux yeux de tous, ils incarnaient l'image parfaite de la famille idéale qu'on voit habituellement dans les téléromans. Mathieu, qui devait avoir environ cinq ans, appelait Jean-Charles «papa». Il faut dire qu'il n'avait que deux ans à la mort de son père. Mado était comblée comme jamais elle ne l'avait été auparavant. Seulement, un jour JC était rentré du travail avec une douleur insupportable au bas du ventre et, deux mois plus tard, le cancer l'emportait, la laissant une fois de plus seule face à la vie. C'était il y a quatre ans. Il a laissé un tel vide autour de lui que les enfants se sont sentis aussi abandonnés qu'elle, peut-être même plus. Ils étaient devenus adultes, mais ils avaient perdu bien plus qu'un père, ils étaient privés de leur confident, leur ami et leur héros. Mado essayait par tous les moyens de garder sa famille unie, mais la peine était si grande que chacun avait besoin de temps pour guérir. C'est pour cette raison qu'il y a un peu plus de deux ans Émilie a annoncé à sa mère qu'elle allait travailler pour Cavalia. Il fallait absolument qu'elle parte pour oublier.

— Tu ne peux pas t'en aller comme ça, lui avait dit Mado. Je ne supporterai pas de te savoir aussi loin.

Mado avait tout tenté pour que sa fille change d'idée, mais Émilie avait tellement besoin de s'expatrier qu'elle avait fait fi des objections de sa mère. Elle savait que Mado serait la personne qui souffrirait le plus de son départ, mais elle devait le faire pour avancer. Il devenait urgent qu'elle mette de la distance entre elle et les souvenirs heureux qui la rattachaient à cet homme qu'elle avait eu la chance d'avoir comme père.

Grâce à l'appui constant de ses fils, Mado a fini par accepter la décision de sa princesse. Émilie semblait heureuse, et c'était la seule chose qui lui importait. Mado a rencontré André quelques mois plus tard et elle a accepté de se laisser aimer une fois de plus. Cependant, elle garde toujours en tête l'idée qu'elle porte malheur aux hommes qui ont partagé sa vie, c'est plus fort qu'elle.

Mado, qui n'arrive pas à fermer l'œil malgré tous ses efforts, décide de se lever. Elle se prépare un bon café latte et met deux chocolatines dans le petit four. Elle se décide enfin à lire la carte qui accompagne les roses et n'est pas surprise de voir qu'elles viennent d'André.

Pardonne-moi ! Je t'aime !
André

Mado libère les fleurs de leur emballage et prend le temps de les sentir avant de les mettre dans un joli pot qu'elle dépose sur le comptoir de la cuisine. Les roses rouges sont sans contredit les fleurs qu'elles préfèrent. Elle les place et se recule pour voir l'effet. Elles sont magnifiques. Elle va chercher son cellulaire et envoie un texto à André pour le remercier. Au moment où la sonnerie de son petit four se fait entendre pour l'aviser que ses chocolatines sont prêtes, celle de la porte retentit. Quelle n'est pas sa surprise de voir Jimmy dans l'embrasure de la porte.

— Salut, *mom* ! s'écrie-t-il.

Il est si rare qu'il passe sans lui avoir téléphoné avant qu'elle se dit qu'il a certainement quelque chose à lui demander. Elle l'embrasse et l'invite à entrer boire un café.

— Suis-moi à la cuisine, lui dit-elle, je suis en train de déjeuner. As-tu mangé ?

— As-tu vu l'heure qu'il est ? Il y a longtemps que j'ai déjeuné, j'échangerais volontiers le café contre une bière.

Mado regarde son fils avec amour. Elle aime tous ses enfants, mais elle doit avouer qu'elle a toujours eu un faible pour Jimmy. Ses beaux grands yeux verts et ses cheveux blonds légèrement ondulés font battre son cœur quand elle pose son regard sur lui.

Aussi, comme il s'adonne à plusieurs sports, il n'a pas une once de graisse. Le fait qu'il soit le portrait tout craché de son père ne fait qu'amplifier l'amour qu'elle lui porte.

— Sers-toi! Il doit en rester au frais. Quoi de neuf dans ta vie?

— À vrai dire, pas grand-chose, si ce n'est que j'ai rompu avec Cloé.

Le contraire aurait surpris Mado, car chaque fois qu'elle voit son fils avec une fille, c'est toujours une nouvelle. En fait, il les côtoie si peu longtemps qu'elle ne se risque même plus à les appeler par leur prénom de peur de se tromper.

— Elle voulait non seulement déménager chez moi, mais elle a même parlé d'avoir des enfants. Tu te rends compte: pas *un* mais bien *des* enfants. Je suis bien trop jeune pour devenir père.

Mado se retient de pouffer de rire. Jimmy tient le même discours depuis la première fois qu'il est sorti avec une fille, et il n'y a jamais dérogé. Comme il se plaît à le répéter sur tous les tons, il ne veut pas laisser de trace derrière lui. Mado se rassure en se disant qu'il a encore amplement le temps de changer d'idée et que, s'il ne le fait pas, elle ne lui en voudra pas. Contrairement à plusieurs de ses amies, elle ne juge pas que s'occuper de ses petits-enfants est sa priorité dans la vie. Mathieu lui en a donné deux qu'elle adore, mais pas au point de leur consacrer le reste de sa vie. Après tout, ils ont des parents, ces enfants-là!

— Depuis combien de temps sortiez-vous ensemble?

— Environ un mois, je pense. Je te l'ai déjà dit, et je le répète, les filles sont folles. Elles veulent toutes vivre un mariage de princesse, avoir des enfants, une grosse maison, un chalet, deux autos, un chien...

— J'ose espérer qu'elles ne sont pas toutes pareilles.

Jimmy prend une longue gorgée de bière avant de lui répondre.

— La seule chose que je sais, c'est que toutes celles qui tournent autour de moi et mes *chums* sont comme ça. Et toi ? J'espère que tu ne trouves pas ça trop dur, être à la retraite !

— Disons que les choses ne se passent pas comme je l'avais prévu, mais je suppose que tout va finir par se placer.

Même si Mado a une bonne relation avec son fils, il est hors de question qu'elle lui raconte ce qui lui arrive ces derniers jours. Comme tous les enfants de la terre, Jimmy ne veut rien connaître de la vie amoureuse, encore moins sexuelle, de sa mère. La savoir heureuse lui suffit amplement.

Jimmy regarde Mado. Il la connaît assez bien pour savoir qu'elle n'est pas au meilleur de sa forme.

— Et ton *party* ?

— C'était super ! Tu es certain que tu ne veux pas manger une bouchée ? J'ai un bon bleu dans le frigo.

— Je te remercie, mais je suis juste passé prendre des nouvelles. J'ai promis à Étienne d'aller manger avec lui.

Il respire profondément avant d'ajouter :

— Je sais que tu n'es pas très chaude à l'idée de me prêter le chalet, mais…

Comme elle connaît déjà la suite, Mado le coupe en plein milieu de sa phrase.

— Un instant ! Tu peux avoir le chalet aussi souvent que tu veux et ça, tu le sais, mais pas pour faire la fête avec tes amis. Tiens-tu vraiment à ce que je te rappelle pourquoi ? Les rares fois où je t'ai fait confiance, j'ai dû engager quelqu'un pour tout nettoyer.

— Je te promets que…

Mado peut passer par-dessus bien des caprices de son fils, mais elle refuse de lui donner sa bénédiction pour qu'il s'éclate avec des copains au chalet familial. Son expérience passée lui a démontré qu'il perd le contrôle aussitôt qu'il met les pieds à l'intérieur de la demeure.

— Ménage ta salive. Tu as déjà eu trop de chances ! Voudrais-tu une autre bière ?

Jimmy s'attendait à cette réponse, mais elle n'en est pas moins difficile à accepter. Il en a vraiment marre d'être obligé de quémander le chalet à sa mère chaque fois qu'il veut en profiter. Il se lève et lui dit d'un ton neutre :

— Je te remercie, mais il faut que j'y aille.

Il s'approche d'elle, l'embrasse sur les joues et ajoute en avançant sa main devant lui :

— Tu peux rester assise, je connais le chemin.

Une fois seule, Mado se prend la tête. Elle déteste quand les choses tournent ainsi avec Jimmy. Il ne lui fera pas la gueule bien longtemps – il en est incapable –, mais il va faire le mort jusqu'à ce qu'elle l'appelle. Ce qu'elle trouve le plus difficile, dans tout ça, c'est qu'ils se disputent toujours pour la même raison. Le jour où Jimmy comprendra qu'il doit remettre le chalet dans l'état où il l'a pris, ils n'auront plus aucun problème. Pour le moment, Mado n'a pas envie de courir le risque que son fils ne tienne pas parole. Elle soupire de découragement, se prépare un autre café et va s'asseoir dans le salon. Elle attrape sa revue de décoration et commence à la feuilleter nerveusement pour se changer les idées.

***

Mado a près d'une demi-heure d'avance lorsqu'elle fait son entrée au Cube. Elle a réservé une table en retrait pour ne pas être dérangée. Ce souper l'énerve tellement qu'elle a l'impression d'avoir 15 ans. Elle a essayé presque tous ses vêtements avant d'arrêter son choix sur son jeans gris souris et un haut sans manches au col en V dans les teintes de jaune, blanc et noir qui met sa poitrine en valeur. Elle a même pris soin de se faire les ongles et de se coiffer. Une partie d'elle lui criait qu'elle n'avait pas besoin de faire tout ça puisque de toute façon elle n'avait pas l'intention de rester, mais une autre partie lui disait de se montrer sous son meilleur jour, surtout après ce qui semble s'être passé entre Alex et elle.

Mado est tellement nerveuse qu'elle a commandé une coupe de vin rouge avant même d'être assise. Elle regarde sans cesse l'heure sur son cellulaire. Alors que d'ordinaire elle se plaint que le temps passe trop vite, elle a l'impression qu'il s'est figé depuis qu'elle a pénétré dans le commerce. Elle regarde la photo d'Alex quelques secondes, puis fixe la porte de l'établissement. Elle répète ce petit manège jusqu'à ce que son amant d'un soir fasse son entrée dans le restaurant. Si elle le pouvait, elle disparaîtrait sous la table. Mais au lieu de ça, elle se redresse sur sa chaise, relève la tête et le regarde venir vers elle en ne manquant aucun de ses mouvements. C'est difficile à croire, mais habillé il est encore plus beau que sur la photo. Pendant une fraction de seconde, Mado a une pensée pour Monique. Si son amie pouvait le voir à ce moment, elle ne tarirait plus de compliments à son égard.

Le coup d'œil est tellement agréable que Mado souhaiterait doubler, voire tripler la distance qui les sépare afin de profiter plus longtemps de ce spectacle dont elle est le seul témoin. Mais au lieu de cela, Alex se trouve à ses côtés en très peu de temps. Un seul sourire de sa part la fait rougir jusqu'à la racine des cheveux.

— Est-ce que je peux m'asseoir ? lui demande-t-il gentiment.

Mado reste sans voix devant tant de beauté. C'est pourquoi elle répond à la question d'un signe de tête à peine perceptible. Les yeux posés sur Alex, elle est envahie d'une bouffée de chaleur pire que celles qu'elle avait lorsqu'elle était en ménopause. Elle voudrait fuir mais en est incapable. Cet homme dégage quelque chose de spécial, quelque chose qu'elle est incapable de nommer, mais qui vient la chercher jusque dans le fond de son âme. Alex ne la quitte pas des yeux lui non plus. Aussitôt assis, il se racle la gorge et se présente :

— Je m'appelle Alexandre Lavoie. J'ai 36 ans. Je ne me suis jamais marié et je n'ai pas d'enfant. Je travaille dans l'électronique et je suis un maniaque de moto.

Il s'arrête subitement de parler et fixe Mado avec insistance. Elle fond comme un *popsicle* qu'on aurait oublié sur une table de pique-nique au gros soleil de juillet.

— Je t'avoue que j'ai de la difficulté à croire que tu te souviennes de rien parce que, moi, je n'ai rien oublié, pas même une seconde. Et je me rappellerai cette soirée aussi longtemps que je vivrai.

— Désolée, articule Mado de peine et de misère, j'ai beau essayer, je n'y arrive tout simplement pas.

Depuis qu'Alex a fait son entrée, Mado a complètement perdu la mémoire sur les motifs de sa présence au restaurant. Elle se sent comme une marionnette dont on tire les ficelles sans qu'elle ait le moindre mot à dire. Elle prend une gorgée de vin dans l'espoir de remettre ses idées en place, mais rien n'y fait. Elle est sous le joug d'Alex.

— Parle-moi encore, lui dit-elle subitement comme si le timbre de sa voix pouvait l'aider à se remémorer ce qu'elle a manqué.

— De quoi veux-tu que je te parle ?

— De n'importe quoi, mais parle-moi.

Surpris par sa demande, Alex incline la tête en lui faisant un petit sourire en coin. Il doit avouer qu'il ne sait pas trop quoi raconter. Il pourrait lui dire que c'est la première fois qu'il fait l'amour à une femme qui ne se souvient de rien et pourrait aussi ajouter que son *ego* en a pris un coup. Il fait fi de tout ça et décide de commencer par le commencement.

— Toute cette histoire remonte au jour de mon initiation au cégep. Je marchais dans le couloir qui mène au bureau du directeur lorsque j'ai entendu claquer tes talons hauts pour la première fois. Je me le rappelle comme si c'était hier. Je me suis tourné et je t'ai regardée droit dans les yeux pendant que tu avançais vers moi. Tu m'as souri et tu as continué ton chemin sans même te retourner, alors que j'étais déjà tombé sous ton charme. Tu avais – et tu as toujours – des jambes à faire rêver. Si tu savais tous les détours que j'ai pu faire seulement dans l'espoir de te croiser ou d'entendre le claquement de tes talons hauts une fois de plus... J'ai complété mon cégep et j'ai travaillé à gauche et à droite dans mon domaine, mais je ne suis jamais parvenu à te chasser de mon esprit malgré mes nombreuses tentatives. Tu as pris mon cœur ce jour-là et je n'ai jamais cessé d'espérer que la vie te mette à nouveau sur mon chemin. Tu ne peux même pas t'imaginer le nombre de fois que j'ai cru te voir ou t'entendre.

Alex fixe Mado quelques secondes. Elle se tortille nerveusement les mains et se mordille la lèvre inférieure en essayant tant bien que mal de soutenir son regard, un regard brûlant d'une telle profondeur qu'elle a peur de s'y noyer si elle ne rompt pas au plus vite le fil qui les unit. Elle devrait prendre son courage à deux mains, se lever et s'en aller sans demander son reste. Elle devrait le faire, mais elle en est incapable. Jamais elle n'a autant eu envie de rester avec quelqu'un.

— Le soir de ton *party*, poursuit Alex, j'étais allé boire une bière avec Pierre, le mari de Nathalie. Va donc savoir pourquoi, quand elle l'a appelé pour qu'il aille la chercher, il m'a demandé de l'accompagner plutôt que de me déposer chez moi en passant. Tout ce que je savais, avant d'entrer dans le bar, c'était que sa femme était allée au *party* de départ à la retraite d'une collègue de travail. Quand je t'ai vue, mon cœur a fait trois tours, j'ai même eu peur qu'il explose tellement il battait vite. J'avais peine à le croire, la vie m'avait fait un cadeau en te remettant sur ma route. Mais le plus beau, dans tout ça, c'est quand Nathalie nous a présentés l'un à l'autre. Je ne comprends toujours pas ce qui a pu se passer, mais c'est un peu comme si on s'était reconnus. J'avais l'impression que tu voyais jusqu'au plus profond de mon être. Ensuite, au lieu de me faire la bise sur les joues comme la plupart des gens le font lorsqu'ils rencontrent quelqu'un, tu m'as embrassé doucement sur la bouche en mettant tes mains sur mes joues. Ce chaste baiser s'est vite transformé en un autre rempli de passion.

Mado écoute ce qu'il dit comme si c'était parole d'évangile. Plus les secondes passent, plus elle est fascinée par Alex, au point où plus rien ne semble exister en dehors de ce qu'ils sont en train de vivre. Elle aime sa voix, ses yeux, son sourire et sa gestuelle. Si elle ne se retenait pas, elle lui toucherait la main. Mais sa logique prend le dessus et balaie tout ça. Il est bien trop jeune, il pourrait être son fils. Elle a passé l'âge de l'amour passionné et elle est très bien avec André. Alex est au milieu de sa vie alors qu'elle commence sa retraite. Malgré tout, son envie de rester est si grande que Mado secoue la tête à quelques reprises en souriant à Alex pour l'encourager à poursuivre.

— Ça ne te dit toujours rien ?

— Non ! Désolée…

L'attitude de Mado pourrait décourager le plus tenace des hommes, mais pas Alex. Il n'a qu'à la regarder dans les yeux pour voir qu'elle ne fait pas semblant. Bien que ce soit la première fois de sa vie qu'il vive une situation semblable, il considère que cela vaut la peine de continuer.

— Plus la soirée avançait, plus on était collés l'un sur l'autre. On était attirés comme l'océan l'est par le rivage.

— Mais tu n'as pas bu de champagne?

— Une seule coupe! Il faut que je t'avoue que je n'ai jamais vraiment aimé le champagne, mais, toi, par contre, tu avais l'air de l'adorer. Comme on dit, une coupe n'attendait pas l'autre. Tu aurais dû te voir, tu étais à mourir de rire.

— Tu veux dire que j'étais soûle?

Alex lui fait son plus beau sourire avant de lui répondre. Il la trouve encore plus désirable que l'autre soir.

— Plutôt! Tout le monde a quitté le bar dans l'heure qui a suivi mon arrivée, à l'exception de ton amie Monique. Elle a voulu te ramener chez toi, mais tu lui as dit que c'était avec moi que tu voulais rentrer. Tu as beaucoup de chance de l'avoir comme amie. Elle m'a pratiquement fait subir un interrogatoire avant de nous laisser partir, un peu plus et elle me demandait mon numéro d'assurance sociale. Elle m'a donné ton adresse. Je t'ai aidée à rentrer chez toi et, au moment où j'allais prendre congé, tu m'as pris par la main et tu m'as emmené – je devrais plutôt dire entraîné – jusque dans ta chambre. Tu connais la suite. Je t'ai même fait une vidéo… Tu sais tout maintenant.

Mado voudrait lui dire qu'elle se souvient subitement de tout, mais ce n'est pas le cas. Elle a écouté l'histoire, mais elle lui semble être arrivée à quelqu'un d'autre. Elle s'en veut terriblement, mais elle sait qu'elle ne peut rien y faire. Alex et elle sont tellement concentrés à se regarder dans les yeux qu'ils n'entendent pas la serveuse leur demander s'ils sont prêts à commander. Elle répète sa question une deuxième puis une troisième fois, mais elle voit bien qu'à moins de hausser le ton ou de saisir le bras de l'un d'eux elle n'obtiendra pas de réponse. Elle sourit et s'en retourne en cuisine. Il y a de ces moments dans la vie qu'on n'a pas le droit de briser.

Au bout d'un moment qu'elle serait incapable d'évaluer même si elle le voulait, Mado allonge sa main sur la table jusqu'à toucher celle d'Alex. Sentir sa chaleur lui fait un tel effet qu'elle sait déjà que ce ne sera pas suffisant.

— Je ne me souviendrai peut-être jamais de ce qu'on a fait ensemble. Alors crois-tu que tu pourrais refaire la même chose ?

Si la question surprend Alex, elle le comble surtout de joie.

— Je peux même te promettre que ce sera meilleur.

Chapitre 4

André ne sait plus à quel saint se vouer depuis que Mado lui a fait faux bond pour le voyage à l'Anse-Saint-Jean alors que tout ce qu'il voulait, c'était lui faire plaisir. Comble de malheur, elle n'a même pas daigné l'appeler pour le remercier pour les roses, elle ne lui a envoyé qu'un bref texto, ce qui ne lui ressemble pas du tout. Il a l'impression que quelque chose lui échappe, mais il est incapable de mettre le doigt dessus. Elle n'est plus la même depuis le soir de son *party* de départ à la retraite. Mado est toute sa vie et il ne peut pas imaginer qu'elle en sorte, même si ce n'est que pour quelques jours. Elle est sa raison d'être et il a besoin d'elle comme de l'air qu'il respire. Avec elle, même lorsque le ciel est gris, il sait que le soleil n'est jamais loin derrière les nuages, et ça le rassure énormément.

André cherche désespérément une manière d'être auprès d'elle. Il était tellement content qu'elle prenne sa retraite qu'il a un tas de projets pour eux. Il veut entre autres l'emmener voir sa fille à Sydney, faire une croisière dans les fjords de la Norvège et une autre en Alaska, visiter les grandes villes d'Europe… Dans le fond, ce qu'il souhaite, c'est être avec elle le plus souvent possible, peu importe l'endroit où ils se trouvent. Il n'a pas encore osé la rappeler. Il sait très bien qu'il devrait la consulter avant d'organiser des sorties, mais c'est plus fort que lui. Il ne demande qu'à la gâter, s'en occuper, être en quelque sorte son ange gardien.

Il est tiré de ses réflexions quand il entend son nom, en entrant dans la fruiterie. Il se retourne.

— Allô, Monique ! lance-t-il joyeusement en s'approchant d'elle pour l'embrasser. C'est la première fois que je te vois dans le coin, qu'est-ce qui t'amène ici ?

— J'avais une réunion juste de l'autre côté de la rue. Comme tu nous vantes toujours les mérites de cette fruiterie, j'ai décidé de venir vérifier par moi-même si tu exagérais.

André lui sourit. De toutes les amies de Mado, Monique est sa préférée. Il avait même osé lui dire une fois, après une soirée un peu trop arrosée, que, s'il l'avait rencontrée avant Mado, il lui aurait sûrement fait les yeux doux. Monique l'avait intimé de se taire avant d'ajouter que, même si Mado et lui se séparaient un jour, jamais il ne se passerait quelque chose entre eux. Elle était si offusquée par ses propos qu'elle s'était dépêchée de les rapporter à Mado, qui, à sa grande surprise, n'avait même pas réagi.

— Et puis, quel est ton verdict ?

— Tu n'as qu'à jeter un œil à mon panier, j'étais entrée seulement pour acheter quelques fruits et légumes et je commence à manquer de place.

Monique ne pouvait pas mieux tomber. André n'aurait jamais osé lui téléphoner, mais maintenant qu'elle se trouve devant lui il a l'intention d'essayer de lui tirer les vers du nez. Il prend de ses nouvelles rapidement et se dépêche d'entrer dans le vif du sujet qui l'intéresse.

— As-tu revu Mado depuis le *party* ?

Par cette seule question, Monique saisit vite où il veut en venir. S'il croit qu'elle va bavasser dans le dos de sa meilleure amie, il se trompe royalement.

— Je tiens à ce que les choses soient claires entre nous, précise-t-elle d'une voix ferme, ne compte pas sur moi pour t'informer des faits et gestes de Mado. Si tu veux savoir quelque chose qui la concerne, tu n'as qu'à t'adresser directement à elle.

Même s'il ne s'attendait pas à de grandes révélations, André est secoué par la réponse de Monique. Il ne lui a quand même pas demandé la lune !

— Ne le prends pas comme ça. Je voulais juste…

Monique le coupe au milieu de sa phrase.

— Comment veux-tu que je le prenne ? C'est toi qui sors avec elle, à ce que je sache, pas moi.

Monique ne prolonge pas la discussion. Elle le salue poliment et tourne les talons.

Planté au centre de l'allée, André met quelques secondes à reprendre ses esprits. Maintenant qu'il sait qu'il ne pourra rien tirer de Monique, il doit trouver une autre façon de s'informer. C'est alors qu'il a un éclair de génie.

***

Bien qu'ils aient la même mère, Mathieu et Jimmy sont aussi différents que le noir l'est du blanc, tant par leur physique, leur façon d'être que leur style de vie. Mathieu est taillé dans une seule pièce. Il est passionné par tout ce qui touche la musculation, il a même fait du culturisme au niveau amateur. S'il avait les moyens d'ajouter une pièce à sa maison, ce serait à coup sûr un gymnase qu'il y ferait construire. Pourquoi ? Parce que, pour lui, l'entraînement n'est pas un passe-temps mais un mode de vie. Il a autant de pots de protéines dans son armoire que sa femme en a de crème dans la pharmacie, et c'est peu dire. Avec lui, un *shake* n'attend pas l'autre. Vous en voulez un à la vanille, aux fraises ou au chocolat ? Il les a tous ! Aussi, chaque fois qu'il regarde des images de Sylvester Stallone au petit écran, il crève d'envie. Si ce n'était pas de leur prix exorbitant et du fait qu'elles sont illégales au Canada, il prendrait sûrement des hormones de croissance. Il ne voudrait pas se mettre dans le trouble, mais il n'a pas encore dit son dernier mot à ce sujet. Malheureusement pour lui, il a dû ralentir l'entraînement depuis qu'il travaille à Fermont. Quand il est là-bas et qu'il travaille sur un horaire de 28 jours consécutifs de 12 heures comme dynamiteur, il ne lui reste plus de temps pour s'entraîner. Lorsqu'il revient chez lui pour deux semaines, même s'il va au gym tous les jours, les résultats ne sont pas au rendez-vous, ce qui le frustre énormément. Son travail sollicite tellement son corps qu'il y a des moments où il a peur de ne plus y arriver. Et ce n'est pas parce qu'il est plaignard, bien au contraire. Mathieu est un homme déterminé, et si lui n'arrive pas à tenir le coup, peu y arriveront. Ces dernières semaines, ses poignets ne réussissaient plus à soulever les trop nombreuses chaudières qu'il doit transporter, et ce n'est pas d'hier que les tendinites le font souffrir. Même son dos s'est récemment mis de la partie. À quelques reprises, il le faisait tellement souffrir que Mathieu était certain qu'il ne pourrait pas terminer sa journée. Il doit aussi avouer que vivre séparé de sa famille commence sérieusement à le miner. Il a l'impression d'être en visite chaque fois qu'il revient à la maison. À dire vrai, chacun de ses séjours en ville est un choc. Les enfants ne l'écoutent pas et il a parfois l'impression de déranger tout le monde. Même sa femme ne lui facilite pas la tâche, et, lorsqu'il finit enfin par trouver sa place, il doit déjà repartir.

Mathieu a l'impression d'avoir mis sa vie en veilleuse en allant travailler à Fermont. Il passe deux fois plus de temps dans le nord du Québec qu'avec sa famille, mais il ne considère pas qu'il vit là-bas pour autant. Il travaille, il dort. Quand il est de passage parmi les siens, il ne se sent pas davantage chez lui. Ses 14 jours de congé lui suffisent à peine pour reprendre la forme avant de remonter dans l'avion pour un autre sprint de fou. Mathieu a fait ce choix pour mieux gagner sa vie, mais il y a des jours où il se dit qu'il est plutôt en train de la perdre. Comme sa femme attend leur troisième enfant et qu'elle ne travaille pas, il a les deux mains liées. Sa mère lui dit souvent qu'aucun emploi ne mérite qu'on y laisse sa peau, mais Mathieu est si orgueilleux qu'il s'entête dans cette voie. Même si Mado a de l'argent et est prête à l'aider s'il le faut, il n'en profite pas. Il s'est toujours débrouillé seul et ce n'est pas demain qu'il changera. Il a des responsabilités et il est prêt à tout pour les honorer, même au détriment de sa santé.

Contrairement à son frère aîné, Jimmy est grand et mince. Son allure athlétique connaît beaucoup de succès auprès de la gent féminine et il ne s'en plaint aucunement. Jimmy préfère les sports qui requièrent une tactique, comme la boxe, le golf… et le poker. La première fois qu'il a affirmé ça devant Mathieu, ce dernier a ri de lui.

— Voyons donc, le frère, le poker n'est pas un sport, c'est un loisir.

— Fie-toi à moi, avait riposté Jimmy, quand tu déposes ta paie de la semaine sur la table, tu sues à grosses gouttes comme si tu venais de faire une heure d'entraînement intensif à lever des poids. Et si par malheur tu perds, tu as mal partout après. Je sais de quoi je parle, ça ne m'est pas arrivé qu'une fois.

Jimmy maîtrise l'art de l'exagération depuis qu'il est haut comme trois pommes. Heureusement, son attitude a toujours fait rire Mathieu. Ils ne sont pas les meilleurs amis du monde, mais ils s'entendent plutôt bien pour des frères. Ils s'organisent pour se voir chaque fois que Mathieu est en ville. Ils se donnent rendez-vous dans un restaurant pour un dîner la plupart du temps et mangent en parlant de tout et de rien. Ce n'est pas que Jimmy n'aime pas sa belle-sœur, mais disons qu'il ne recherche pas spécialement sa compagnie. En tout cas, une chose est certaine, il ne va jamais lui rendre visite quand son frère est à Fermont. Mais il lui arrive de l'appeler pour prendre des nouvelles de son neveu et de sa nièce; parfois il lui offre même de s'occuper d'eux quelques heures. Jimmy aime les enfants, mais pas au point de penser à en avoir un jour, du moins pas pour le moment. Il aime trop sa liberté pour en sacrifier ne serait-ce qu'une infime partie.

Depuis que son frère et sa sœur brillent par leur absence la plupart du temps, Jimmy veille sur leur mère. Pour lui, c'est un juste retour des choses. Il sait bien qu'elle n'est pas à bout d'âge, elle n'a que 55 ans, mais il est là chaque fois qu'elle a besoin de lui. Il faut dire que Mado n'en abuse pas. Au contraire, plus souvent qu'autrement, elle s'arrange toute seule. Lorsqu'elle avait encore la maison familiale, elle engageait quelqu'un pour exécuter des menus travaux plutôt que de lui demander de l'aide. Quand ça venait à ses oreilles, Jimmy ne se gênait pas pour lui rappeler de lui en parler au lieu de faire affaire avec un étranger, mais Mado déteste dépendre de qui que ce soit.

Il n'y a pas que leur physique qui distingue les deux frères, Mathieu est un manuel autant que Jimmy est un intellectuel. Mathieu aime travailler dehors alors que Jimmy préfère de loin être au chaud. Jimmy occupe un poste au Service des communications chez Desjardins. Ce n'est pas l'emploi de sa vie, mais ça lui plaît suffisamment pour qu'il se lève le matin sans trop rechigner. Il n'a jamais abandonné l'idée d'ouvrir sa propre boîte depuis qu'il a terminé ses études universitaires en marketing. Il a discuté en long et en large de son projet avec l'un de ses professeurs, qui lui a conseillé de prendre de l'expérience avant de se lancer, et surtout de se bâtir un réseau de contacts. Cinq ans plus tard, il a une bonne expérience et une excellente connaissance du milieu des affaires. D'ailleurs, il a rendez-vous avec ce même professeur la semaine prochaine. Jimmy a toujours beaucoup apprécié cet homme et il adorerait qu'il se joigne à lui dans cette aventure. Il a aussi pensé s'associer avec l'un de ses amis. Il lui en a parlé, mais comme ce dernier travaille dans une grosse entreprise, il hésite à s'embarquer.

— Tu comprends, lui avait dit François, je risquerais gros. Non seulement je suis très bien payé ici, mais j'ai des avantages que je ne retrouverai pas facilement. Et puis j'ai une famille à faire vivre, ce n'est plus pareil.

— Libre à toi! avait ajouté Jimmy. Moi, je veux plus qu'un horaire de 9 à 5. Je refuse la sécurité si elle signifie que je doive abandonner mes rêves. Je t'avertirai le moment venu et tu décideras.

Outre les occasions spéciales, Mathieu et Jimmy ont l'habitude de voir Mado chacun de leur côté, mais ce soir Mathieu a invité son frère et sa mère à manger chez lui. Il s'est laissé convaincre par André, qui lui a dit que ça ferait plaisir à Mado de voir tout son monde en même temps. Lorsque Mathieu a déclaré que ce serait trop de travail pour sa femme dans sa condition, elle est enceinte de six mois, André lui a offert de se charger d'apporter ce qu'il faut pour le souper.

— Tout ce que vous aurez à faire, a plaidé André, c'est de dresser la table, et on pourra fêter la retraite de ta mère comme il se doit. Si tu veux, on pourrait même inviter Gertrude.

— Je ne crois pas que ce soit une bonne idée, a tranché Mathieu. Tu sais autant que moi que ce n'est pas l'amour fou entre ma mère et ma grand-mère.

Mathieu apprécie beaucoup André. Les deux hommes se rejoignent sur plusieurs points. André est habile de ses mains, comme Mathieu. Il a passé une partie de sa vie à gérer son entreprise, mais avant ça il mettait la main à la pâte, et parfois même plus que ses employés.

Mado était très étonnée que Mathieu l'invite à souper chez lui alors qu'il vient à peine de revenir de Fermont, mais elle n'a pas posé de questions. Elle s'est plutôt rappelé qu'il y a un bon moment qu'elle n'est pas allée manger chez son fils et elle s'est empressée d'accepter son invitation. Chose surprenante, Mathieu a refusé qu'elle apporte le dessert, mais encore là Mado n'a pas posé de question. Elle a pensé marquer la date sur le calendrier, puis s'en est voulu quelques secondes. En plus de ne pas aimer manger, sa belle-fille est loin d'être une excellente cuisinière.

Mado n'a pas encore rappelé André, et n'en a pas envie non plus. Elle n'a toujours pas digéré le coup de l'Anse-Saint-Jean. Et puis, compte tenu de ce qu'elle s'est permis avec Alex, elle a décidé de laisser passer un peu de temps. Elle ne saurait pas comment se comporter en sa présence de toute façon. D'un côté, elle est rongée par les remords, alors que, de l'autre, elle se sent vivante comme jamais elle ne l'a été auparavant. Elle a passé un moment tellement extraordinaire avec Alex qu'elle commence à remettre toutes ses expériences précédentes en question. En fait, aucune ne se compare à elle. Mado s'est noyée dans le regard d'Alex à la seconde même où il a posé les yeux sur elle au restaurant et, cette fois, elle se souvient de tout dans les moindres détails. C'était tellement parfait qu'elle se serait crue au beau milieu d'un rêve. Ils n'avaient pas besoin de parler pour se comprendre et chaque geste qu'Alex ou elle posait était le bon au moment précis où il devait l'être. On aurait dit que chacun connaissait la caresse à venir comme si leur histoire avait été écrite d'avance. Les séquences s'enchaînaient à la perfection avec une aisance déconcertante. Ils auraient joué la *Cinquième Symphonie* de Beethoven que les choses n'auraient pas mieux coulé entre eux. Comme l'archet qui caresse doucement les cordes du violon, ils ne faisaient qu'un.

Mais malgré tout, Mado s'est juré de ne plus le revoir. Elle a suffisamment de jugement pour savoir que leur histoire ne pourrait pas marcher. Il fallait voir l'air d'Alex pendant qu'elle lui débitait son baratin qu'elle avait répété au moins une dizaine de fois devant le miroir.

— J'ai passé un moment exceptionnel, mais toi et moi, ça ne pourra jamais fonctionner. Tu es trop jeune, trop beau, trop intelligent pour passer ta vie avec une vieille femme comme moi… qui de surcroît est à la fin de sa vie. Crois-moi, il vaut mieux en rester là pour notre bien à tous les deux.

Alex n'a rien ajouté, il s'est contenté de l'écouter attentivement. D'ailleurs, qu'aurait-il pu dire ? Il s'est rhabillé en vitesse et, avant d'ouvrir la porte, il s'est tourné et lui a lancé, en lui faisant son plus beau sourire :

— Je ne suis pas d'accord avec toi, appelle-moi quand tu auras changé d'avis.

Ces paroles ont complètement chamboulé Mado, mais elle refuse d'y penser. C'est pourquoi l'invitation de Mathieu ne pouvait pas mieux tomber. Il faut qu'elle sorte de son condo avant de devenir folle, mais surtout qu'elle quitte sa chambre, qui lui rappelle qu'elle est montée au ciel. La pièce a l'air d'un vrai champ de bataille, exactement comme sur la vidéo qu'elle garde précieusement dans son téléphone. L'odeur d'Alex est non seulement imprégnée dans les draps, mais elle flotte également dans tout l'appartement. Chaque fois que Mado prend son cellulaire et voit la photo en fond d'écran, elle a des papillons dans le ventre. Cet homme lui fait bien trop d'effet pour qu'elle puisse le rayer de sa mémoire aussi facilement. Elle est prise dans un merdier dont la seule issue semble être un abandon le plus total à ses pulsions.

C'est avec la tête remplie de questions et d'images d'Alex que Mado se prépare tranquillement pour le souper chez Mathieu. Elle a beau essayer de songer à autre chose, elle en est incapable. C'est comme si toutes ses pensées tournaient uniquement autour de cet homme qui, en l'espace d'une nuit, l'a emmenée dans un monde qu'elle croyait jusqu'alors imaginaire. Il lui suffit de fermer les yeux pour sentir la chaleur de ses mains parcourir son corps ou apprécier la douceur de ses lèvres. Même s'il n'est plus là, elle le voit partout, elle le sent et, si elle ne se retenait pas, elle lui écrirait de revenir au plus vite éteindre ce brasier qui la consume.

Comme toute grand-mère qui se respecte, Mado n'arrive jamais les mains vides lorsqu'elle va voir ses petits-enfants. Elle regarde dans son garde-manger et saisit deux emballages de biscuits fins que les gamins adorent. Elle saisit une bouteille de vin rouge au passage et dépose le tout à côté de son sac à main. Elle file ensuite à la salle de bain pour retoucher son maquillage et, une fois devant le miroir, l'image d'Alex lui apparaît de nouveau. Elle sent son souffle dans son cou et est aussitôt envahie d'une bouffée de chaleur extrême. Elle le trouve si beau qu'elle ne se fatigue pas de le regarder. Elle sourit bêtement avant de secouer la tête pour chasser l'image de son esprit. Elle remet un peu de rouge sur ses lèvres, les écrase l'une sur l'autre. Satisfaite du résultat, elle sort de la salle de bain et part chez son fils. Comme elle est un peu en avance et que sa réserve d'alcool a passablement baissé, elle en profitera pour s'arrêter à la SAQ avant. Il faut absolument qu'elle sorte d'ici, elle n'en peut tout simplement plus. Elle se promet d'acheter une bouteille de Campari. Ce n'est pas le genre d'alcool qu'elle consomme tous les jours, mais elle aime bien en avoir sous la main quand l'envie lui prend de boire quelque chose de différent. Pour elle, une once de cet alcool italien sur glace avec un peu de jus d'une orange fraîchement pressée n'a pas son pareil. D'ailleurs, elle n'a jamais compris pourquoi cette boisson est si peu populaire. Depuis la mort de son père, elle est la seule à l'apprécier dans la famille. Et ce n'est pas différent du côté de ses amis, seuls Monique et Jean-Pierre la choisissent de temps à autre.

Mado gare sa voiture devant la maison de Mathieu. Quand elle en sort, elle constate que ses petits-enfants la regardent de la fenêtre, un sourire immense sur les lèvres. Elle leur fait signe de la main et leur envoie tout plein de baisers soufflés. Elle n'a jamais songé à prendre sa retraite pour s'occuper d'eux comme certains grands-parents le font, mais elle est toujours très contente de les voir. C'est le cœur léger qu'elle avance jusqu'à la porte d'entrée. Elle frappe pour la forme et tourne la poignée. Deux paires de petits bras l'enserrent aussitôt. Elle se penche et embrasse les enfants dans le cou. Des rires en cascade fusent. Puis Mathieu l'accueille avec deux becs sur les joues.

— Ma parole, lance-t-il, qu'est-ce qui t'arrive ? On dirait que tu as rajeuni de 10 ans.

— Rien de spécial, bafouille Mado en haussant les épaules. Toi, par contre, tu as l'air épuisé.

— Je n'ai pas seulement l'air, je le suis réellement. J'ai eu toutes les misères du monde à compléter mes 28 jours, mais c'est la vie. Ça va passer, comme tout le reste.

— Tu devrais consulter.

— Je sais déjà ce qu'on va me dire et je n'ai pas envie de l'entendre.

Mathieu n'en est pas à sa première visite chez le médecin pour ses douleurs aux poignets. Ou il se fait opérer ou il se fait administrer des injections de cortisone. Mais dans les deux cas, ça ne réglera rien. Au mieux, ça engourdira son mal quelques jours. En réalité, l'idéal serait qu'il change de métier, ce qu'il n'a pas les moyens de faire pour le moment.

Même si Mado s'entêtait à essayer de raisonner son fils, elle le connaît assez pour savoir que ça ne donnerait rien. Mathieu est têtu comme une mule, ce qui est une grande qualité la majorité du temps, mais pas lorsqu'il s'agit de sa santé. À l'âge où il est rendu, elle ne réussira pas à le faire changer d'idée.

— Je ne sais pas ce qu'on mange, mais ça sent vraiment bon. Et ça tombe bien parce que je meurs de faim. Est-ce que Jimmy est arrivé ?

— Suis-moi, tout le monde est à la cuisine.

Quand Mado reconnaît la voix d'André, son sang se fige aussitôt dans ses veines. Il n'existe aucun mot assez fort pour décrire comment elle se sent à cet instant. Furieuse, trompée, abusée, manipulée... Elle passe par toutes les émotions en une fraction de seconde.

Contrairement à elle, André, lui, est tout sourire. Il s'approche de sa bien-aimée et lui dit :

— Je me suis occupé de tout, je voulais te faire une surprise pour souligner ta retraite avec tes gars. J'ai pris soin d'acheter tout ce que tu aimes.

Encore une surprise ! Même si elle voulait faire semblant d'être contente, Mado en serait incapable. En ce moment, elle est probablement rouge comme une tomate. Elle explose :

— Tu n'as vraiment rien compris, crache-t-elle. Ce n'est pas parce que je ne travaille plus que tu as le droit d'organiser ma vie, je pensais avoir été claire à ce sujet. J'aurais dû me douter que tu ne lâcherais pas prise aussi facilement. J'en ai plus qu'assez de tes manigances pour me contrôler.

Mado se tourne vers ses fils et sa belle-fille et ajoute :

— Je suis désolée, mais vous allez devoir manger sans moi.

Et elle repart aussi vite qu'elle est venue.

Chapitre 5

Mado s'est couchée enragée et s'est levée dans le même état d'esprit. Hier soir, André a perdu beaucoup de points à ses yeux, encore plus que pendant les derniers jours, même si elle croyait que c'était impossible. Elle ne comprend plus son attitude. Elle est à la retraite depuis seulement quelques jours et elle a l'impression de découvrir maintenant sa vraie nature. Et franchement, son comportement ne lui plaît pas. Elle sait qu'il fait tout cela pour lui faire plaisir, mais il la connaît suffisamment pour savoir ce qu'elle aime et surtout ce qu'elle n'aime pas. Ce n'est pourtant pas compliqué ! Elle a appelé ses fils pour leur expliquer pourquoi elle était partie aussi vite.

— J'étais certain que ça te ferait plaisir, lui a dit Mathieu. Si j'avais su ce qui se passait entre vous, jamais je n'aurais accepté son offre. Mais je pense quand même que tu devrais lui parler, c'est un bon Jack. Il a fait tout ça juste pour toi.

— Tu ne comprends pas, je ne fais que ça, lui parler.

Mathieu n'a pas l'habitude de se mêler des affaires de sa mère et ce n'est pas aujourd'hui qu'il a l'intention de commencer. Il ne veut surtout pas connaître les détails de sa vie amoureuse. C'est pourquoi il se dépêche de vite changer de sujet.

— Je ne voudrais pas tourner le fer dans la plaie, mais tu as manqué quelque chose. Nous avons mangé comme des rois.

Mado reconnaît bien là son fils. Quand la conversation prend une tournure trop personnelle à son goût, il s'organise pour la faire dévier.

Quant à Jimmy, il s'est contenté d'éclater de rire quand il a su toute l'histoire.

— Il me semblait, aussi, que ça n'avait pas de sens, ce qu'André nous avait raconté. Imagine-toi donc qu'il nous a dit qu'il ne fallait pas t'en vouloir, que c'était sûrement parce que tu étais fatiguée que tu avais réagi ainsi.

— Je ne suis pas fatiguée, a objecté Mado. Je suis plus en forme que jamais, mais je refuse qu'il gère ma vie et j'ai l'impression qu'il a de la difficulté à le comprendre.

— Promets-moi de ne jamais laisser personne te dire quoi faire, *mom*, a ajouté Jimmy, et surtout pas un homme. Tu vaux bien plus que ça !

En matière de liberté, la mère et le fils sont exactement sur la même longueur d'onde. Mado ne raconte pas tout à Jimmy, mais il en sait beaucoup plus sur elle que Mathieu voudrait en connaître.

— Et puis André est bien trop vieux pour toi. Tu devrais te trouver un amant plus jeune.

Mado n'a pas relevé le dernier commentaire de son fils, elle s'est seulement contentée de sourire. Si Jimmy savait que c'est justement ce qu'elle vient de faire, il changerait probablement de discours. Il y a parfois tout un monde entre parler de quelque chose et être mis devant le fait accompli.

Alors qu'elle sirote son café, Mado a soudainement envie de voir JP, son ami et ancien patron. Elle ne fait ni une ni deux et elle l'appelle ; ils iront dîner ensemble le lendemain.

***

Après le brusque départ de Mado la veille au soir, André a tout fait pour tenter de bien paraître auprès de Mathieu et Jimmy. Il a tellement bien joué son jeu que les deux frères en sont presque venus à le plaindre. Il n'a quand même pas poussé sa chance au point de s'attarder après le souper, il a prétexté un mal de tête subit et est parti. Comme il n'avait pas envie de rentrer chez lui tout de suite, il s'est arrêté pour boire une bière dans son pub préféré.

Décidément, il a tout faux avec Mado ces derniers temps. Il est conscient qu'il en fait trop, mais c'est plus fort que lui. Il ne peut pas s'empêcher d'essayer de se tailler une place dans sa nouvelle vie, il se dit que maintenant qu'elle est à la retraite il devrait l'occuper, ça lui semble logique.

Il a appelé Gertrude en désespoir de cause dès qu'il est arrivé chez lui. Sa relation avec sa belle-mère n'est pas merveilleuse, mais elle est suffisamment bonne pour qu'il se permette d'aller lui rendre visite sans Mado. Et comme la pauvre vieille se plaint toujours de ne jamais recevoir de visiteurs, elle sera sûrement ravie de le voir et, dans le meilleur des cas, elle pourra peut-être même l'aider à mieux comprendre sa Mado.

André a d'abord songé à lui apporter un beau bouquet de fleurs, mais il s'est souvenu qu'elle avait un faible pour les chocolats fins.

— Tu n'aurais pas dû, lui dit Gertrude en se dépêchant d'ouvrir la petite boîte, je n'ai même pas le droit d'en manger.

— Si j'étais à votre place, je ne m'en ferais pas avec ça, mais, si ça peut vous rassurer, je vous promets que ça restera entre nous.

Gertrude regarde attentivement la fiche d'identification des chocolats avant d'arrêter son choix sur un minuscule dôme peint en vert fluo au sel de mer et caramel qu'elle engloutit au complet dans sa bouche. André l'observe. Comme il n'est pas le plus grand amateur de chocolat, il a du mal à saisir l'effet que peut provoquer la sucrerie chez certaines personnes.

— Il est divin, s'exclame Gertrude au bout de quelques secondes de pur délice. Il faut absolument que tu me dises où tu les as achetés.

La dernière phrase de Gertrude fait sourire André. Alors qu'elle n'est même pas supposée en manger, voilà qu'elle veut maintenant s'en procurer.

— Je vais faire mieux que cela, lance André, vous n'aurez qu'à m'appeler lorsque vous en voudrez, et je vous en apporterai une boîte. Disons que ce sera notre petit secret.

Gertrude appréciait déjà André, mais après cette petite attention elle ne l'aime que plus. Elle se demande d'ailleurs comment il se fait que Mado refuse encore d'emménager avec lui. C'est un homme bon et généreux, rempli d'attentions. Et puis jamais Mado ne pourra trouver quelqu'un qui l'aime autant que lui. Il faut voir les regards qu'il lui lance chaque fois qu'ils sont dans la même pièce. Gertrude a souvent répété à sa fille qu'elle n'était pas obligée de se marier avec lui pour autant. Il faut dire que Mado n'a pas été chanceuse de ce côté-là. Et d'une certaine façon, sa mère comprend que convoler en justes noces une troisième fois puisse l'effrayer.

— C'est vraiment gentil d'être venu me voir, ajoute Gertrude, je commençais à m'ennuyer de toi. Je me dis toujours que tu dois être trop occupé pour passer voir une vieille grincheuse comme moi.

L'occasion est trop belle pour qu'André la laisse passer.

— Pas tant que ça, confesse-t-il. À part jouer au poker deux fois par semaine, j'ai tout mon temps, même si j'ai des tas de projets. J'ai une grande liste de pays que je voudrais visiter. J'attendais juste que Mado arrête de travailler pour pouvoir le faire avec elle. Ah oui, je voudrais aussi qu'on aille voir Émilie à Sydney. Ça fait tellement longtemps qu'elle ne l'a pas vue.

Gertrude en sait peu sur la relation de Mado et André. Ce qu'elle sait, par contre, c'est que sa fille ne lui a jamais fait part de son intention de voyager avec lui. Mado a bien comme projet d'aller voir Émilie en Australie, mais il n'a pas été question une seule fois qu'elle y aille avec André. C'est fou, mais il arrive parfois à Gertrude d'espérer que Mado lui demande de l'accompagner. Elle sait très bien que c'est un voyage qui risque de la fatiguer, mais elle aimerait tellement aller voir sa petite-fille.

— Et Mado, qu'est-ce qu'elle en dit ?

— Pour le moment, elle n'en dit pas grand-chose. Depuis qu'elle est à la retraite, je ne la reconnais plus.

André lui raconte tout ce qu'il a fait ces derniers jours.

— Si tu veux mon avis, laisse tomber Gertrude, c'est bien mal parti, ton affaire. Depuis le temps que tu la connais, tu devrais savoir que c'est elle qui mène sa barque.

— Mais la seule chose que je voulais, c'était lui faire plaisir.

— Tu en fais trop. Si tu continues comme ça, tu vas la perdre.

André ne se laisse pas décourager pour autant. Il est même tenté de révéler son plan à Gertrude.

— Je vais vous faire une confidence, ajoute-t-il avec un petit sourire en coin, hier soir, j'avais l'intention de la demander en mariage.

En entendant ces mots, Gertrude se retient d'éclater de rire. Elle peut se tromper, mais l'attitude d'André est tout sauf normale, et cela ne lui plaît pas. Qu'il aime Mado est tout à son honneur. Mais qu'il l'aime au point de la demander en mariage alors qu'elle l'a repoussé à chacune de ses dernières tentatives dénote une forme de dépendance chez lui, ou pire encore de la stupidité.

— Mon pauvre André, tu devrais remercier le ciel de ne pas avoir eu l'occasion de lui faire ta grande demande, parce que je pense que tu aurais été déçu.

***

Bien qu'il ne se soit passé que quelques jours depuis sa dernière rencontre avec JP, Mado est très contente de le voir.

— Je t'avais dit que tu t'ennuierais de moi, lui jette-t-il en riant. Alors, comment ça se passe, cette retraite ?

— Il est arrivé tellement de choses dans ma vie depuis le *party* que je ne sais pas du tout quoi répondre. En réalité, il n'y a plus rien qui tienne la route.

— Wow ! s'exclame JP, tu en as, de la chance. Un peu de nouveauté n'a jamais tué personne.

— Je voudrais bien te voir à ma place. Mon *chum* est devenu complètement fou. Il veut toujours être avec moi, et tu n'as pas idée à quel point ça me tape sur les nerfs.

— S'il n'était pas aux femmes, ton André, je serais le premier à poser ma candidature.

L'orientation sexuelle de JP n'est un secret pour personne. Même les étudiants du cégep savent qu'il est gai. Sans être efféminé à outrance, il n'est pas l'homme le plus viril de la terre. JP est tout en douceur et adore écouter les gens, ce qui est une qualité pour le métier qu'il exerce. Comme on dit, il est tombé dans la psychologie quand il était petit et il n'en est jamais ressorti. Il adore ce qu'il fait et il le fait bien. Il n'est pas le seul psychologue du cégep, mais c'est toujours lui que les étudiants réclament en premier, au grand désespoir de ses collègues. Est-ce en raison de sa grande sensibilité, de son sens de l'observation, de son écoute, de son ouverture d'esprit ou de son adaptabilité ? Ce serait trop difficile à dire ! Mais une chose demeure : il ne se passe pas une seule journée sans qu'il soit forcé de refuser un nouveau client.

— Et moi, je t'empêcherais de le faire. Je commence sérieusement à me demander s'il n'est pas un dépendant affectif.

— Ouf ! s'exclame JP. Si c'est le cas, prends tes jambes à ton cou et sauve-toi au plus vite. Et moi, je retire vite ma candidature…

Mado et JP ont toujours été très proches. Leur proximité ne faisait pas l'unanimité au cégep, mais l'un comme l'autre s'en foutaient. Si quelqu'un avait osé venir leur en parler, ils lui auraient démontré que leur amitié n'avait aucune incidence négative sur leur travail, bien au contraire.

— Ce n'est pas aussi simple que ça ! réplique Mado. Ça fait tout de même deux ans qu'on sort ensemble.

— Ça, ce n'est rien de plus qu'un fait. Est-ce que ta relation avec lui te satisfait ?

Il arrive encore à Mado d'oublier que JP est psychologue. Elle ne peut pas se raconter d'histoires quand elle parle avec lui. Il y a une semaine, elle aurait répondu oui sans hésiter à sa question. Mais aujourd'hui, elle prend le temps de réfléchir à deux fois avant de répondre. Assis en face d'elle, JP l'observe en silence.

Comme la réflexion n'en finit plus, il lui dit :

— Cesse de réfléchir ! Ton silence est une réponse en soi. Si tu étais comblée, tu n'aurais pas hésité à répondre.

Mado lève les yeux et fixe son ami. Elle sait que, peu importe ce qu'elle lui dira, elle peut lui faire confiance.

— Tu as raison, mais je ne suis pas blanche comme neige dans cette histoire.

Et elle lui raconte tout à propos d'Alex. JP a du mal à cacher à quel point il se délecte de ce qu'il entend.

— Wow ! Tu en as, de la chance ! Comme on le dit si bien dans le film *Le diable s'habille en Prada*, un million de femmes tueraient pour être à ta place.

Fait bizarre, JP aime ce film autant sinon plus que Mado. À eux deux, ils ont dû le visionner plus d'une vingtaine de fois, et ils ne s'en lassent pas.

— Tu ne trouves pas que tu exagères ? Crois-moi, c'est loin d'être simple. Je suis rongée par les remords. De toute façon, j'ai décidé de ne plus le revoir.

Cette décision, Mado l'a prise avec sa tête, et non avec son cœur et encore moins avec son corps.

— Et pourquoi tu t'en priverais ?

— Parce que ça n'a aucun sens et que je sais déjà que ça ne mènera nulle part.

— Qui a dit que tout ce qu'on fait doit absolument mener quelque part ? André te tape sur les nerfs alors qu'Alex te fait pétiller les yeux, il te rend belle et rayonnante comme jamais tu ne l'as été depuis que je te connais. Il faut te voir quand tu mentionnes son nom. Le choix n'est pas difficile à faire. Choisis le plaisir, et pour le reste tu verras plus tard. Tu ne vas quand même pas commencer ta retraite du mauvais pied...

Mado se doutait bien que JP l'encouragerait à poursuivre son aventure avec Alex.

— Je ne sais plus quoi faire et je suis morte de peur à l'idée d'être obligée de mettre fin à ma relation avec André, mais c'est vrai que je n'ai aucun plaisir à le voir ces jours-ci. Je suis également pétrifiée à l'idée de revoir Alex et de me faire traiter de *cougar* chaque fois qu'on mettra le nez dehors.

Même au plus profond d'elle, Mado n'a jamais rêvé de se tenir au bras d'un homme qui pourrait être son fils, et encore moins de passer pour une croqueuse de jeunes. Elle n'a pas cherché cette situation, qui lui est tombée dessus comme ça.

— Laisse-moi te poser une autre question, ajoute JP. Si tu pouvais t'offrir un cadeau pour ta retraite, n'importe quoi, que choisirais-tu ?

Cette fois, Mado ne réfléchit pas bien longtemps.

— J'enlèverais Alex pour une fin de semaine de rêve. On s'enfermerait au chalet et on passerait tout notre temps à faire l'amour et rien d'autre.

— Qu'est-ce qui t'en empêche ?

Mado pose un regard apeuré sur JP. Déjà qu'elle soit remplie de remords après ce qu'elle a fait avec Alex, elle n'ose pas imaginer comment ce serait si elle passait deux jours entiers complètement seule avec lui.

— Tout !

Mais JP n'a pas l'intention de la laisser s'en tirer aussi facilement.

— Tu ne vas quand même pas passer le reste de tes jours à te bercer et à chanter dans ta chorale ! Tant qu'à y être, va donc t'acheter de la laine et des aiguilles et tricote des mitaines pour les itinérants. La vie t'offre un cadeau sur un plateau d'argent. Tu as le droit de le refuser et de t'en mordre les doigts jusqu'à ton dernier souffle, mais si j'étais à ta place je sauterais à pieds joints sur l'occasion. En plus, ça se lit sur ton visage, que tu en meurs d'envie.

— Mais ça ne se fait pas, objecte Mado, il est à peine plus âgé que Mathieu.

— On s'en fout! Qui a dit qu'on devait absolument avoir le même âge pour être avec quelqu'un? Tu ne serais pas la première femme à sortir avec un homme plus jeune qu'elle. On dirait que tu ne réalises pas la chance que tu as. Qu'est-ce que tu attends? Fonce!

— Et André?

— Dis-lui que tu veux prendre une pause et essaie de profiter un peu de la vie. N'attends pas d'avoir 80 ans pour réaliser tes rêves, ou encore pire tes fantasmes. Je te le répète encore une fois: un million de femmes tueraient pour être à ta place.

Mado est au moins sûre d'une chose lorsqu'elle quitte JP: elle doit appeler André au plus vite pour l'informer de sa décision. Moins cette histoire s'éternisera, mieux elle se portera.

***

Mado a tourné en rond deux bonnes heures avant de trouver le courage de téléphoner à André. La conversation a duré moins d'une minute, mais lui a demandé un effort surhumain. Elle lui a dit tout de go la raison de son appel et a profité du fait qu'il était sans voix pour raccrocher. Elle fait maintenant les cent pas dans son appartement, car elle se sent mal d'avoir fait les choses de façon aussi cavalière. D'un autre côté, elle se dit que, dans les circonstances, elle n'aurait pas pu agir autrement. Comme l'affirme sa mère, il n'existe pas de bonne façon d'annoncer une mauvaise nouvelle à quelqu'un. Elle s'efforce de ne pas penser à ce qu'elle vient de faire, de peur de fondre en larmes. Mado déteste causer de la peine aux gens et son caractère bon enfant lui vaut souvent plus de misère que nécessaire. À force de vouloir épargner les autres, c'est elle qui souffre. Il faut absolument qu'elle trouve un moyen d'occuper son esprit. Elle ouvre son ordinateur pour vérifier la liste des films à l'affiche. Elle regarde l'heure. Si elle se dépêche, elle arrivera à temps pour le début de celui qui l'intéresse. Elle sursaute lorsqu'elle ouvre la porte, car André se tient devant elle d'un air désemparé. Elle fait la moue et expire avec bruit en se tassant pour le laisser entrer. La porte n'est pas encore fermée qu'il commence déjà à parler :

— Tu ne peux pas me faire ça ! s'écrie-t-il d'une voix chargée de reproches. Tu dois au moins me dire ce que j'ai fait pour mériter que tu me traites comme un moins que rien. Tu sais bien que…

Et André enfile ses jérémiades les unes après les autres jusqu'à ce que Mado, qui en a plus qu'assez, se décide enfin à l'interrompre.

— Arrête ! Je n'ai jamais dit que c'était fini. Je t'ai seulement exprimé mon besoin de faire une pause.

— Tu ne comprends pas, j'avais l'intention de te demander en mariage chez Mathieu, l'autre soir. Mais il a fallu que tu partes en furie. Je ne te reconnais plus, Mado.

En entendant cela, Mado respire à fond et lève les yeux au ciel. Décidément, les choses vont de mal en pis. Voilà maintenant qu'André veut se marier alors que depuis qu'ils sortent ensemble il n'en a jamais été question entre eux. Plus que ça, elle lui a répété à maintes reprises qu'elle ne se remarierait plus jamais. André commence sérieusement à l'inquiéter.

— J'en ai assez entendu ! s'exclame-t-elle en balayant l'air de la main. Je n'ai pas l'intention de revenir sur ce que je t'ai dit au téléphone. Ce n'est pourtant pas compliqué, j'ai besoin d'une pause entre nous et elle commence à l'instant. Maintenant, tu m'excuseras, j'allais sortir.

Mado avance jusqu'à la porte et tente de l'ouvrir, mais André ne l'entend pas ainsi.

— Ne te gêne surtout pas! Vas-y, mets-moi donc dehors, tant qu'à y être. Puisque c'est toi qui décides de mon sort, tu pourrais au moins me dire combien de temps elle va durer, ma punition.

Après ce qu'elle vient d'entendre, Mado se dit qu'il vaut mieux prévoir une pause un peu plus longue, si elle veut avoir le temps de réfléchir à tout ça.

— Donne-moi un mois et je te rappellerai. Mais je t'avertis, je n'ai pas envie que tu me téléphones ou que tu viennes rôder dans les environs. J'espère vraiment m'être bien fait comprendre.

Devant l'air de chien battu d'André, elle répète d'une voix plus douce.

— Tu sais, je n'ai pas dit que c'était fini. Je te demande seulement un peu de temps pour réfléchir.

Et elle lui pointe gentiment la porte du doigt. En passant devant elle, André la prend dans ses bras comme si c'était la dernière fois, il la serre si fort qu'elle a du mal à respirer. Quand il la libère enfin de son étreinte, elle se sent soulagée. Alors qu'elle croit qu'il a enfin compris, il s'engage dans l'escalier et, au moment de sortir, il se retourne et lui crie:

— Tu ne te débarrasseras pas de moi aussi facilement, parce que, moi, je t'aime.

Mado ferme sa porte à clé et attend quelques secondes avant de sortir de l'immeuble. La dernière phrase d'André lui a donné la frousse. Mado se doutait bien qu'il accepterait difficilement sa décision, mais jamais elle n'aurait cru qu'il irait jusqu'à la menacer. Il faudra qu'elle en glisse un mot à JP, car l'attitude d'André l'inquiète.

***

Le film était sans doute excellent, mais Mado n'a rien vu ni rien entendu. Elle était là de corps, mais son esprit se promenait entre André et Alex durant toute la projection. Autant André perd des points, autant Alex, lui, n'arrête pas d'en gagner.

Depuis que Mado est sortie du cinéma, les paroles de JP lui martèlent la tête: «N'attends pas d'avoir 80 ans pour réaliser tes rêves, ou encore pire tes fantasmes.» Mais de quoi rêve-t-elle au juste? Lorsqu'on a eu une vie rangée comme l'a été la sienne tellement d'années, il n'est pas surprenant qu'on ne sache plus de quoi on a envie. Arrêtée à un feu rouge, Mado ferme les yeux et essaie de trouver des réponses à sa question. Le klaxon de l'auto derrière elle la fait sursauter et elle reprend sa route jusque chez elle. Une fois devant son immeuble, elle ne peut s'empêcher de jeter un coup d'œil autour. Rassurée qu'il n'y ait aucune trace d'André, elle se stationne et rentre dans son appartement. Sitôt à l'intérieur, elle se sert un grand verre de vin et se laisse tomber dans son fauteuil. D'un air distrait, elle vide son verre, se lève et le remplit de nouveau. C'est au moment où elle se rassoit qu'une idée jaillit dans son esprit. «JP a raison. Je vais m'offrir un cadeau pour ma retraite, de moi à moi. Je vais demander à Alex de venir passer la fin de semaine au chalet avec moi.»

Mado ne fait ni une ni deux et elle compose aussitôt le numéro d'Alex, qui décroche à la première sonnerie.

— Mado? Quelle belle surprise!

— As-tu un peu de temps pour me parler? s'informe-t-elle.

— J'ai tout mon temps. C'est bon d'entendre ta voix.

— Écoute, je sais bien que je t'avais dit qu'il valait mieux qu'on ne se voit plus, mais…

Une fois encore, Mado constate que les choses étaient beaucoup plus claires dans sa tête qu'au moment de les énoncer. Elle cherche ses mots comme si elle parlait une langue étrangère. À l'autre bout du fil, Alex attend patiemment la suite.

— Ça va peut-être te paraître drôle... je me demandais si tu accepterais de venir passer la fin de semaine au chalet avec moi.

— Ah ! Ça me ferait très plaisir, mais comme je suis le dernier engagé, c'est toujours moi qu'on appelle pour faire des heures supplémentaires. Et j'en fais tous les samedis depuis des mois.

— Tu pourrais aviser ton patron. En le sachant d'avance, il pourrait sûrement s'arranger.

— Ça ne marche pas comme ça où je travaille. Si je refuse d'y aller, je perds mon emploi, et je n'en ai pas les moyens. Je suis vraiment désolé, tu n'as pas idée à quel point.

Maintenant qu'elle a fait un pas en avant, Mado doit absolument trouver une solution pour qu'Alex puisse venir avec elle. Elle réfléchit quelques secondes avant de reprendre la parole. Les mots qui sortent de sa bouche ont autant d'effet sur elle qu'ils en ont sur Alex.

— De combien de temps aurais-tu besoin pour te trouver un autre emploi ?

— Je ne sais pas, un mois peut-être... Mais pourquoi veux-tu savoir ça ?

Au lieu de répondre à la question, Mado poursuit sur sa lancée.

— Est-ce que 2 000 $ te suffiraient ?

— Oh ! Oh ! Je ne me suis jamais fait payer par une femme et je n'ai pas l'intention de commencer aujourd'hui. Je vais raccrocher.

Alex n'a jamais eu les moyens d'inonder de cadeaux les femmes avec qui il est sorti, mais c'est un homme fier qui a beaucoup de mal à recevoir.

— Attends ! Je n'ai jamais dit que j'allais te payer. Ce que je veux, c'est te faciliter la vie pour que tu puisses venir avec moi, c'est tout. Mais si tu n'en as pas envie ou si c'est trop compliqué, je comprendrai.

— Je te rappelle que c'est toi qui ne voulais plus me revoir.

À son tour, Alex prend quelques secondes avant de poursuivre.

— C'est d'accord, et tu n'auras pas besoin de me donner un sou. Je déteste cet emploi et je suis prêt à courir le risque de le perdre si c'est pour passer un peu de temps avec toi.

— Non ! lance Mado, c'est à prendre ou à laisser. Tu acceptes les 2 000 $, ou ce n'est pas la peine qu'on se voit. Alors ?

— Je termine aux alentours de 17 heures demain.

— Texte-moi ton adresse et je passerai te chercher dans l'heure qui suit. On s'arrêtera à la banque avant de faire la route. Merci, Alex !

Même si la conversation est terminée depuis un bon moment déjà, Mado a encore le combiné sur l'oreille. Elle n'arrive pas à croire ce qu'elle vient d'offrir à Alex. Plus les minutes défilent, plus elle a envie de rire. Elle, Mado Côté, versera 2 000 $ à un homme pour qu'il passe la fin de semaine avec elle. Enfin, ce n'est pas exactement ça, mais elle a posé un geste dont elle ne se serait pas crue capable il y a quelques temps à peine. Elle s'esclaffe.

Entre deux hoquets, elle entend le signal de Skype, sur son ordinateur. Ce son à lui seul parvient à la ramener sur terre. C'est Émilie qui l'appelle.

— Salut, ma princesse, s'écrie Mado d'un ton joyeux. Comment vas-tu ?

— Très bien, ma petite maman. Je suis contente de te parler, ça faisait une semaine que je voulais t'appeler. Et puis, la retraite ?

Bien que la mère et la fille soient très proches, Mado ne lui racontera pas tout ce qui lui est arrivé depuis le *party*, du moins rien concernant Alex.

— Pour l'instant, ce que je peux te dire, c'est que ma vie était bien plus facile quand je travaillais. J'ai l'impression d'avoir perdu totalement le contrôle. Il m'est arrivé un tas de choses bizarres depuis. Tu devrais voir André, je ne le reconnais plus, tellement que j'ai décidé de prendre congé de lui pour un mois.

Mado énumère toutes les frasques qu'André a faites ces derniers jours, sans oublier la demande en mariage ratée. En entendant cela, Émilie ne peut s'empêcher de rire.

— Voyons donc ! s'exclame-t-elle. Depuis le temps que tu répètes à qui veut l'entendre que tu ne veux pas te remarier, je ne peux pas croire qu'il soit aussi naïf. C'est bien mal te connaître de penser que tu aurais pu soudainement changer d'idée. Pauvre lui !

— Si tu avais entendu les derniers mots qu'il m'a lancés, tu arrêterais de le plaindre tout de suite. « Tu ne te débarrasseras pas de moi aussi facilement, parce que, moi, je t'aime. » J'ai encore la chair de poule rien que d'y penser.

— Fais attention, on ne sait jamais ce qui peut arriver. Et ton souper ?

Le visage de Mado se métamorphose instantanément, ce qui n'échappe pas à Émilie.

— Je veux tout savoir, ajoute-t-elle, question d'encourager sa mère à parler.

Mado lui dresse un topo très succinct de la soirée en se gardant de dévoiler certains détails. Si elle croyait que sa fille allait se satisfaire de si peu, elle s'est trompée.

— C'est drôle, mon petit doigt me dit que tu me caches quelque chose. Je trouve que tu as la mine épanouie. Est-ce que par hasard il y aurait un autre homme là-dessous ?

C'est dans des moments comme celui-là que Mado préfère le téléphone à la caméra, car une fois de plus son langage non verbal la trahit. Malgré tout, elle n'a pas l'intention de fournir plus de détails à Émilie. Elle est sa fille, et une fille ne doit pas savoir tout ce qui se passe dans la vie de sa mère, et encore moins dans sa vie sexuelle. Par contre, Mado sait qu'Émilie ne la laissera pas tranquille tant qu'elle ne lui en aura pas dit suffisamment pour qu'elle comprenne ce qui fait autant briller ses yeux. C'est pourquoi elle se laisse convaincre de lui en dire un peu plus.

— Il faut d'abord que tu me promettes de n'en parler à personne, surtout pas à tes frères.

Émilie est habituée ; chaque fois que sa mère lève le voile sur l'un de ses jardins secrets, elle lui fait la même mise en garde, ce qui est bien inutile puisque Mathieu et Jimmy n'ont aucun intérêt pour les histoires de filles. Ils ne s'intéressent pas aux siennes, et encore moins à celles de leur mère.

— Et ne sois pas trop sévère avec moi, s'il te plaît. J'ai fait des choses dont je suis loin d'être fière.

Mado prend une grande inspiration, comme si ça pouvait lui mettre les mots dans la bouche. Elle raconte les éléments les moins croustillants de son aventure avec un bel inconnu le soir de son souper de départ à la retraite. Évidemment, elle ne souffle pas un mot sur la fin de semaine qu'elle s'apprête à passer avec Alex. Par moments, Émilie a l'impression d'être en plein film hollywoodien.

— Wow ! s'exclame-t-elle, c'est ce que j'appelle le début d'une retraite qui promet. Est-ce qu'il est beau ?

— Comme un dieu ! Mais je n'aurais pas dû te raconter tout ça, je suis supposée te montrer l'exemple, c'est moi, la mère. Comme je viens de te le dire, j'ai complètement perdu le contrôle.

— Et après ? Tu n'as tué personne, à ce que je sache, tu as juste profité de ce que la vie t'offrait.

— Mais je suis en couple…

Émilie connaît peu André, elle ne l'a vu qu'une seule fois, mais il est clair pour elle qu'il n'arrive pas à la cheville de son père. Elle passe son temps à dire à sa mère que ce n'est pas un homme pour elle. Mado est bien trop vivante pour partager la vie de quelqu'un d'aussi prévisible et ennuyeux qu'André. Elle est la mère que toutes les amies d'Émilie voudraient avoir. D'ailleurs, il leur arrive encore d'aller lui rendre visite alors qu'il y a plus de deux ans qu'Émilie vit à l'étranger.

Pour ce qui est de la fidélité, comme bien des jeunes de son âge, Émilie n'est pas contre, mais elle n'est pas pour à tout prix. Elle a pour principe qu'il vaut mieux mordre dans la vie pendant qu'on le peut.

— Ça ne vaut pas la peine de t'en vouloir puisque de toute façon tu ne te souviens plus de rien, ce qui, soit dit en passant, est très dommage. J'ai justement lu un article là-dessus la semaine passée. Il paraît que ce qu'on appelle un trou noir est en fait un bout de notre vie que notre cerveau n'a tout simplement pas enregistré. Il paraît aussi qu'on aurait beau faire tous les efforts du monde pour se rappeler ce qui est arrivé, ce serait peine perdue puisque l'action en question n'a laissé aucune trace.

Comme le disait souvent Jean-Charles, Émilie a tout un cerveau. Si elle écoute ou lit quelque chose qui l'intéresse – et tout l'intéresse –, elle l'enregistre dans sa mémoire sans effort. Apprendre a toujours été un jeu d'enfant pour elle, et ses notes le confirmaient amplement.

— Toi, ma petite Einstein ! blague Mado. Parle-moi de toi maintenant.

— Il n'y a pas de grands changements de mon côté, à part le fait que je travaille toujours comme une forcenée. On a tout une série de représentations prévues à Sydney et on est en pleine préparation d'un nouveau spectacle qu'on donnera devant la princesse à Abu Dhabi. Tu ne peux même pas t'imaginer tout ce qu'elle a demandé. On a dû refaire presque la totalité des costumes : trop décolletés, trop courts, trop colorés… C'est là qu'on voit que tout est possible lorsqu'on a de l'argent. « Le spectacle de Cavalia ne nous convient pas. Aucun problème, on va en faire créer un autre rien que pour nous. » Et après les Émirats, on se rend à Dubaï.

— Tu es tellement chanceuse ! Et il vous en reste pour combien de temps, en Australie ?

— Environ deux mois. Tu devrais venir me voir, Sydney est une ville magnifique, tu l'adorerais. Sinon il faudra que tu attendes qu'on soit en Belgique pour venir me rendre visite, parce que, crois-moi, la vie dans les Émirats et à Dubaï n'aura rien pour te plaire. Et je n'ai pas envie d'aller te porter des oranges en prison. Il me semble te voir te rebeller contre tout et rien !

À ces mots, Mado sourit. C'est fou comme sa fille lui manque. Même si elle la voit par Skype, elle paierait cher pour la serrer dans ses bras, aller faire une longue séance de magasinage avec elle, partager un bon repas en tête à tête ou regarder un film collées collées… Ce n'est pas compliqué, pour Mado, Émilie est une petite merveille, et rien n'est encore parvenu à remplir le vide qu'elle a laissé en partant.

— Je ne te dis pas non. Compte tenu que je suis libre comme l'air maintenant, je pourrais bien m'offrir des petites vacances.

— N'oublie pas, on ne vient pas en Australie pour quelques jours, c'est quand même à l'autre bout du monde. La preuve, je vis en dessous de tes pieds, ou vice versa. Pendant que j'y pense, je me suis inscrite à un cours de fabrication de chapeaux. Si tu savais à quel point j'ai hâte de le suivre.

Mado n'est pas étonnée, Émilie s'y intéresse depuis qu'elle a commencé son diplôme d'études collégiales en gestion et techniques de scène. Elle a même dit un jour à sa mère qu'elle voulait devenir chapelière. Pour Mado, ce n'est pas la meilleure idée qui soit, mais elle connaît assez bien sa fille pour savoir que parler est inutile. Émilie était toute petite et tenait déjà mordicus à faire ses propres expériences, plutôt que de se fier à ce que ses parents lui disaient.

— Dommage que je n'aie pas une tête à chapeaux, se plaint Mado.

À ce moment, elle entend une voix masculine appeler sa fille.

— Qui est-ce ? lui demande-t-elle.

— Il faut vraiment que je te laisse. Je t'embrasse et à bientôt.

Une seconde plus tard, Mado se retrouve seule face à l'écran de son ordinateur. Elle le rabat et sourit. Ce n'est pas aujourd'hui qu'elle pourra mettre un nom sur la voix qu'elle vient d'entendre. Par contre, savoir qu'il y a un homme dans la vie de sa fille la ravit.

Chapitre 6

— J'espère que tu aimes rouler, parce qu'on a environ une heure et demie de route à faire, confie Mado.

— Ne t'inquiète pas pour moi, la rassure Alex, je peux même prendre le volant si tu le désires.

Mado lui jette un œil accompagné d'un sourire en coin et se range ensuite sur le bas-côté afin de lui céder sa place. Inutile de dire qu'Alex est fou de joie à l'idée de conduire, et le fait que Mado roule en Mercedes amplifie son plaisir. Le sourire aux lèvres, il ajuste son siège ainsi que les miroirs et met le moteur en marche.

— Est-ce que je t'ai dit à quel point je suis content d'être avec toi ? lui demande-t-il en lui caressant doucement la main.

Les joues de Mado s'empourprent. Une petite voix lui souffle à l'oreille qu'elle ne devrait pas être là, mais elle s'empresse de la faire taire. Elle est ici parce qu'elle l'a décidé, personne ne l'empêchera d'en profiter au maximum.

— Maintenant, lance Alex, il faudrait que tu me dises où nous allons.

— Ne t'inquiète pas, je vais te guider. Commence d'abord par prendre l'autoroute 20 et je te dirai ensuite par où passer. Je t'amène pour la fin de semaine au chalet de ma famille.

Mado décide de lui raconter la petite histoire de son chalet. Son père, un architecte, a dessiné les plans et confié la réalisation aux meilleurs ouvriers qu'il connaissait. Évidemment, il l'a fait construire beaucoup plus grand que nécessaire, il y a même fait ajouter un garage. Le bâtiment est rustique, mais beaucoup de classe en émane. Il faut voir la mezzanine qui surplombe le salon ainsi que toutes les fenêtres qui donnent directement sur le lac. Elles sont encadrées de bandes de bois pour les soutenir. L'hiver, le soleil réchauffe tout l'endroit. Et l'été, comme le chalet est érigé en hauteur, la fraîcheur règne à l'intérieur. À la mort de son mari, Gertrude a songé à le vendre, mais vu l'insistance de ses enfants et petits-enfants, elle a décidé de le garder.

— À compter de maintenant, je me charge uniquement de payer les frais.

Mado a vite été désignée par ses frères pour s'en occuper, ce qui somme toute lui demande peu d'efforts. Robert habite Percé, ce qui lui donne toutes les raisons du monde pour expliquer sa non-participation aux obligations familiales. Quant à Alain, même s'il demeure à proximité, il est très doué pour se trouver des excuses chaque fois que sa mère songe à requérir ses services. Heureusement, depuis le temps que les Côté possèdent leur chalet, ils ont des gens de confiance tout près qui, pour quelques dollars seulement, se chargent volontiers de ce qu'il y a à faire au gré des saisons.

— J'adore cet endroit, dit Mado. Le lac, la forêt, le silence qui plane partout. Il faut voir les grands hérons au lever du jour alors que la brume donne des airs de film d'horreur au lac. Je n'y vais pas très souvent, mais je ne peux pas imaginer qu'il puisse un jour appartenir à quelqu'un d'autre qu'aux Côté. Pour moi, ce chalet est comme une oasis luxuriante dans le désert, une île paradisiaque au milieu de l'océan. Lorsque ma vie bat de l'aile, c'est toujours là que je vais me réfugier.

Chaque fois qu'elle se rend là-bas, Mado se promet d'y venir plus souvent. Surtout, elle se promet d'y aller aussi quand sa vie va pour le mieux. C'est pour cette raison qu'elle a décidé d'y emmener Alex. Quand elle travaillait, elle courait après son souffle plus souvent qu'à son tour. Maintenant qu'elle est à la retraite, aller au chalet devra faire partie de ses nouvelles activités. Là-bas, elle aime toutes les saisons, ce qui n'est pas le cas en ville. Même si elle n'est pas la plus grande sportive que la terre ait portée, quand la neige est au rendez-vous, elle chausse volontiers ses raquettes ou ses skis de fond. Il lui arrive aussi de faire un peu de motoneige lorsque l'occasion se présente. Autrement, elle s'adonne à la pêche sur le bout du quai ou elle fait de grandes promenades dans les sentiers qui longent la montagne.

— J'espère que tu aimeras l'endroit autant que je peux l'aimer, ajoute Mado.

Alex la regarde en souriant, car, en réalité, l'endroit où ils vont a peu d'importance pour lui. Il lui tarde d'être seul avec Mado pour la serrer dans ses bras, l'embrasser, la caresser, lui souffler des mots doux à l'oreille, lui faire l'amour avec une telle douceur qu'elle le suppliera de mettre fin à sa torture. Alex espérait ardemment que Mado le rappelle, mais il était loin d'être certain qu'elle le ferait un jour. Pour lui, Mado est rien de moins que la crème des femmes. Quand il la regarde, ce ne sont pas les petites rides qu'elle a au coin des yeux ou à la commissure des lèvres qu'il voit. Non ! Ce qu'il regarde, c'est la femme qu'il désire plus que tout, celle qui le fait vibrer depuis le cégep, au point de le rendre fou. Pour elle, il serait prêt à tout.

— Ce sera mon endroit préféré sur la terre même si ce n'est que pour une fin de semaine.

Mado a l'impression de flotter sur un nuage. Elle est en route pour le chalet avec Alex, qui lui parle comme s'il était profondément amoureux d'elle. Si elle avait l'âge d'Émilie, elle y croirait vraiment, mais l'expérience l'empêche de plonger la tête la première dans cet univers de rêve. Elle s'apprête à passer deux jours avec son amant et, après, leurs chemins se sépareront de nouveau. Elle retournera à sa retraite et lui devra se chercher un nouvel emploi. Le monde est rempli de couples non conventionnels, mais elle ne croit pas qu'un comme le leur a des chances de survivre.

— Es-tu toujours gentil comme ça ? lui demande-t-elle.

— Seulement avec les gens qui le méritent.

Alex pose doucement sa main sur la cuisse de Mado. Sa chaleur la transperce comme si un millier de piqûres d'abeilles pénétrait sa peau en même temps. Un grand frisson parcourt son corps de la tête aux pieds, elle ferme les yeux pour savourer pleinement l'instant. Sa réaction n'échappe pas à Alex, qui retire aussitôt sa main de peur d'avoir été trop entreprenant.

— Est-ce que tu pourrais la remettre exactement au même endroit ? l'implore-t-elle.

Non seulement sa demande surprend Alex, mais elle le fait sourire.

— Vos désirs sont des ordres, ma chère, réplique-t-il en s'exécutant.

— Je ne me rappelais plus que notre chalet était aussi loin de la ville. Crois-tu que tu pourrais accélérer un peu ?

Cette fois, Alex éclate de rire et Mado ne tarde pas à l'imiter.

— Je suis... un peu gênée, avoue-t-elle.

— Tu n'as aucune raison de l'être. J'ai aussi hâte que toi d'arriver au chalet. J'espère que tu n'as pas trop faim, parce que j'ai l'intention de m'occuper de toi dès que nous serons sortis de la voiture. Le seul hic, c'est que j'ignore quand je vais pouvoir m'arrêter.

Plus ils roulent, plus Mado désespère qu'Alex la prenne enfin dans ses bras. Et plus elle se sent fébrile à l'idée qu'ils pourront bientôt laisser libre cours aux pulsions qui les dévorent. À vrai dire, toutes les cellules de son corps le désirent. De toute sa vie, jamais elle n'a ressenti une telle sensation, si forte qu'elle en a mal.

— Jure-moi que tu ne vas pas t'arrêter, s'entend-elle lui dire.

Mado est aussi tendue qu'un élastique sur le point de se rompre. Elle n'entend plus que la voix d'Alex et ne voit rien d'autre que lui. Elle doit vite trouver quelque chose pour occuper son esprit avant que la folie ne s'empare d'elle.

— Parle-moi de toi, lui demande-t-elle à brûle-pourpoint.

— Que veux-tu savoir ?

— Absolument tout !

Un coup d'œil suffit à Alex pour voir dans quel état elle se trouve. Il pourrait tout arrêter et lui laisser un court répit, mais au lieu de ça il promène sa main sur sa cuisse en s'aventurant toujours un peu plus haut.

— Parle-moi ! l'intime Mado qui n'en peut plus.

Mado n'a pas interrompu Alex une seule fois pendant le trajet. Elle a entendu tout ce qu'il a dit mais n'a absolument rien retenu. Ils ont rentré l'auto dans le garage et se sont rués l'un sur l'autre comme s'ils avaient été privés d'amour des mois. Alors qu'ils reprenaient leur souffle, Mado a ouvert sa portière et a crié à Alex de la suivre. Ils ont monté un escalier et ont repris de plus belle exactement où ils s'étaient arrêtés avant de sortir du véhicule. Ils ont finalement laissé libre cours au désir qu'ils avaient l'un pour l'autre jusqu'à ce que des voix viennent perturber leurs ébats.

Surprise, Mado se détache brusquement d'Alex, attrape une serviette de bain au passage et sort de la chambre en coup de vent. Elle allume la lumière de la mezzanine et aperçoit son fils accompagné de plusieurs de ses amis au salon.

— Jimmy ? s'écrie-t-elle.

— *Mom* ? Veux-tu bien me dire ce que tu fais ici ? Je n'ai même pas vu ta voiture en arrivant.

— C'est plutôt moi qui devrais te poser cette question, Jimmy. Il me semblait t'avoir dit non, pour le chalet.

Jimmy regarde sa mère du bas de l'escalier d'un air abasourdi. Il se demande pourquoi elle est au chalet à cette heure. Le fait qu'elle ait les cheveux en bataille et qu'elle soit enroulée dans une serviette ajoute à son étonnement.

— Je sais que je n'aurais pas dû, mais je suis allé voir grand-maman et elle m'a dit que je pouvais venir à la condition que je range tout avant de partir.

Mado pourrait répéter qu'il laissera encore tout traîner en partant comme à son habitude, mais pour l'instant elle a un autre dossier à régler. Il faut qu'elle réussisse à se débarrasser de son fils au plus vite.

— Ne t'inquiète pas, je te jure que cette fois-ci je vais tout mettre en ordre. Je prends même mes amis à témoin. Tout va briller comme un sou neuf quand je vais refermer la porte, c'est promis.

Au même moment, une autre vague de compagnons fait son entrée les bras chargés de caisses de bières et de sacs d'épicerie. Mado n'est pas dupe, elle comprend rapidement qu'il sera plus simple qu'Alex et elle aillent ailleurs. Elle doit trouver une façon de quitter le chalet sans que son fils voie avec qui elle est.

— Tu as gagné, ajoute-t-elle, je te laisse le chalet pour cette fois. Déposez vos choses ici et revenez dans une heure.

— Pourquoi ? demande Jimmy. Tu n'as qu'à sortir, mes amis ne te mangeront pas, je me porte garant. De toute manière, tu connais déjà la majorité d'entre eux.

Quelques salutations lui parviennent aussitôt du rez-de-chaussée. Elle reconnaît des voix mais refuse de se rapprocher pour les identifier.

— Écoute-moi bien, Jimmy, soit vous partez maintenant et vous ne revenez que dans une heure, soit vous partez maintenant et vous ne revenez pas. C'est à prendre ou à laisser.

Jimmy ne saisit pas ce qui se passe, mais compte tenu des circonstances il saute sur l'occasion. En temps normal, sa mère lui aurait ordonné de rebrousser chemin, alors que là c'est elle qui s'en va.

— Je ne comprends pas ce qui t'arrive, *mom*, mais c'est d'accord.

— On n'est pas obligé de tout comprendre dans la vie. Allez, filez vite avant que je change d'idée.

Aussitôt la porte refermée, Mado va retrouver Alex. Évidemment, il a entendu la discussion entre Jimmy et sa mère.

— Alors, dit-il, on oublie la fin de semaine au chalet ?

— Oui, mais rassure-toi, on n'ira pas très loin. Il y a une belle petite auberge à quelques kilomètres. Plus vite nous serons partis d'ici, mieux je me porterai. J'aurais bien envie de lui laisser le lit comme ça.

— À toi de décider !

Mado prend quelques secondes pour réfléchir. L'occasion de donner une petite leçon à Jimmy est tellement belle qu'elle décide même d'ajouter des traîneries dans la chambre.

— Aujourd'hui, mon cher fils va goûter à sa propre médecine. Pour le nombre de fois où j'ai dû ramasser derrière lui, il peut bien en faire autant pour moi. Tu viens ?

***

L'attitude de sa mère a tellement déstabilisé Jimmy que, au lieu d'emmener ses amis boire une bière au bar du village, il les a plutôt entraînés dans un petit chemin à proximité du chalet d'où il va pouvoir espionner sa mère au moment où elle quittera le chalet. À voir l'air qu'elle avait, il mettrait sa main au feu qu'elle n'était pas seule. Puisque André l'a appelé hier pour se plaindre du fait que sa dulcinée lui avait donné un mois de congé, Jimmy est certain qu'elle n'est pas avec lui. Si elle avait été avec ses amies de filles, elles seraient toutes venues le saluer dès qu'elles auraient entendu sa voix. Il se demande bien avec qui elle est, mais il se dit qu'il ne tardera pas à le savoir.

Il faisait tellement noir quand Mado est passée à sa hauteur en voiture que la seule chose que Jimmy a constatée est qu'elle n'était pas seule. Il est retourné au chalet avec ses amis sans se poser plus de questions. Il fallait voir sa réaction quand il a monté son sac à la chambre principale. Jamais il n'aurait cru sa mère capable de laisser la chambre dans cet état. Il a saisi son cellulaire et lui a envoyé un texto sur-le-champ pour lui signifier son mécontentement.

Étais-tu vraiment obligée de faire ça ?

Et Mado de lui répondre après avoir ri un bon coup :

Il faut parfois apprendre à la dure... Et ne t'avise pas de laisser le chalet en désordre parce que sinon je ferai changer les serrures. Ce n'est pas une menace, mais une promesse.

Mado ne se fait aucune illusion, elle sait pertinemment que les menaces n'ont jamais eu d'effet sur Jimmy.

C'est qui le gars qui était avec toi ?

Pour toute réponse, Mado lui souhaite de passer une bonne fin de semaine.

— J'en connais un qui aimerait bien savoir qui tu es. Tourne à droite juste ici, indique Mado. L'auberge se trouve à moins d'un kilomètre.

Quand ils arrivent dans la chambre, ils reprennent les choses où ils les avaient laissées plus tôt. C'est la sonnerie du cellulaire de Mado qui les oblige à faire une nouvelle pause, à leur grande déception.

— Mado ? C'est moi ! Ne me pose pas de question et rappelle-moi dans cinq minutes.

— Mais je suis occupée, se défend Mado.

La réponse de Mado met tout de suite la puce à l'oreille de Monique, tellement qu'elle en oublie la raison de son appel quelques secondes.

— On dirait que tu me caches quelque chose, toi. Dis-moi vite où tu es et avec qui. Dépêche-toi, j'attends.

Comme Mado ne répond pas, Monique spécule :

— Ne me dis pas que tu es avec Alex ! Non ! Je dois te laisser, mais n'oublie pas de me rappeler dans cinq minutes. Je suis sérieuse, c'est une question de vie ou de mort.

Mado se demande dans quel guêpier Monique s'est encore fourrée. Elle lance son cellulaire sur la table de chevet et se love tendrement contre Alex. Elle se sent si bien qu'elle aimerait que le temps s'arrête.

— Accorde-moi cinq minutes, il faut que je rappelle Monique. Je serais prête à gager qu'elle est encore allée souper avec un homme rencontré sur Internet, il doit être ennuyeux comme la pluie et elle ne sait plus quoi inventer pour s'en débarrasser.

— Elle n'a qu'à lui dire qu'elle va au petit coin et partir en douce, suggère Alex.

— Facile à dire, mais pas toujours facile à faire. De toute façon, Monique est la spécialiste des rendez-vous manqués. Depuis le temps, elle aurait dû se dompter. Pour ma part, ça ferait longtemps que j'aurais arrêté de chercher sur les sites de rencontres.

— Moi, j'ai plusieurs amis qui ont rencontré des perles, là-dessus, argumente Alex.

— Peut-être, mais pas Monique. On dirait qu'elle tombe toujours sur les imbéciles, les dépendants affectifs, les caractériels, les violents...

Alex fait partie des rares hommes de sa génération qui n'utilisent pas Internet pour se « matcher » ne serait-ce que pour une nuit. Même quand ça fait un moment qu'il n'a pas fait l'amour, il refuse de se contenter de ce qui s'offre à lui dans le seul but de libérer un peu de pression.

— C'est à croire qu'il y en a plus sur Internet que dans la vraie vie, ajoute Mado. Bon, il faut que je la rappelle.

Monique décroche à la première sonnerie.

— Maman ? répond-elle. Est-ce qu'il y a quelque chose qui ne va pas ?

Comme ce n'est pas la première fois que Mado apporte son aide à Monique, elle se contente d'écouter monologuer son amie en riant à l'autre bout du fil. Curieux, Alex tend la main pour que Mado lui donne son cellulaire et il se dépêche de le mettre sur le haut-parleur pour profiter lui aussi du monologue.

— Mais c'est terrible, ce que tu me racontes là. Oncle Paul a fait un infarctus, et c'est ton frère préféré, en plus. Non, il n'est pas question que tu restes toute seule, je m'en viens. Non ! Non ! J'insiste. Je serai chez toi dans moins de 10 minutes. Tiens bon, maman.

Et elle raccroche. Mado et Alex éclatent de rire. Moins d'une minute plus tard, Mado reçoit un second appel.

— Tu m'as vraiment sauvé la vie, s'écrie Monique, tu n'as pas idée. Je n'avais jamais rencontré quelqu'un d'aussi endormant. Tu ne sais pas la meilleure, il avait mis la photo de l'un de ses cousins sur sa fiche, comme si je n'allais pas m'en apercevoir. Tu aurais dû me voir quand il est venu vers moi. J'aurais voulu me téléporter n'importe où, même un village primitif de l'Amazonie aurait fait l'affaire plutôt que d'être assise devant lui. Sérieusement, je n'avais jamais été aussi désespérée et, comme si ce n'était pas suffisant, il zozotait. Ça faisait longtemps que je n'avais pas trouvé le temps aussi long. Mais ça n'a pas l'air d'être ton cas, je me trompe ?

— Tu m'excuseras, mais je suis occupée jusqu'à dimanche soir.

— Espèce de chanceuse ! Jure-moi de me téléphoner aussitôt que tu seras rentrée. Ma vie est tellement ennuyeuse.

Comme Mado la fait patienter, Monique revient vite à la charge.

— Allez, jure-le-moi.

— OK !

— Amuse-toi bien !

Cette fois, Mado ne prend pas de risque, elle éteint son cellulaire et le range dans son sac à main.

Chapitre 7

Alex aurait pu faire la grasse matinée en ce lundi, mais il s'est levé à la même heure que d'habitude. Il espère que son patron aura mis de l'eau dans son vin et qu'il le laissera reprendre son travail. Bien qu'il ait passé une fin de semaine de rêve avec Mado, il veut à tout prix lui redonner son argent. Et pour y arriver, il doit travailler. Il est 9 heures précises quand il fait son entrée dans le magasin.

— Salut, Alex, lance joyeusement son collègue et ami de longue date David. Et puis, cette fin de semaine ?

— Magique ! Et toi ?

— Rien de spécial ! Je suis allé boire une bière avec les gars vendredi soir. Samedi, j'ai mangé au Pub et, hier, j'avais une fête de famille. Une fin de semaine tout ce qu'il y a de plus ordinaire, comme tu peux voir. Parle-moi donc de la tienne maintenant ! Grosse fin de semaine ?

Au moment où Alex s'apprête à répondre, son patron lui fait signe de venir dans son bureau.

— Ce n'est pas la peine de t'asseoir, dit-il, je ne serai pas long. Je croyais avoir été clair. Si tu ne rentrais pas travailler samedi, tu perdais ton emploi.

— Mais vous n'avez rien à me reprocher, argumente Alex. Je suis l'un de vos meilleurs employés, et vous savez très bien que je suis celui qui vend le plus ici. Vous n'avez pas le droit de faire ça.

— Droit ou pas, tu connais les règles. Ramasse tes affaires, je te posterai ta dernière paie avec ton 4 % et ton relevé d'emploi. Je ne serai pas salaud, je vais inscrire «manque de travail» comme raison de fin d'emploi.

Alex savait à quoi s'attendre, mais il est quand même furieux contre son patron. Il le savait con, mais jamais à ce point-là. Alex va vider son casier, salue ses ex-collègues et prend le chemin de la sortie. Au moment où il passe à la hauteur de David, il hausse les sourcils en lui souriant.

— Tu viens de perdre ton emploi et c'est tout ce que ça te fait? s'étonne son ami.

— Comment voudrais-tu que je réagisse? Je ne vais quand même pas me mettre à pleurer…

— Je ne sais pas, moi… comme quelqu'un qui n'a plus de travail et qui devra attendre un mois avant de toucher un seul sou d'assurance-emploi. À moins que tu aies gagné à la loterie… Tu me le dirais, si tu avais gagné à la loterie?

Alex se contente de lui sourire de nouveau, ce qui met la puce à l'oreille de David.

— Il faut qu'on se parle, toi et moi. Retrouvons-nous au Café Sainte-Geneviève à midi.

— Parfait! En attendant, je crois bien que je vais aller me recoucher. Ma fin de semaine m'a épuisé.

* * *

Comme il était près de minuit quand Mado est revenue chez elle, elle a attendu le lendemain matin pour téléphoner à Monique.

— Tu étais mieux de m'appeler, parce que je n'aurais pas hésité à débarquer chez toi sur mon heure de dîner.

Contrairement à Mado, Monique n'a pas eu la chance d'hériter de qui que ce soit et n'est pas issue non plus d'une famille aisée. Ses parents n'ont jamais possédé de chalet sur le bord d'un lac et risquent de lui laisser peu de biens à leur décès. C'est pour toutes ces raisons qu'elle travaillera jusqu'à ses 60 ans. Elle gagne bien sa vie, mais n'occupe aucunement l'emploi de ses rêves. Comme on dit, plus souvent qu'autrement elle fait du temps. Certains emplois permettent aux gens de se réaliser, de s'épanouir, alors que d'autres servent à mettre du beurre sur le pain et ne sont pas passionnants pour deux sous. Celui qu'occupe Monique depuis une dizaine d'années fait malheureusement partie de la deuxième catégorie.

— Vas-y, ajoute Monique, tu as toute mon attention.

— Tu sais que j'ai horreur de te déranger au travail. Pourquoi ne viendrais-tu pas souper à la place ? Comme ça, j'aurai le temps de te raconter mon histoire dans les moindres détails.

— Veux-tu que j'apporte quelque chose ?

— Non ! Je m'occupe de tout, on se voit plus tard !

— Attends ! Tu pourrais au moins me dire si tu as passé une belle fin de semaine.

— Fantastique ! À ce soir !

Aussitôt qu'elle a raccroché, Mado compose le numéro de sa mère pour lui demander si elle peut passer la voir. Gertrude est emballée à l'idée que sa fille vienne lui tenir compagnie. Deux raisons motivent la visite de Mado. Tout d'abord, elle s'est fait la promesse d'accorder un peu plus de temps à sa mère. Ensuite, elle doit absolument lui parler de Jimmy et l'aviser de son intention de faire changer les serrures s'il n'a pas laissé le chalet en ordre.

Gertrude est tout sourire quand Mado fait son entrée dans l'appartement.

— Je suis tellement contente de te voir, dit-elle. J'ai essayé de t'appeler plusieurs fois en fin de semaine, mais je tombais toujours sur ta boîte vocale. Je m'inquiétais pour toi.

Mado n'est pas assez proche de sa mère pour lui dire ce qu'elle faisait, et encore moins avec qui elle était et où elle se trouvait. De toute façon, à part en discuter avec Monique, elle n'a pas l'intention de le crier sur tous les toits.

— Désolée, maman, je n'aurais pas dû éteindre mon cellulaire.

— Mais non, ce n'est pas grave, la rassure Gertrude, il n'y avait pas d'urgence. Et si ça avait été le cas, j'aurais appelé l'un de tes frères ou tes fils. Je me demandais juste si tu allais bien. Je voulais t'inviter à bruncher à l'auberge, mais on n'aura qu'à se reprendre la semaine prochaine, si tu en as envie.

Surprise par les propos de sa mère, Mado fronce légèrement les sourcils, ce qui n'échappe pas à Gertrude.

— Je sais que je n'ai pas toujours été commode, mais j'ai décidé de faire des efforts pour me rapprocher de toi. Tu devrais être fière de moi, je suis même allée au cinéma samedi.

— Wow ! s'exclame Mado. Là, tu m'impressionnes. Dis-moi, ça te dirait d'aller magasiner avec moi ?

— Tu veux dire maintenant ?

— Oui. On pourrait dîner au restaurant toutes les deux après notre magasinage. Qu'en dis-tu ?

— Donne-moi deux minutes pour me changer et je suis prête.

Mado repense à sa fin de semaine pendant que Gertrude se prépare. Ce qu'elle a vécu était bien au-delà de ses espérances, et pas seulement sur le plan sexuel. Alex est un homme qui trouve toujours quelque chose d'intéressant à raconter. Comme Mado lui a dit :

— Tu es très cultivé pour un gars de ton âge.

Ce à quoi Alex a répondu avec conviction :

— Voyons donc, l'âge n'a rien à voir avec la culture. Je suis cultivé parce que je suis curieux, parce que tout m'intéresse et qu'apprendre est important pour moi. Quand j'étais petit, je lisais les encyclopédies qu'on avait à la maison au lieu des bandes dessinées comme la plupart de mes amis.

En fait, Mado n'a perçu à aucun moment leur différence d'âge, et c'est d'ailleurs ce qui l'inquiète. Lorsqu'elle a déposé Alex à son appartement, elle n'a pas manqué de lui dire deux fois plutôt qu'une qu'ils ne se reverraient plus jamais, et pour de vrai cette fois. Il l'a regardée dans les yeux et lui a dit d'un souffle :

— Je suis prêt à t'attendre le temps qu'il faudra.

Ces mots ont ébranlé Mado. Pendant quelques minutes, elle a regretté de l'avoir rappelé. Il faudrait être aveugle pour ne pas s'apercevoir qu'Alex est fou d'elle, alors que, de son côté, elle refuse de seulement considérer qu'il pourrait y avoir quelque chose de sérieux entre eux. Certes, elle s'est offert un cadeau pour marquer sa retraite, mais l'histoire s'arrête là. Alex a tout ce qu'elle souhaiterait retrouver chez un homme, mais il est beaucoup trop jeune pour elle.

L'arrivée soudaine de Gertrude dans la cuisine la fait sursauter.

— On dirait que tu n'as pas la conscience tranquille, s'exclame sa mère en la voyant. Tu es trop vieille pour avoir des regrets et beaucoup trop jeune pour cesser de vivre. C'est le temps de foncer, et non de regretter.

Sans même y penser, Mado s'approche de sa mère et l'embrasse délicatement sur le front.

— Merci, maman ! On y va ?

* * *

Alex a à peine posé les fesses sur la chaise que David le bombarde de questions.

— Woh ! Woh ! l'intime Alex. Laisse-moi au moins le temps d'arriver.

— Hé, dis-moi, c'est nouveau, cette montre ?

— Oui, répond Alex à contrecœur.

Son intention n'était pas de l'exhiber devant David, en tout cas pas aujourd'hui.

— Tu ne vas quand même pas me dire que c'est elle qui te l'a offerte ?

— Oui, mais c'est tout ce qui me reste d'elle. Je vais te raconter une histoire, mais je t'avertis, elle finit mal.

Et Alex lui relate sa fin de semaine avec Mado dans les moindres détails.

— Ça ne va pas, la tête ? lui demande David. J'ai déjà entendu des histoires qui finissent mal, mais la tienne ne correspond à aucune d'entre elles.

— Tu ne comprends pas, je l'aime. Je n'en ai rien à faire, de son argent, pas plus que de la montre, c'est elle que je veux et rien d'autre.

David regarde son ami dans les yeux. Un peu plus et il lui mettrait la main sur le front pour vérifier s'il ne fait pas de fièvre.

— Tu es conscient qu'elle pourrait être ta mère, argumente David. Moi, je pense plutôt que c'est une histoire de cul, payante en plus.

Alex pourrait s'emporter, mais il n'en a pas l'intention. David peut dire ce qu'il veut, ça ne changera rien aux sentiments qu'il porte à Mado.

— En tout cas, si elle a une amie, ta Mado, je suis prêt à la rencontrer.

Lorsqu'il voit qu'Alex ne mord pas à l'hameçon, David fait mine de changer de sujet et lui demande ce qu'il va faire maintenant qu'il n'a plus d'emploi.

— Que veux-tu que je fasse d'autre sinon en chercher un autre ?

— Vu que tu auras du chômage, tu pourrais décider de te la couler douce un moment. Je n'en reviens pas qu'elle t'ait offert 2 000 $!

— Je n'aurais pas dû t'en parler, réplique Alex d'une voix tendue. Tu dois me jurer de garder ça pour toi.

David a bien des défauts mais il peut garder un secret, et Alex le sait. Mais là, il voit bien qu'il est allé un peu trop loin.

— Ce n'est pas aujourd'hui que je vais commencer à te trahir. Arrête de t'inquiéter, tu peux dormir sur tes deux oreilles, je n'en parlerai à personne. Au risque de me répéter, s'il y a l'une de ses amies qui veut s'offrir du bon temps avec un petit jeune, n'oublie pas ton ami David. Ton meilleur ami !

Alex se dépêche de faire dévier la conversation sur le sport, un sujet qui les amène au bout de leur dîner sans trop de problème. Alors que David s'apprête à retourner travailler, Alex se commande un deuxième café. Il a besoin d'être seul pour faire le point sur cette histoire. Il a tout essayé pour faire comprendre à Mado l'importance qu'elle a à ses yeux, sans y parvenir. L'idée de ne plus la revoir l'attriste profondément. Demain, il enverra des curriculum vitæ. Plus vite il trouvera un nouvel emploi, plus vite il pourra lui remettre son argent.

* * *

Bien installées sur la terrasse d'un petit café, Mado et Gertrude discutent. Gertrude n'est plus habituée à marcher autant, elle a l'impression d'avoir du plomb dans les jambes. Par contre, elle ne se souvient plus de la dernière fois où elle a été aussi heureuse.

— Il y avait longtemps que je n'avais pas trouvé autant de choses qui me plaisent, dit Gertrude. Ma garde-robe déborde déjà de vêtements, mais tu ne peux même pas t'imaginer à quel point ça m'a fait du bien de m'en acheter de nouveaux. Je meurs de faim. Pas toi ?

Mado est ravie de voir sa mère dans cet état. Gertrude est enjouée et babille comme une petite fille. Décidément, Mado va de surprise en surprise aujourd'hui.

— Peut-être pas autant que toi, répond-elle, mais j'ai faim.

Aussitôt qu'elles ont le menu en main, elles se dépêchent de faire leur choix. Gertrude fait signe à la serveuse pour qu'elle vienne noter leurs commandes.

— Maman, maintenant, il faut qu'on parle de Jimmy. Je suis au courant que tu lui as prêté le chalet la fin de semaine passée. Je sais que je n'ai pas à discuter ta décision, c'est ton chalet après tout, mais tu dois savoir que chaque fois qu'il le prend il le laisse dans un tel état que je suis obligée d'engager quelqu'un pour faire le ménage. C'est toujours la même histoire, et je dois t'avouer que j'en ai plus qu'assez. Vendredi, je lui ai dit que, s'il ne le remettait pas dans l'état dans lequel il l'avait pris, je ferais changer toutes les serrures. Je voulais simplement t'en informer.

— Mais pourquoi ne m'en as-tu pas parlé avant ? J'ai toujours tenu pour acquis qu'il faisait les choses comme il faut. Je sais bien qu'une grand-mère ne devrait pas dire ça, mais Jimmy est mon préféré. Malgré ça, il est hors de question qu'en lui faisant plaisir je te force à ramasser derrière lui. Laisse-moi lui parler, s'il te plaît, et, pour les serrures, tu auras ma bénédiction s'il n'a pas respecté les règles.

Depuis que Mado est arrivée chez elle, Gertrude veut lui parler d'André.

— Je ne veux pas me mêler de ce qui ne me regarde pas, mais André est venu me voir l'autre jour. Il m'a confié qu'il avait l'intention de te demander en mariage chez Mathieu. Écoute, je sais bien que ce n'est pas un mauvais gars, mais si j'étais à ta place j'y penserais à deux fois avant de m'unir à lui. Il m'a donné l'impression d'être quelqu'un de désespéré qui ne sait plus quoi faire pour s'immiscer dans ta vie.

— Depuis que j'ai pris ma retraite, je ne le reconnais plus, au point où je lui ai même donné congé pour un mois. Merci, maman, de t'inquiéter pour moi.

Il est plus de 15 heures lorsque Mado ramène sa mère chez elle. Gertrude a tellement de paquets que sa fille doit l'aider à les porter à son appartement.

— Je te remercie, Mado, ça faisait longtemps que je n'avais pas passé une aussi belle journée. Merci beaucoup !

— Moi aussi, maman !

***

Mado a pour habitude d'être prête à l'avance quand elle reçoit, mais pas cette fois-ci. Elle est arrivée depuis à peine une demi-heure lorsque Monique sonne à la porte.

— Jure-moi de tout me raconter dans les moindres détails, s'exclame Monique en entrant dans le condo, je veux tout savoir. Tout, tout, tout.

Une bouteille de vin rouge sous le bras, elle suit Mado jusqu'à la cuisine. Comme elle connaît bien les lieux, elle sort deux coupes qu'elle s'empresse de remplir. Elle en remet une à son amie et porte un toast qui semble parfait, vu les circonstances.

— À tes amours ! Et à mes échecs, ajoute-t-elle en souriant.

Mado esquisse un bref sourire et commence à raconter sa fin de semaine. Elle omet quelques éléments croustillants qu'elle préfère garder pour elle, mais dans l'ensemble elle relate toute son escapade avec Alex à Monique. Elle ne lui parle pas non plus de la montre qu'elle lui a offerte, un détail sans importance à ses yeux. Même si elle voulait expliquer son geste, elle en serait incapable. Tout est arrivé si vite ! Au moment de payer la facture, elle a vu la montre sur un présentoir dans le meuble vitré sous la caisse et, sans réfléchir, elle a décidé de l'acheter pour Alex. Alors qu'elle croyait qu'il serait fou de joie devant ce cadeau qu'elle lui offrait, il l'a regardée dans les yeux et lui a dit que même une montre en diamant n'arriverait pas à la remplacer. Puis, comme s'il voulait absolument se reprendre, il s'est approché d'elle et l'a embrassée dans le cou avant de lui chuchoter à l'oreille :

— Merci, Mado ! Elle est magnifique.

L'histoire de son amie captive tant Monique qu'elle en oublie de boire son vin. Lorsque Mado arrive à la fin du récit, Monique pousse un grand soupir en se calant sur sa chaise.

— Ah ! Je t'envie tellement, si tu savais. On se croirait dans un conte de Walt Disney, avec le sexe en prime. Et maintenant, que va-t-il se passer ?

— Rien ! Je t'ai dit que c'était mon cadeau de retraite.

— Attends, j'ai un peu de difficulté à te suivre. Tu n'as aucun souvenir de lui, mais tu lui demandes de te rafraîchir la mémoire. N'hésite surtout pas à m'arrêter si je me trompe. Tu vas encore plus loin en te l'offrant comme cadeau de retraite, et maintenant ça s'arrête là... OK, donc je n'ai rien compris, ce qui m'étonnerait beaucoup vu que je suis dotée d'une intelligence très vive. Tu ne veux vraiment pas comprendre ce qui est en train de se passer avec Alex. Ça crève les yeux, ce gars-là est amoureux de toi. Ce n'est pourtant pas difficile à deviner.

Mado regrette presque de s'être confiée à Monique. Avoir su qu'elle se ferait faire la morale de la sorte, elle aurait tenu sa langue.

— Non, tu te trompes ! Je ne suis rien de plus qu'une aventure d'un soir parmi tant d'autres pour lui. J'ai eu du bon temps, lui aussi, mais la récréation est terminée.

— Tu ne vas quand même pas me dire que tu es prête à retourner dans les bras de ton Jules, parce que, si c'est le cas, je peux tout de suite te prédire que tu vas mourir d'ennui.

Mado avait presque oublié qu'elle avait un *chum*, mis de côté le temps de faire un peu de ménage dans sa vie. À l'heure qu'il est, André est la dernière personne qu'elle voudrait voir. En réalité, elle n'a pas eu une seule pensée pour lui depuis qu'elle lui a donné congé. Et Monique continue de plus belle :

— Voyons donc, Mado, tu viens de passer deux jours de rêve à déguster du filet mignon. Crois-tu vraiment que tu seras capable de manger de la pointe congelée comme lorsqu'on était jeunes ?

Aurais-tu oublié que c'était dur comme de la roche ? Pas moi ! Tu vois bien que ça n'a pas de sens, ton histoire. Je voudrais savoir ce qui t'empêche de donner sa chance à Alex.

— Je te l'ai dit, il est trop jeune, trop intelligent, trop beau, trop...

— J'aurai tout vu ! C'est bien la première fois que j'entends une femme se plaindre que son homme est « trop ». Tu me décourages, Mado.

— Et je refuse de lui faire perdre son temps avec une vieille fille comme moi.

— Mais ce n'est pas à toi à décider de ce qui est bon pour lui, il est quand même majeur et vacciné à ce que je sache.

Tout ce que Monique vient de lui dire, Mado le savait déjà. Mais contrairement à son amie, elle refuse de s'aventurer dans une relation vouée à l'échec. Elle voudrait y croire, ne serait-ce qu'un instant, mais elle en est incapable. Elle n'a rien à reprocher à Alex, pas même une peccadille. Il est au-delà de toutes ses espérances, et c'est justement ça, le problème.

— Bon, lance Mado, on a suffisamment parlé de moi. C'est à ton tour, maintenant.

Monique la regarde d'un air découragé en haussant les épaules.

— Ma pauvre Mado, il n'y a pas grand-chose à dire. Comme tu le sais déjà, j'ai connu un nouvel échec vendredi dernier. Autrement, je me suis enfermée dans mon appartement et j'ai regardé des films de filles en pleurant toute la fin de semaine. Pour tout te dire, j'en ai tellement loué que je n'ai pas hâte de recevoir mon compte. Et d'un autre côté, je m'en fiche éperdument. Je n'ai pas de vie et je n'en peux plus d'être seule.

Alors que Mado ouvre la bouche pour parler, Monique lui coupe l'herbe sous le pied.

— Et ne me dis surtout pas que je vais finir par rencontrer quelqu'un. J'ai tout essayé et il n'y a rien qui marche.

— Arrête de penser à ma place, lui ordonne Mado. Je voulais seulement te dire que tu n'étais…

Cette fois encore, Monique lui coupe la parole.

— Je sais trop bien ce que tu allais me dire et je n'ai pas envie de l'entendre. Je me fous complètement que la moitié de la terre soit dans la même situation que moi, ça ne me console pas pour autant.

— Ayoye ! Tu n'es vraiment pas à prendre avec des pincettes aujourd'hui.

— J'aimerais te voir à ma place une minute. Au risque de me répéter, il n'y a personne qui me fait les yeux doux, ou qui me voit dans sa soupe. J'ai parfois l'impression d'être invisible, et ça me tue à petit feu.

Pendant qu'elle dresse la table, Mado se met à rire comme une débile sans aucun avertissement. Elle rit tellement qu'elle en a les larmes aux yeux. Monique la regarde sans comprendre ce qui se passe. Mado rit de plus belle chaque fois que son amie pose les yeux sur elle. Elle rit maintenant à s'en décrocher la mâchoire, alors que Monique la fixe d'un regard meurtrier.

— Tu ne…Tu ne te vois pas l'air…, finit par dire Mado entre deux hoquets. Désolée, je t'imaginais avec ton dernier prince charmant, et tu as raison quand tu dis que je n'aurais pas voulu être à ta place. Il y a des gens qui ont le don des langues, toi, tu as le don de mettre les pieds dans le plat avec les hommes.

L'espace de quelques secondes, Monique est prise d'une envie incontrôlable de frapper son amie. Mais heureusement pour Mado, ça ne dure pas. Monique se met elle aussi à rire à en avoir mal aux côtes. Quand elles s'arrêtent enfin, elles s'essuient les yeux du revers de la main et tentent de reprendre leur souffle. Ce genre de fou rire n'a rien de nouveau pour elles. Lorsque les choses deviennent trop sérieuses, c'est toujours ainsi qu'elles s'en sortent.

— Je propose qu'on passe à table, dit Mado.

— Et qu'on ne parle plus des hommes du reste de la soirée.

— Mais de quoi allons-nous parler, alors?

Il n'en faut pas plus pour qu'elles repartent de plus belle.

Chapitre 8

Jimmy a enfin pris sa mère au sérieux. Mado n'en revenait pas, tout brillait comme un sou neuf quand son fils et ses amis ont quitté le chalet, et particulièrement la chambre à coucher principale. Il a pris une photo de chacune des pièces et les a envoyées à Mado par courriel. Son message était bref mais explicite :

J'ai compris !

Mado s'est contentée de lui confirmer qu'elle avait bien reçu son courriel. Comme Jimmy ne s'attendait pas à des louanges de sa part pour ce qu'il avait fait, il a simplement souri. Certes, il a compris, mais, si ça n'avait pas été de ses amis, il aurait pu définitivement mettre une croix sur le chalet. Disons que le désordre laissé par Mado dans la chambre à coucher lui est resté en travers de la gorge, mais heureusement pour lui, tous ceux qui avaient entendu les remontrances de Mado ont mis la main à la pâte et ont obligé les autres à faire de même. En moins d'une demi-heure, tout avait été nettoyé.

— Si c'est tout ce qu'il faut pour que ta mère soit heureuse, lui a dit Élodie, sa nouvelle flamme depuis trois jours, ce n'est pas beaucoup. Tu devrais te compter chanceux d'avoir accès à un aussi bel endroit. Prends des photos et envoie-les-lui avec un petit mot gentil. Elle ne te décernera probablement pas une médaille d'or, puisque c'est normal que tu nettoies avant de partir, mais je t'assure que tu vas faire sa journée.

Pour le moment, Jimmy ignore encore si sa relation avec Élodie fera long feu, mais il peut au moins dire qu'elle a une tête sur les épaules. Alors qu'il a l'habitude de s'entêter, il a décidé de suivre son conseil. Il aime bien trop venir au chalet pour en être privé.

Étant donné qu'il se doute que sa mère est allée se plaindre à sa grand-mère, il se dit qu'il montrerait aussi les photos à Gertrude la prochaine fois qu'il ira la voir. De cette manière, il pourra assurer ses arrières. Et ses amis seront les premiers contents lorsqu'il les invitera pour une autre petite virée au bord du lac. Vu qu'il ne veut pas se taper le ménage seul, il ne manquera pas de les aviser qu'il faut faire un *blitz* de nettoyage avant de quitter les lieux et que ce n'est pas négociable.

Jimmy boit tranquillement une bière en attendant Louis, son ancien professeur d'université. Lors de leur dernière rencontre, qui remonte à six mois, Jimmy en avait profité pour revenir à la charge avec son intention d'ouvrir une boîte en marketing. Il lui avait clairement fait comprendre qu'il voulait démarrer l'entreprise avec lui. Louis lui avait promis d'y penser. Ce n'était pas la première proposition d'affaires qu'il recevait, mais celle de Jimmy l'interpellait plus que les autres. La preuve, il les avait toutes refusées à ce jour.

Louis fait son entrée dans le bar et repère vite Jimmy, qui lui fait signe. Les deux hommes se serrent la main et entrent immédiatement dans le vif du sujet.

— J'ai réfléchi à ton idée, dit Louis sans même attendre que la serveuse ait eu le temps de venir prendre sa commande, et j'ai bien envie de me lancer avec toi.

Jimmy se retient, un peu plus et il lui sauterait au cou tellement il est content.

— Si tu savais… tu ne pouvais pas me faire plus plaisir. On va faire des affaires en or, toi et moi, j'en suis certain.

— Ne t'emballe pas trop vite, le met en garde Louis. J'ai quelques conditions dont je dois te parler.

Le contraire aurait beaucoup surpris Jimmy. Quand on est professeur à l'université, on ne balance pas tout sans être certain d'y gagner au change. Et ça vaut pour lui aussi. Bien qu'il côtoie le monde des affaires au quotidien chez Desjardins, il en connaît peu sur la réalité des propriétaires d'entreprises. Mais il sait une chose : ce n'est pas parce qu'on démarre un projet que la caisse se met à sonner dans la minute qui suit. C'est connu, une entreprise coûte cher en efforts et en argent avant de rapporter ne serait-ce qu'un seul sou.

— Je sais que tu connais ma situation familiale, mais tu n'es pas au fait de la dernière nouvelle. Ma femme attend un quatrième enfant. Je t'avoue que ça nous a surpris, mais nous sommes vraiment contents. Par contre, nous avons décidé qu'elle travaillerait seulement à temps partiel jusqu'à la naissance du bébé, ce qui revient à dire que ce n'est pas le moment idéal pour moi de partir en affaires. Mais entre toi et moi, ce n'est jamais le bon moment. Quand ce n'est pas un nouveau bébé, c'est autre chose. Alors voici ce que je te propose. Je pourrais me libérer deux jours par semaine pour notre entreprise. Ce serait mieux si c'était cinq, mais je ne peux pas me le permettre pour l'instant.

— C'est déjà plus que j'espérais, s'exclame Jimmy.

Jimmy est vraiment heureux de voir que son rêve est sur le point de se réaliser. Il risque de ne pas avoir beaucoup de temps à lui les prochains mois, et peut-être même les prochaines années, mais il est prêt à s'investir à fond pour la cause. Aussi, maintenant qu'il n'est plus seul, il se sent rassuré.

— Mais j'imagine que toi non plus tu ne peux pas quitter ton emploi.

— Pas complètement, non. J'ai vérifié auprès de mon patron et je pourrais passer à trois jours sans qu'il y ait trop de problèmes. Il m'a même laissé entendre qu'il pourrait requérir mes services pour certains mandats.

— Ça, c'est très bon. De mon côté, j'ai quelques contrats en réserve pour nous aider à commencer. Pour être exact, les clients attendent seulement que je démarre mon entreprise, ou plutôt notre entreprise, devrais-je dire, puisque je leur ai déjà glissé un mot à propos de toi. Mais en attendant d'accepter notre premier contrat, on a des tas de choses à faire, comme trouver un nom à notre boîte, par exemple. Il nous faut quelque chose de court qui sera facile à retenir et très explicite. J'en ai noté quelques-uns.

— Moi aussi.

Les nouveaux associés discutent allègrement tout en buvant leur bière. Ils sont tellement euphoriques qu'ils se promènent d'un sujet à l'autre sans rien régler, mais pour aujourd'hui ça n'a pas beaucoup d'importance, l'heure est à la célébration. En décidant d'aller de l'avant, ils se sont instantanément retrouvés devant un éléphant à manger. Pour l'instant, ils font le tour de la bête sans savoir par quelle partie commencer. Mais il y a un temps pour chaque chose, et ils sont en pleine exploration.

— Il nous faudrait un local bien situé et un numéro de téléphone facile à retenir, si possible, lance Jimmy.

— Ce n'est que le début ! Je propose qu'on dresse la liste de tout ce qui est nécessaire pour qu'on puisse faire le point sur ce que nous avons, ce que nous pouvons obtenir facilement et ce qui a un prix. Vu ton âge, tu pourrais sûrement décrocher une subvention du gouvernement, mais il faut d'abord évaluer si ça vaut le coup avant de nous lancer à corps perdu dans la paperasse.

***

André est comme un lion en cage depuis qu'il a reçu son congé. Il ne comprend pas le changement d'attitude de Mado envers lui et il sait qu'il n'aura pas l'esprit tranquille tant et aussi longtemps qu'il n'aura pas saisi la motivation de son geste. Dans son livre à lui, une personne ne change pas aussi brusquement de cap s'il ne s'est pas passé quelque chose de majeur dans sa vie. Étant donné que la vie était belle avec Mado jusqu'à son souper de départ à la retraite, il se dit que c'est forcément là qu'il doit commencer à chercher. Il a passé en revue les personnes qui travaillaient avec Mado, mais n'est malheureusement assez proche d'aucune d'entre elles pour tenter de leur tirer les vers du nez. Et ses chances de les croiser sont si minimes qu'il a rapidement écarté cette option de sa liste. En réalité, la seule personne qu'il connaît bien et qui était au souper, c'est Monique. Mais vu la manière dont elle l'a traité quand il l'a croisée à la fruiterie, il n'a pas l'intention de faire une nouvelle tentative, une fois lui suffit. Il a pensé aller faire sa petite enquête au restaurant où ils ont soupé ou encore au bar où ils ont terminé la soirée, mais pour cela il faudrait d'abord qu'il connaisse le nom des établissements. Son petit doigt lui dit que c'est de ce côté-là qu'il doit chercher. À bien y penser, s'il trouve une bonne excuse, peut-être que Monique accepterait de lui fournir l'information. Il n'y a pas de temps à perdre s'il veut connaître le fond de l'histoire. Plus il attendra pour aller aux nouvelles, plus il risque que la mémoire des employés leur fasse défaut.

En attendant de trouver le prétexte parfait pour téléphoner à Monique, André doit absolument voir Mado. Ça peut paraître exagéré, mais c'est une question de survie. Il a pensé la suivre pour au moins l'apercevoir, mais il s'est dit que ce ne serait pas une très bonne idée dans les circonstances. Alors, en désespoir de cause, il a décidé de simuler un malaise pour tenter de solliciter sa présence à ses côtés. Comme elle lui a formellement interdit d'entrer en contact avec elle, il doit trouver une manière indirecte de l'atteindre au point qu'elle vienne le voir chez lui. Et une fois qu'elle sera là, il n'aura qu'à improviser.

Ce n'est un secret pour personne, André connaît des ratés avec son foie depuis longtemps. Il n'a qu'à simuler une crise carabinée qui le cloue au lit. Après une brève réflexion, il en vient à la conclusion que Mathieu serait la meilleure personne pour plaider sa cause auprès de Mado. Justement, il devait le rappeler pour lui donner le nom d'un employeur potentiel dans la région.

André prend quelques notes sur ce qu'il va dire à Mathieu. S'il veut que son histoire soit crédible, il doit en mettre suffisamment sans tomber dans l'exagération. Il doit avoir l'air d'être malade dès la première parole qu'il prononcera, mais pas mourant. André regarde l'heure et compose le numéro de Mathieu. Il ne s'est pas trompé sur le ton à employer, puisque Mathieu s'informe de sa santé aussitôt qu'il l'entend parler.

— Ah, je ne veux pas t'embêter avec mes histoires, tu me connais.

— Mais non, j'insiste. Tu fais partie de la famille, André.

Si seulement Mathieu savait à quel point ces paroles sont douces à ses oreilles…

— C'est mon foie qui fait des siennes. À vrai dire, je ne me souviens pas d'avoir été aussi mal en point de toute ma vie. On dirait qu'un rouleau compresseur m'est passé sur le corps. Je me promène entre mon lit et mon sofa comme un éclopé depuis hier soir, mais ne t'en fais pas pour moi, à force de prendre du jus de citron dans de l'eau chaude ça va passer.

— Mon pauvre André, le plaint Mathieu. As-tu besoin que je t'apporte quelque chose ?

André est tellement fier de sa prestation qu'un large sourire s'installe sur ses lèvres. Il continue son petit numéro et respire avec force avant de répondre.

— Ne te dérange pas pour moi, je vais survivre. Mais je ne t'ai pas appelé pour me plaindre, c'est à propos du contact dont je t'avais parlé. J'ai discuté avec lui hier et il attend ton CV. Je vais t'envoyer ses coordonnées aussitôt que j'aurai la force d'ouvrir mon ordinateur. Je te laisse, je retourne me coucher.

Aussitôt qu'il raccroche, André s'applaudit. Il se doute bien que Mado ne va pas se précipiter chez lui dans l'heure qui vient, mais il a fait tout ce qui est en son pouvoir pour que la nouvelle concernant son état lui parvienne. Pour le reste, il ne peut qu'avoir confiance en sa bonne étoile. Il pourrait avoir des remords à cause de la façon dont il s'est servi de Mathieu, alors que ce dernier a toujours été plus que correct avec lui, mais il n'en a aucun. Comme on dit, en amour comme à la guerre, tous les moyens sont bons pour arriver à ses fins.

De son côté, Mathieu se dépêche d'appeler sa mère. Il sait qu'André et elle sont en pause, mais il se dit qu'elle doit savoir qu'André ne va pas bien. Mathieu n'est pas étonné de constater que la nouvelle n'a pas grand effet sur elle, c'est à peine si elle le remercie de l'en avoir informée.

— Écoute, *mom*, je sais que ce ne sont pas mes affaires, mais il avait vraiment l'air mal en point quand je lui ai parlé. Pourrais-tu au moins faire un saut chez lui ? Ça ne te prendra que quelques minutes et je suis certain qu'il l'apprécierait beaucoup.

— Je trouve ça vraiment ordinaire qu'il passe par toi pour m'atteindre, râle Mado.

Cette fois, Mathieu est surpris de la réaction de sa mère. Il ignore beaucoup de choses sur sa vie, mais là il ne la reconnaît plus.

— Ce n'est pas lui qui m'a demandé de te téléphoner. Il m'a appelé pour me confirmer que le contact dont il m'avait parlé attendait que je lui envoie mon curriculum vitæ. Si tu l'avais entendu, tu comprendrais, il semblait tellement malade que j'ai insisté pour qu'il me parle. Tu sais très bien que je ne suis pas du genre à me mêler de tes affaires, mais je te trouve dure à son égard. Tu devrais faire plus attention à lui, c'est un bon gars.

Mado songe à mettre fin brusquement à cette discussion, mais elle n'en fait rien parce qu'elle sait que Mathieu a raison, elle est sans pitié avec André ces jours-ci. Bien qu'une partie d'elle reconnaisse qu'il a couru après, l'autre commence à se laisser attendrir par les propos accusateurs de son fils.

— Je vais y réfléchir.

Après avoir raccroché, Mado ne peut s'empêcher de penser à André. Elle devrait avoir envie de se précipiter à son chevet, mais il n'en est rien. Une petite voix lui souffle à l'oreille que c'est probablement un nouveau prétexte pour la conduire jusqu'à lui. Si sa mère entendait ça, elle lui dirait sûrement d'arrêter de se donner autant d'importance. André a peut-être de la difficulté à accepter la pause qu'elle lui a imposée, mais il peut très bien vivre sans elle, du moins elle ose le croire. Et pour ce qui est d'aller lui rendre visite, elle a l'intention d'y réfléchir encore un peu.

* * *

Mathieu était tellement décontenancé par la réaction de sa mère qu'il a décidé d'aller voir sa grand-mère.

— Je sais bien que je devrais venir te voir plus souvent, confesse-t-il d'entrée de jeu, mais la première chose que je sais c'est qu'il est déjà temps de repartir pour Fermont.

Gertrude aime trop ses petits-enfants pour leur faire des reproches lorsqu'elle les a devant elle.

— Ne t'en fais pas avec ça. Dis-moi plutôt comment tu vas.

— À part certains de mes muscles qui me font la vie dure, je vais bien. C'est fou comme la vie défile vite. Laura vient d'avoir cinq ans et Olivier s'en va sur ses trois ans. Personnellement, je trouve qu'ils grandissent trop vite, tellement que d'un séjour à l'autre j'ai du mal à les reconnaître. Même si je leur parle tous les soirs sur Skype, je trouve ça de plus en plus dur de ne pas rentrer à la maison après mon travail, comme la plupart des pères ont la chance de le faire. La grossesse de Martine va super bien et, si tout va comme prévu, je serai père pour une troisième fois pendant mon prochain congé. J'espère sincèrement qu'il en sera ainsi, parce que je m'en voudrais beaucoup de ne pas être là pour l'accouchement.

À l'âge qu'elle est rendue, Gertrude sait que la vie est difficile pour tout le monde. Riche ou pauvre, chacun a son lot d'épreuves à surmonter. Vivre loin des siens est sûrement très difficile pour Mathieu, mais lorsqu'il a choisi le métier de dynamiteur ses chances de travailler loin de la maison étaient beaucoup plus grandes que s'il avait étudié en comptabilité, par exemple.

— Je te comprends. Mais dis-moi, est-ce que tu pourrais travailler dans le coin plutôt que de t'expatrier au bout du monde comme tu le fais ?

— J'ai essayé de trouver quelque chose ici, mais pour l'instant ça n'a pas donné de résultat. J'ai peut-être une chance grâce à un nom qu'André m'a refilé. À propos de lui, je te dis qu'il n'en menait pas large quand je lui ai parlé ce matin.

À vrai dire, la santé d'André n'est pas la première préoccupation de Gertrude.

— Qu'est-ce qui arrive avec lui ? demande-t-elle par politesse.

— Si j'ai bien compris, son foie est en panne. Si tu veux mon avis, la pause que *mom* lui a imposée ne fait qu'empirer les choses. Je n'ai jamais vu un homme aimer autant sa femme. Elle a beaucoup de chance de l'avoir dans sa vie !

Ce type de propos, Gertrude n'aime pas les entendre. Tout le monde veut être aimé, mais pas de manière déraisonnable. Et si ce que Mathieu prétend est vrai, il va falloir que Mado soit très vigilante avec André.

— Que veux-tu dire, au juste ?

— Eh bien, André aime tellement *mom* qu'il est prêt à tout pour elle. L'autre jour, il m'a dit qu'il ne pourrait pas vivre sans elle et qu'il avait besoin d'elle comme de l'air qu'il respire. Personnellement, j'ai beaucoup d'admiration pour cet homme. Selon moi, *mom* ne pouvait pas trouver un meilleur parti que lui.

Plus elle en entend, plus Gertrude se dit qu'il est urgent qu'elle parle à sa fille. Mado est probablement déjà au courant de tout ça, mais comme on dit : une femme avertie en vaut deux. André est peut-être un bon parti en apparence, mais si toute sa vie tourne autour de son amoureuse, ce n'est plus la même chose, ça commence même à être dangereux.

— J'aime bien André, dit Gertrude, mais son attitude envers ta mère ne me dit rien qui vaille. Si j'étais à la place de Mado, je réfléchirais à deux fois avant de m'engager plus loin avec lui. J'avais l'une de mes cousines qui était mariée avec un homme comme lui et, crois-moi, sa vie est vite devenue infernale.

Mathieu fixe sa grand-mère d'un air surpris. Il ne comprend pas pourquoi elle réagit ainsi alors que ce qu'il a dit sur André est tout à son honneur. Depuis quand est-il interdit d'aimer une femme au point d'être malheureux chaque fois qu'elle s'éloigne de vous ?

Mathieu irait même jusqu'à dire qu'il envie André d'être capable d'aimer à ce point. Lui aime Martine, mais jamais autant qu'André aime sa mère.

Mathieu est encore ébranlé au moment où il remonte dans son auto une heure plus tard, les propos de sa grand-mère au sujet d'André l'ont presque choqué. Et si ce dernier n'était pas celui qu'il voulait bien laisser paraître ? Et si sa grand-mère avait raison ?

* * *

Comme elle avait manqué une répétition de la chorale dont elle fait partie, Mado avait complètement oublié que les auditions pour les solos étaient ce soir. C'est donc avec sa feuille en main qu'elle s'y est présentée. Même si elle a l'habitude de chanter en public, elle était vraiment très nerveuse au moment d'interpréter la chanson pour laquelle elle auditionnait, *Moi, quand je pleure*, qui fait partie du plus récent CD de Céline Dion. Il lui a suffi d'une seule écoute pour tomber amoureuse de ce morceau. Elle aurait aimé l'écrire tellement il a du sens pour elle. Personne ne pourrait prétendre aujourd'hui qu'elle est braillarde, mais elle ne laissait pas sa place quand elle était toute petite, sa mère pourrait en témoigner. Heureusement pour elle, cette chanson ne demande pas une grande puissance, car ce n'est justement pas son cas. Mado a plus de voix que Carla Bruni, mais n'en a jamais autant que Ginette Reno. Comme il n'y a pas de répétition ce soir, il est tout juste 20 heures quand elle remonte dans son véhicule. Au moment de démarrer son moteur, elle ignorait encore si elle irait ou non rendre visite à André, mais puisqu'il est tôt, elle décide de passer chez lui, voir le grand malade. Chose certaine, elle n'a pas l'intention de s'éterniser. Non ! Elle restera juste le temps qu'il faut pour prendre de ses nouvelles. Elle se dit qu'elle lui doit bien ça et qu'elle ferait la même chose pour n'importe lequel de ses amis.

La voilà maintenant devant le logement d'André, mais elle a l'impression que quelque chose ne va pas, un peu comme si elle n'avait rien à faire ici. Elle parvient à passer par-dessus son inconfort, sonne et attend patiemment qu'il vienne lui ouvrir. Si seulement elle pouvait voir le sourire qu'André fait de l'autre côté de la porte quand il la voit par l'œil magique, elle le frapperait de toutes ses forces et repartirait en courant. Il prend quelques secondes pour se composer un visage et il lui ouvre.

— Mado ! s'exclame-t-il d'une voix traînante. Quelle belle surprise ! Entre ma chérie, je t'en prie.

— Mathieu m'a dit que tu n'allais pas bien. Alors je viens aux nouvelles en passant.

— Tu pourrais au moins rester pour prendre une coupe de vin et me tenir compagnie.

Mado l'observe du coin de l'œil. Pour un homme en pleine crise de foie, il a l'air plutôt bien.

— Je n'ai pas l'habitude de boire seule et je ne peux pas rester plus de quelques minutes.

— En tout cas, ajoute André, on peut dire que la retraite te va bien, tu es plus resplendissante que jamais. Tu es certaine que tu ne veux rien boire ? J'ai une bonne bouteille de ton vin préféré au frais.

Plus elle l'observe, plus Mado se dit qu'il y a quelque chose qui cloche. Et c'est à ce moment que ses narines détectent une odeur de pizza. Elle abandonne subitement André et se rend à la cuisine d'un pas décidé. Il la regarde aller sans oser faire le moindre geste, car il sait qu'il est sur le point d'être démasqué. Il ne s'attendait pas du tout à ce qu'elle passe ce soir. Il avait éteint le four avant de l'accueillir, mais le mal était fait. Mado ouvre la porte de l'électroménager et découvre le pot aux roses, elle fulmine. Elle enfile les mitaines de four et sort la pizza pour ensuite la jeter directement dans l'évier. Elle retire les mitaines avec rage, se poste devant André pour lui dire d'un trait, à deux pouces de son visage pour être sûre qu'il comprenne bien :

— La pizza est le pire ennemi des crises de foie.

Et elle quitte l'appartement en claquant la porte de toutes ses forces. Elle remonte ensuite dans son auto et fait crisser les pneus en sortant de la cour. André dépasse vraiment les bornes et commence sérieusement à la fatiguer. Elle est tellement enragée qu'aussitôt arrivée au condo elle jette ses clés et son sac à main sur la table et met un sac de maïs à éclater dans le four à micro-ondes. Elle se prend une bière brune dans le réfrigérateur pendant que le maïs cuit. Elle verse une once de grenadine dans un verre et la noie aussitôt de bière. Elle sait d'avance qu'elle aura mal au cœur et qu'elle aura de la difficulté à s'endormir à cause de sa collation, mais elle s'en fout. Il lui faut vite quelque chose pour apaiser sa colère, et il n'existe pas de meilleur remède. Elle est incapable de penser quand elle a mal au cœur. Elle sort ensuite quelques films qu'elle possède :

Le diable s'habille en Prada ;

Le déclin de l'empire américain ;

Un temps pour l'amour ;

Je n'ai rien oublié ;

Les femmes du 6e étage ;

Monsieur Lazhar ;

Les pages de notre amour.

Elle les scrute un à un pour arrêter son choix sur *Les femmes du 6e étage*, qui la fait tant rire. Si elle était un peu plus concentrée, elle le mettrait en espagnol, mais comme elle n'a pas envie de se compliquer la vie ce soir, le français fera l'affaire. Elle glisse le DVD dans le lecteur et retourne à la cuisine chercher son maïs à éclater et sa bière. Elle s'installe confortablement dans son fauteuil et se gave jusqu'à ce que son plat soit complètement vide.

Chapitre 9

L'amitié liant les cinq filles remonte à leurs études secondaires. Bien évidemment, elles ne se voient plus aussi souvent qu'auparavant, mais elles s'organisent des rencontres au moins une fois par saison. Comme elles tiennent beaucoup à ces rendez-vous, il est rare que l'une d'entre elles les manque. Elles planifient les dates pratiquement un an à l'avance et l'inscrivent au stylo rouge dans leur agenda. Certaines vont même jusqu'à les surligner pour être bien sûres de ne pas les rater ou pour ne pas prendre un autre engagement par mégarde. Chacune reçoit à tour de rôle. Pour les célibataires du groupe, soit Claire, Monique et Mado, la soirée se passe à leur appartement, et quand c'est au tour de Ginette ou d'Élise d'accueillir les filles, elles vont tout simplement au restaurant. Ce soir, c'est à Claire de les recevoir. Enfin, il serait plus juste de dire que c'est elle qui fournit le lieu, et seulement ça, parce qu'avec elle c'est toujours pareil. C'est à peine si elle sait faire cuire un œuf. Résultat : toutes les filles sont obligées de contribuer si elles souhaitent avoir quelque chose à se mettre sous la dent pendant la soirée. De plus, on dirait qu'elle fait exprès d'arriver encore plus tard lorsque c'est elle qui reçoit. Elle laisse toujours sa clé à sa voisine pour que ses amies puissent s'installer. Des cinq, Claire est de loin celle qui en fait le moins. Lorsque les filles le lui font remarquer, elle leur sert sa sempiternelle excuse qu'elle travaille trop. Elle est avocate dans un grand bureau à Montréal. La majorité du temps, elle finit de travailler très tard, mais elle n'est vraiment pas à plaindre. Et ce n'est certainement pas auprès de ses amies qu'elle trouvera du réconfort à ce propos.

Les filles ont dressé la table et réchauffé tout ce qui devait l'être avant que Claire fasse son entrée. Elles ont aussi eu le temps de siffler une bouteille de vin et d'en ouvrir une autre, de la réserve de

Claire cette fois-ci. C'est en quelque sorte leur manière de lui faire payer son retard et, étant donné ses moyens, le vin n'a rien de la piquette qu'on trouve à l'épicerie du coin. Puisque les filles savent flairer les meilleures bouteilles, celle qu'elles viennent d'ouvrir doit valoir au bas mot 100 $.

— Salut, les filles ! s'écrie joyeusement Claire en entrant dans la cuisine. Je vous le dis, je suis fourbue !

Elle les embrasse à tour de rôle et, au moment de se prendre une coupe, elle réalise ce qu'elles sont en train de boire.

— Ah non, les filles, pas encore, s'exclame-t-elle d'une voix plaintive, je gardais cette bouteille-là pour une occasion spéciale.

— Es-tu en train de dire que nous ne sommes pas spéciales ? demande Monique en passant son bras autour des épaules de Claire.

— Disons que je pensais plutôt l'ouvrir quand j'en aurai terminé avec cette cause qui me tient en haleine depuis bientôt deux mois. Quand je vois ça, je remercie le ciel de ne pas m'être mariée avec un homme comme celui que ma cliente a dû endurer plus de 30 ans.

Claire est spécialisée en divorce. Bien que la plupart de ses causes se règlent rapidement, il arrive parfois que ça traîne en longueur des mois, comme c'est le cas présentement. Même après 30 ans de pratique, elle prend encore un malin plaisir à défendre les intérêts de ses clientes. Elle jouit d'une réputation très solide dans le milieu. On ne fait pas mieux qu'elle pour râler contre les hommes. Aux dires de ses amies, elle n'a pas son pareil. Même si elle a le meilleur homme de la terre sous le nez, elle réussira à voir ses moindres défauts. Même ses amants – que Dieu les garde – n'échappent pas à ses foudres.

— Je ne voudrais pas te faire de peine, dit Ginette, mais je n'en connais aucun qui pourrait te supporter plus d'une nuit.

Ces propos sont durs, mais depuis le temps qu'elles se connaissent les filles se permettent de tout se dire. Si, par malheur, ça devait blesser l'une d'entre elles, eh bien tant pis. Elles partent toutes du principe que les amies sont là pour faire part de ce que les autres n'osent pas dire.

— Il m'arrive même parfois de les mettre dehors au beau milieu de leurs prouesses.

— C'est heureux que tu réussisses encore à en ramener chez toi, la nargue Ginette. Tu n'as pas peur qu'un jour tous les hommes de la terre soient au courant de la manière dont tu traites tes poulains ?

Ginette est représentante de produits de beauté haut de gamme, et elle adore son travail. Elle fait probablement plus d'heures que Claire au bout du compte, sauf qu'elle ne se plaint jamais. Elle partage sa vie avec le même homme depuis 20 ans et, jusqu'à ce qu'il prenne sa retraite il y a près d'un an, les choses allaient plutôt bien entre eux. Comme elle est rarement à la maison et que lui commence sérieusement à trouver le temps long, il multiplie les séjours dans le Sud. Il y est déjà allé deux fois dans le dernier mois seulement. Ginette pourrait s'inquiéter, surtout qu'il s'est rendu trois fois de suite au même endroit en deux mois, mais elle préfère ne pas y penser. Ses amies sont toutes persuadées qu'il la trompe, mais à sa façon elle s'en moque. S'il ne trouve pas facile de ne plus avoir de raison de se lever le matin, de son côté elle en connaît un tas pour souhaiter qu'il parte de temps en temps. Elle ne peut pas croire qu'il va passer le reste de sa vie à râler sur son sort sans rien faire pour changer sa situation. Lorsque Ginette est sur la route, ça peut toujours aller, mais quand elle est au bureau et son mari à la maison, elle aimerait bien retrouver un semblant de paix.

— Non ! répond Claire. Et si jamais ça arrivait, je ferais comme bien des hommes et je me paierais des petits séjours à Cuba.

— J'espère que tu n'es pas sérieuse, lance Mado. Toi avec un macho ? Peuh ! Je te connais assez pour savoir que ça ne marcherait pas. Tu aurais envie de lui arracher la tête avant même qu'il mette sa langue dans ta bouche.

Et toutes éclatent de rire. En matière d'hommes, Claire est leur souffre-douleur favori.

— Moi, j'irais bien passer une semaine à Cuba, lance Élise.

Élise est la plus discrète du groupe. C'est une enseignante au primaire qui possède le profil parfait pour cet emploi. Douce, réservée, gentille et généreuse… Qu'on soit jeune ou vieux, Élise est la professeure qu'on aurait tous voulu avoir. À son école, c'est elle qui reçoit le plus de cadeaux à son anniversaire et davantage à la fin de l'année. Les choses sont passablement différentes dans sa vie personnelle, elle est rendue pire qu'un pitbull. Elle s'est mariée il y a quatre ans avec un homme qui était à la retraite depuis 10 ans et, depuis, elle a l'impression de vivre en enfer. Si le *chum* de Ginette ignore encore comment gérer sa nouvelle vie, le mari d'Élise vit uniquement à travers celle de sa femme. Il l'appelle 10 fois par jour sur son cellulaire, il lui envoie des textos pour des futilités – connaître le degré de la chaleur du four pour réchauffer son pâté à la dinde, par exemple – et il l'attend devant la porte de la maison comme le ferait un chien après son travail. Gare à elle si elle est en retard ne serait-ce que de cinq minutes ; il lui tombe alors dessus. Avec lui, les reproches pleuvent continuellement. Selon lui, elle ne fait jamais les choses comme il faut. Au début, elle trouvait ça presque sympathique qu'il l'attende pour tout faire, elle se sentait importante. Mais maintenant elle se demande ce qu'elle a bien pu lui trouver pour l'épouser. Les filles avaient bien essayé de l'en empêcher, mais elle n'avait rien voulu entendre. Elle l'aimait. Élise n'est pas au courant, mais pendant qu'elle prononçait ses vœux ses amies ont fait des paris sur la durée de son mariage. À ce jour, la seule à qui il reste encore une chance de gagner est Monique. Elle lui a donné cinq ans avant de demander le divorce. Les filles ne s'étaient pas gênées pour se moquer d'elle, mais aujourd'hui c'est à son tour de leur rendre la pareille.

— Je suis certaine que tu aurais du succès, ajoute Mado. Alors les choses ne se sont pas améliorées entre vous?

— J'aurais vraiment dû vous écouter lorsque vous insistiez pour que je ne me marie pas avec lui!

Ce n'est pas la première fois qu'Élise leur sert ce discours et ce ne sera probablement pas la dernière. Il y a cependant belle lurette que les filles n'embarquent plus dans son jeu. Ce serait bien inutile maintenant vu que le mal est fait. Il y a certaines choses qu'on refuserait d'entendre même si l'on nous les criait à la tête. Élise était aveuglée par l'amour que lui portait son homme et ça la rendait complètement sourde.

Élise est tellement désemparée qu'elle ne sait plus quoi faire. C'est rendu qu'elle part travailler de plus en plus tôt et qu'elle revient de plus en plus tard juste pour avoir un peu de temps à elle. Elle voit bien que les choses ne vont pas en s'améliorant entre son mari et elle, mais elle ne veut pas divorcer, c'est contre ses principes.

— Voyons donc, Élise, ajoute Claire, tu sais qu'il n'y a rien à faire avec lui. Je suis même prête à t'offrir ton divorce en cadeau si ça peut t'encourager, tu es trop intelligente pour terminer tes jours avec un homme comme lui. Si ça continue, il va finir par te tuer à petit feu. Je t'en prie, laisse-moi lui régler son compte, ça me ferait tellement plaisir, tu n'as pas idée.

— Maudits hommes ! se plaint Monique. On est là comme des imbéciles à attendre qu'ils daignent lever les yeux sur nous et, quand ça arrive enfin, on perd tous nos moyens. Ou encore pire, on devient des vraies chiffes molles. Si ça continue, je vais faire une croix sur les hommes une fois pour toutes. Il y a des jours où je regrette de ne pas être aux femmes, et je suis vraiment sérieuse.

Les propos de Monique suscitent aussitôt un rire collectif. Elles la connaissent trop bien pour croire qu'un jour elle abandonnera son rêve de rencontrer le prince charmant et de faire un grand mariage. Les filles se plaisent souvent à dire que Monique est en quelque sorte la sœur de Cendrillon. Même ses nombreux échecs n'ont pas réussi à lui faire perdre ses rêves de petite fille.

— Tu aimes trop les hommes pour t'en passer, lance Mado.

— Non, sérieusement, réplique Monique, il m'arrive souvent de penser qu'un bon vibrateur conviendrait parfaitement. Je pourrais au moins compter sur lui chaque fois que l'envie m'en prendrait.

— Voyons donc, réplique Mado, il n'y a rien de mieux qu'un homme, et tu le sais bien.

— Es-tu certaine de ça ? Je n'ai jamais rencontré un homme à qui on pouvait changer les piles. Et si j'en avais un de l'âge d'Alex dans mon lit, ajoute Monique d'un ton taquin, je peux te jurer que mes gadgets accumuleraient la poussière au fond de mes tiroirs.

Alors que Mado jette un regard noir à Monique, trois paires d'yeux se posent instantanément sur elle. Mado soupire en se demandant par où commencer. Monique profite de son silence pour mettre un peu plus d'huile sur le feu.

— Imaginez-vous donc que madame a reçu un cadeau du ciel le soir de son *party* de départ à la retraite. Croyez-moi, il n'a vraiment rien à voir avec les cadeaux traditionnels. Demandez-lui de vous montrer le fond d'écran de son cellulaire, et la petite vidéo, tant qu'à y être. N'oubliez surtout pas de la questionner sur la fin de semaine au chalet qu'elle s'est offerte par la suite.

Mado est renversée par les propos de Monique, mais ce qui la surprend le plus est son ton teinté de jalousie. Mado se contente de la fixer avec intensité. Depuis le temps qu'elles sont amies, jamais Monique n'avait osé aller aussi loin. Mado se sent prise au piège, son amie vient de tout révéler en quelques phrases assassines. Elle lui a toujours fait entièrement confiance, mais voilà maintenant qu'elle se dit qu'elle n'aurait jamais dû lui parler d'Alex. C'est vrai qu'elles ont l'habitude de toujours se dire les vraies affaires. Par contre, elles ont toujours le libre arbitre de choisir quand et comment le faire. Elles sont entre amies, pas à confesse.

Lorsque Mado détourne enfin les yeux de Monique, elle regarde les filles chacune leur tour et leur dit :

— Je vous promets de vous en parler, mais pas aujourd'hui.

Mado se doutait que ses paroles jetteraient un froid. C'est à ce moment seulement que Monique se rend compte qu'elle est allée trop loin. Elle s'approche de Mado, la prend par le cou en lui disant suffisamment fort pour que tout le monde entende :

— Je m'excuse, Mado.

Deux petites larmes se pointent au coin des yeux de Mado, larmes qu'elle s'empresse d'essuyer. Monique n'en est pas à ses premières révélations-chocs sans autorisation.

— J'accepte tes excuses.

Elles sont les meilleures amies du monde et se connaissent depuis toujours, néanmoins ce genre de situation crée un malaise.

— Je commence à penser que c'est moi qui devrais aller passer une semaine à Cuba, s'exclame Monique d'un ton moqueur. À force d'être en manque de sexe, je deviens de plus en plus désagréable.

Ces mots détendent l'atmosphère. Mado prend sur elle de tout leur raconter.

— Je vous avertis, il est hors de question que je vous montre sa photo, et encore moins la vidéo.

Elle s'empresse de leur parler de son souper avec ses ex-collègues avant que les filles aient le temps de crier à l'injustice. Monique se permet de mettre son grain de sel de temps en temps, ce qui ne manque pas d'ajouter du piquant à l'histoire. À peine Mado achève-t-elle son récit que ses amies se dépêchent de lui dire à quel point elles sont jalouses. Même Claire ne tarit pas d'éloges à l'égard du bel Alex qu'elle n'a pourtant jamais rencontré.

— Pendant que j'y pense, s'exclame Claire, ton Adonis doit sûrement avoir des amis. Pour ma part, je serais même prête à payer le gros prix juste pour passer un peu de bon temps.

— J'aime autant te prévenir, la met en garde Monique, mon nom est en haut de la liste.

Mado n'aime pas la tournure que prend leur discussion. C'est pourquoi elle se dépêche de changer de sujet avant que Ginette et Élise aient le temps de s'en mêler.

— Mais vous ne savez pas tout. Vous connaissez André... Laissez-moi vous raconter comment mon prince charmant s'est transformé en vilain petit canard.

Et elle leur fait part avec moult détails des dernières frasques de son Roméo. Les filles n'en reviennent tout simplement pas.

— Maudits hommes ! dit à nouveau Monique. Je suis certaine qu'André croit que tu vas retourner dans ses bras comme s'il ne s'était rien passé.

— J'ose espérer qu'il est assez intelligent pour se rendre compte qu'après ce qu'il a fait son indice de popularité est à son plus bas, rétorque Mado. Rien qu'avec le coup de la fausse crise de foie et la pizza, il mériterait son 4 %.

Mado n'a pas encore digéré la dernière mise en scène d'André et ignore franchement si elle parviendra à passer par-dessus un jour. Elle ne voit pas comment elle pourrait revenir vers lui après tout ça. Elle se demande aussi si elle ressentira encore du désir pour lui. Il faut dire qu'après tout ce qu'elle a vécu avec Alex la marche est rendue haute pour André, pour ne pas dire insurmontable.

— Es-tu en train de me dire qu'il a encore des chances que tu retournes avec lui après tout ce qu'il a fait ? demande Claire d'un ton inquiet. Tu vois bien que c'est le dernier des idiots.

— Compte-toi chanceuse, clame Élise, au moins tu ne l'as pas épousé.

Mado saisit l'occasion pour leur parler de la fameuse demande en mariage ratée.

— Il est dépendant affectif en plus ! ajoute Ginette. Je ne suis pas psychologue, mais si j'étais à ta place, j'essaierais de me tenir loin de lui. En tout cas, tu peux dire que tu l'as échappé belle.

— Une maudite chance que tu ne lui as pas donné la clé de ton condo, lance Élise. Tu n'as qu'à regarder quelle sorte de vie je mène depuis que je suis mariée avec mon hurluberlu. Si c'est ce que tu désires, tu as le candidat parfait. Sinon prends tes jambes à ton cou et sauve-toi au plus vite.

Ça ne fait pas longtemps qu'Élise a lancé la serviette concernant son mariage. Ce n'est que très récemment qu'elle a compris que son mari ne serait jamais à la hauteur de ses attentes. Elle a été obligée d'admettre qu'il est contrôlant et ne changera pas. Il n'est bien que lorsqu'il est collé sur elle et, à l'inverse, elle n'est comblée que lorsqu'elle est loin de lui. Son cœur est meurtri chaque fois qu'elle constate à quel point elle s'est trompée. Mais entre reconnaître une chose et poser un geste pour s'en sortir, il y a un fossé parfois infranchissable.

Mado se doutait bien que le nouvel André ne ferait pas l'unanimité auprès de ses amies. Elles le connaissent peu, mais avec ce qu'elles viennent d'apprendre sur lui, aucune ne se portera volontaire pour plaider sa cause. Quand un homme en fait baver à l'une d'entre elles, les autres le prennent aussitôt à partie.

Le silence s'installe autour de la table. Après ces aveux, les quatre amies semblent avoir perdu leurs illusions. Mado a toujours remporté la palme des amours heureuses, et c'est sans compter son histoire avec Alex, mais voilà qu'elle refuse d'honorer le cadeau que lui fait la vie sous des prétextes tous plus ridicules les uns que les autres.

— Je propose qu'on ouvre une autre bouteille, lâche Ginette pour les tirer de leur réflexion.

— Mais on est déjà rendues à la cinquième, argumente Élise.

— Et après? rétorque Ginette. Qui a dit qu'on devait s'arrêter là?

— Comment va-t-on faire pour retourner chez nous? s'inquiète à nouveau Élise.

— Vous pouvez toutes dormir ici, si vous voulez, les rassure Claire.

Devant l'air tristounet de ses amies, Monique ouvre une nouvelle bouteille de vin et remplit les coupes.

— Bon, lance-t-elle d'un ton plus joyeux, on ne va quand même pas laisser les hommes gâcher notre soirée... Allez ! Un peu de nerf, les filles ! Je lève mon verre à l'amitié qui nous unit !

Chapitre 10

Au moment de vider leur dernier verre, les cinq amies avaient englouti sept bouteilles de vin en quelques heures à peine, constituant un record. Inutile de dire qu'aucune n'était en état de conduire et qu'elles ont toutes dormi chez Claire. Il fallait s'attendre à ce que la décision d'Élise ne plaise pas à son valeureux époux. Mais cette fois-ci elle l'a remballé d'une voix rendue rauque et pâteuse par l'alcool. Ginette, elle, s'est contentée d'envoyer un texto à son *chum* pour l'avertir qu'elle ne rentrerait pas coucher à la maison, message auquel il n'a même pas daigné répondre. Comme Mado est la seule à ne plus travailler, elle a été la dernière à se réveiller. Si elle se fie à l'air qu'elle a ce matin, nul doute que les filles ont dû avoir beaucoup de difficultés à se lever aux aurores afin d'avoir le temps de passer chez elles avant d'aller travailler.

Mado a beaucoup apprécié sa soirée avec ses amies, mais elle les a trouvées moroses et quelque peu cyniques par moments. Elle ne dirait pas que leur rire sonnait faux, mais il y avait quelque chose de différent dans leur attitude, un peu comme si elles avaient perdu espoir de voir leur vie s'améliorer un jour. Ginette est désabusée de sa relation avec son conjoint, au point qu'elle laisse entendre que ça lui importe peu qu'il aille voir ailleurs. Il n'y a pas si longtemps, elle en parlait avec fougue des heures. De son côté, Claire se laisse sérieusement contaminer par tous les divorces dont elle s'occupe. Elle semble incapable de voir autre chose que le mauvais côté des hommes. Élise retire lentement ses lunettes roses, et ce qu'elle a sous les yeux est loin de lui plaire. Quant à Monique, elle est égale à elle-même et enchaîne rendez-vous manqué sur rendez-vous manqué, ce qui la rend chaque fois un peu plus aigrie. Il y a eu des moments dans sa vie où Mado aurait volontiers changé de place avec l'une de ses amies, mais pas aujourd'hui. Elle n'a pas encore pris de décision pour André, ni pour Alex d'ailleurs, mais au moins elle est libre de ses faits et gestes. Et ça vaut de l'or.

Il y avait longtemps qu'elle n'avait pas dormi sur un canapé et, sincèrement, elle espère qu'elle mettra encore plus de temps avant de répéter l'expérience. Tous ses muscles lui font mal. À son condo, Mado insère la clé dans la serrure et rentre chez elle. Comme elle n'a rien prévu aujourd'hui, à son grand bonheur, elle passe à la cuisine pour boire de l'eau et file ensuite à sa chambre pour se recoucher. Elle s'étend sur son lit tout habillée et ferme les yeux.

***

Gertrude n'a pas changé du jour au lendemain en claquant des doigts, mais le simple fait de modifier sa façon de penser a nettement amélioré sa vie. Elle ne s'est pas créé un réseau d'amis pour autant, mais elle fait un réel effort pour entrer en contact avec les gens qu'elle croise dans la résidence. C'est fou ce qu'un sourire peut déclencher chez les autres ! Elle a beaucoup réfléchi depuis qu'elle est allée magasiner avec Mado et a décidé d'offrir à sa fille un cadeau pour souligner sa retraite. En réalité, ça fait des mois qu'elle y pense sans réussir à trouver une idée. Mais là elle croit bien que ça y est. Elle va lui payer un billet d'avion pour aller voir Émilie en Australie. Avec un peu de chance, Mado lui demandera peut-être de l'accompagner. Dans le cas contraire, elle ne lui en voudra pas. Il était 9 h 30 quand Gertrude a sauté dans un taxi pour aller à l'agence de voyages. Elle s'est ensuite rendue chez la fleuriste et a demandé qu'on livre au condo de Mado des roses rouges avec l'enveloppe qui contient le billet d'avion. Elle a écrit un court message très simple sur une petite carte :

Je tenais à souligner ta retraite.
Je t'aime !
Maman

Fière de son coup, elle est rentrée chez elle le cœur léger. La vendeuse lui a promis que Mado recevrait son cadeau avant 17 heures. Gertrude tourne en rond dans son appartement depuis. Elle a tellement hâte de connaître la réaction de Mado. Elle n'a pas toujours été tendre avec sa fille, mais ce n'était pas par manque d'amour. Après toutes les épreuves que Mado a traversées, elle lui lève son chapeau bien haut. Gertrude ignore pourquoi elle a toujours été plus sévère avec sa fille qu'avec ses fils. Pourtant Dieu sait qu'ils lui en ont fait voir de toutes les couleurs. Quand Mado a commencé à sortir avec des garçons, Gertrude était morte de peur à l'idée que l'un d'entre eux puisse lui faire du mal, ou pire la mettre enceinte. Elle la suivait pratiquement pas à pas, ce qui fait que leur relation s'est détériorée. Une distance s'est lentement formée entre elles sans que Gertrude s'en rende vraiment compte, tellement qu'est venu un temps où il lui était rendu impossible d'atteindre Mado. Pendant cette période, jamais Mado n'a manqué à ses devoirs de fille. Alors que ses frères faisaient des pieds et des mains pour se soustraire à leurs responsabilités, elle était là chaque fois que sa mère avait besoin d'elle. Gertrude ne pourra jamais effacer le passé, mais elle a bien l'intention de faire tout son possible pour se rapprocher de Mado.

Hier, Alain est venu la voir. En tout et pour tout, il est resté avec elle moins d'une demi-heure, mais il en est toujours ainsi avec lui. Il arrive comme un cheveu sur la soupe, toujours avant l'heure du souper. De cette manière, il est certain que sa mère ne pourra rien inventer pour le garder plus longtemps puisqu'elle doit descendre à la salle à manger pour le repas. Il y a un sacré bout de temps que Gertrude a compris son petit manège. Les rares fois où elle a eu le courage de lui en faire la remarque, elle a eu droit à une série complète de raisons pour justifier son incapacité à rester. Elle ne l'a pourtant pas élevé comme ça, il a simplement changé sans qu'elle sache pourquoi. Et Robert n'est pas tellement mieux. Il passe un peu plus de temps avec sa mère quand il va la voir à la résidence, mais vu qu'il vient beaucoup moins souvent qu'Alain, puisqu'il demeure en Gaspésie, il passe encore moins de temps avec elle au bout du compte. Gertrude ne veut pas que ses enfants deviennent son bâton de vieillesse, mais il y a des limites à toujours quémander pour avoir un peu d'attention. Et leurs enfants ne viennent pas la voir plus souvent. Il lui arrive de s'en vouloir de préférer les enfants de Mado, mais quand elle y réfléchit un peu, elle se dit qu'il ne peut pas en être autrement. Elle n'est pas pour passer son temps à se morfondre pour des gens qui, de toute façon, ne se soucient pas d'elle sauf lorsqu'elle allonge des billets, bien évidemment.

***

Jimmy n'a pas eu une minute à lui depuis sa rencontre avec Louis, son nouvel associé. Plus il avance dans son projet de démarrage d'entreprise, plus il saisit l'ampleur du travail à effectuer. Il est tellement motivé que jusqu'à maintenant il a réussi à prendre les choses une à une sans trop se mettre de pression. Depuis son retour du chalet, il veut passer voir sa mère. Il n'arrête pas de se demander avec qui elle était vendredi dernier. Il veut aussi s'assurer qu'elle est satisfaite de l'état dans lequel il a laissé le chalet. Comme il dispose d'un peu de temps avant d'aller rejoindre Louis, il saute dans son auto en finissant de travailler et se rend chez elle sans même l'avertir. Au moment où il s'apprête à sonner à la porte, un livreur lui remet un bouquet pour elle.

Mado accueille son fils à bras ouverts.

— Tu m'as vraiment apporté des fleurs, s'exclame-t-elle avec un grand sourire sur les lèvres. C'est trop gentil! Viens ici que je t'embrasse.

— Je voudrais bien te dire que c'est de moi, et j'en prends bonne note pour une prochaine fois, mais ce n'est pas vrai. C'est un livreur qui vient de me les remettre. Mais tu peux m'embrasser quand même.

L'air de Mado change totalement en une fraction de seconde. Elle arrache le bouquet des mains de Jimmy et le jette furieusement dans la grosse poubelle près de l'entrée.

— Pourquoi as-tu fait ça ? s'indigne Jimmy. Tu n'as même pas regardé de qui ça provenait.

— Je sais très bien qui me les offre et j'en ai plus qu'assez de lui. Veux-tu rester pour manger avec moi ?

Décidément, le torchon brûle entre Mado et André. Étant donné que les histoires de cœur de sa mère ne l'intéressent pas, Jimmy se garde bien de revenir sur le sujet.

— Je te remercie, mais j'ai déjà un rendez-vous. Je suis juste passé prendre de tes nouvelles.

Jimmy est tellement heureux que son bonheur crève les yeux. À peine sa mère lui a-t-elle demandé ce qui lui arrive qu'il lui apprend la bonne nouvelle. Mado lui dit à quel point elle est contente pour lui, mais en digne mère elle s'inquiète aussitôt.

— Mais comment vas-tu faire pour y arriver si tu ne travailles que deux jours par semaine dans ton entreprise ?

— Comme je viens de te le dire, j'ai l'intention de travailler trois jours chez Desjardins et le reste de la semaine à mon compte. Tu n'as pas à t'inquiéter pour moi, je suis un grand garçon.

Mado sait tout ça, mais c'est plus fort qu'elle, elle s'en fait pour ses enfants. Si elle le pouvait, elle paverait leur chemin de marbre et les suivrait de près pour qu'il ne leur arrive rien.

En l'observant, Jimmy lit l'inquiétude sur son visage et ajoute :

— Rassure-toi, ce n'est pas le Pérou, mais on a déjà deux gros contrats. Je vais travailler assez fort que je n'aurai même plus le temps de dépenser. Je suis tellement content, tu n'as pas idée, je ne touche plus terre.

— Tant mieux, alors. Donne-moi une minute, il faut absolument que j'enlève mes verres de contact avant de m'arracher les yeux. Il y a sûrement quelques bières dans le réfrigérateur. Sers-toi !

Mado vient de déposer sa première lentille dans son étui quand elle entend la sonnerie de son cellulaire.

— Je réponds ! lui crie Jimmy.

Mado se met aussitôt à courir jusqu'au salon où son cellulaire se trouve, mais elle arrive trop tard. Le regard figé sur l'écran, Jimmy le laisse sonner sans rien faire. Mado lui arrache brusquement le téléphone des mains.

— Est-ce que c'est avec lui que tu étais au chalet ?

Elle jette un regard noir sur son fils avant de lui dire :

— Ça ne te regarde pas.

— Tu ne trouves pas qu'il est un peu jeune pour toi ?

— Ça non plus, ça ne te regarde pas. Tu ferais mieux d'oublier au plus vite ce que tu as vu.

Jimmy saisit rapidement qu'il ne tirera rien de sa mère. Il reconnaît aussi qu'elle a raison, ce ne sont pas ses affaires. Comme il ne voudrait surtout pas qu'elle s'immisce dans sa vie amoureuse, il se dépêche d'orienter la conversation sur un autre sujet.

— As-tu pris le temps de regarder les photos que je t'ai envoyées ?

— Tu parles de celles du chalet ? Oui ! C'était parfait. Je ne veux pas paraître méchante, mais je commençais à me demander si tu comprendrais un jour. Comme on dit : mieux vaut tard que jamais.

Mado n'a pas l'habitude de s'adresser de cette manière à ses enfants. Elle se fait normalement un point d'honneur de passer ses messages de manière beaucoup plus subtile. Jimmy se serait sûrement épargné cette dose de venin inutile s'il n'avait pas sauté à pieds joints sur son cellulaire. Jimmy se rend bien compte qu'il est responsable du changement d'humeur de sa mère.

— Je suis désolé, *mom*, confesse-t-il. Tu sais que je suis le premier à dire qu'un cellulaire est personnel, mais je ne m'attendais pas à voir ça. Je te promets de ne plus y toucher sauf si tu me le demandes.

Mado regarde son fils et lui sourit parce qu'elle sait qu'au fond son intention était bonne.

— OK ! Maintenant, dis-m'en un peu plus sur le genre de contrats que vous pouvez faire, Louis et toi. Je ne peux rien te promettre, mais je pourrais essayer de vous faire profiter de mes contacts. Je réussirais sûrement à vous dénicher un rendez-vous avec quelqu'un du cégep, par exemple.

— Ce serait super !

Jimmy lui explique tout ce que son associé et lui peuvent offrir comme expertise et le type d'entreprises susceptibles d'utiliser leurs services. Quand vient pour lui le moment de partir, sa mère lui énumère les endroits où elle pourrait l'aider à entrer.

Une fois seule, Mado se dépêche d'aller enlever sa deuxième lentille. Elle attrape ses lunettes au passage et prend son cellulaire. Elle l'ouvre et regarde la photo d'Alex, un sourire béat sur les lèvres. Rien qu'à sa vue, elle se met à frissonner. Elle a trop de doigts sur une main pour compter le nombre d'hommes qu'elle a eus dans sa vie, et trop de doigts sur ses deux mains pour compter ceux qui ont froissé ses draps. Jusqu'au moment de vivre l'extase avec Alex, elle était satisfaite des prouesses de ses hommes au lit, mais elle sait maintenant qu'elle aurait manqué quelque chose dont elle ne pourra désormais plus se passer. Elle clique sur l'icône Galerie pour visionner la vidéo une fois de plus. Cette dernière lui fait tellement d'effet qu'elle l'arrête avant la fin. Si elle ne se retenait pas, elle appellerait Alex et courrait se blottir dans ses bras pour ne plus jamais en ressortir. Elle croyait vraiment que ce serait facile de ne plus le voir, mais ce n'est pas le cas. Lorsqu'elle est occupée, ça va, mais à la seconde où elle se retrouve seule, toutes ses pensées se tournent vers lui. Elle n'a alors de cesse que lorsqu'elle réussit enfin à s'endormir.

Mado regarde l'heure, la soirée commence à peine et elle n'en peut déjà plus de penser à son bel Apollon. Si ça continue comme ça, elle va devenir folle. Elle doit absolument trouver quelque chose pour s'occuper. Elle compose le numéro de Gertrude pour lui offrir de sortir avec elle.

— Maman, c'est moi.

Ça fait au moins deux heures que Gertrude se retient de l'appeler pour savoir si elle a reçu son cadeau.

— Mado ? Que me vaut l'honneur ? demande-t-elle innocemment.

— Que dirais-tu d'aller au cinéma ? Si on se dépêche, on devrait arriver à temps pour la représentation de 19 h 30.

Gertrude se pose des questions. Elle ne veut pas enlever l'effet de surprise de son cadeau, mais en même temps, si elle se fie à la raison du coup de fil de Mado, sa fille ne l'a pas encore reçu, ce qui l'étonne beaucoup. La fleuriste lui avait promis que ce serait livré avant le souper. Par ailleurs, la vendeuse lui a pourtant confirmé que la livraison avait bel et bien été faite dans les délais prévus lorsqu'elle l'a appelée il y a une heure.

— Avant de te répondre, j'aimerais savoir si tu as reçu mon cadeau.

— Quel cadeau ?

Comme elle ne désire pas révéler ce que c'est, Gertrude prend un instant pour trouver la meilleure formule.

— Ça arrivait de chez la fleuriste.

— Oh non ! s'écrie Mado. J'étais sûre que ça venait d'André et je l'ai foutu à la poubelle sans même l'ouvrir. Donne-moi une minute, je vais le chercher tout de suite.

Mado est embarrassée lorsqu'elle reprend le téléphone.

— Je suis désolée, maman. Je l'ouvre à l'instant.

Le geste de Gertrude la touche tellement que Mado en a les larmes aux yeux. Elle ne se souvient pas de la dernière fois où sa mère lui a fait livrer quelque chose. Et il a fallu qu'elle le jette à la poubelle… En voyant les roses rouges légèrement défraîchies par leur séjour dans la poubelle, elle est doublement émue. Pendant qu'elle lit la carte, de grosses larmes coulent sur ses joues. C'est alors qu'elle voit une enveloppe dans l'emballage. Impatiente de savoir ce qu'elle contient, elle la déchire plus qu'elle l'ouvre. Quand elle réalise que c'est un billet d'avion pour Sydney, elle se met à pleurer comme un bébé.

— Mado ! Mado ! s'alarme Gertrude lorsqu'elle entend les sanglots. J'étais pourtant certaine que ça te ferait plaisir.

Les paroles de sa mère parviennent aux oreilles de Mado avec un décalage. Elle tente de reprendre contenance.

— Je t'en supplie, Mado, cesse de pleurer.

Gertrude est dans tous ses états quand Mado réussit enfin à parler.

— J'en suis incapable, confesse-t-elle entre deux hoquets, je suis trop contente. Merci, maman !

En entendant cela, Gertrude se sent instantanément libérée d'un grand poids qui pesait sur sa poitrine.

— C'est d'accord, pour le cinéma. Je vais t'attendre à l'entrée, dit-elle avant de raccrocher et de se mettre à pleurer à son tour.

Chapitre 11

Il fait un soleil de plomb lorsque Mado se réveille. Elle s'étire dans tous les sens et allume la radio. La voix de Joël Le Bigot retentit dans la chambre. Fidèle à lui-même, le voilà une fois de plus en train de faire la vie dure à Francine Grimaldi, il la presse de finir de parler comme lui seul sait le faire. Chaque fois qu'elle l'entend, Mado prend la défense de la pauvre Francine qui, somme toute, ne semble pas trop se formaliser de l'attitude pourtant grossière de son collègue. La plupart du temps, Mado apprécie le franc-parler de Le Bigot ; elle trouve qu'il y a trop peu de gens qui n'ont pas la langue de bois quand ils tiennent un micro entre leurs mains. C'est maintenant au tour de Stéphane Garneau, le verbomoteur, d'affronter le monstre. Mado reçoit un texto au même moment. Elle saute hors du lit et saisit son cellulaire.

Es-tu réveillée ? Puis-je t'appeler ?

Le message est d'Alex. Bien qu'elle soit surprise, Mado lui répond tout de suite oui aux deux questions. La sonnerie de son téléphone retentit aussitôt.

— Bonjour, Mado. Je sais que tu ne veux plus me voir, mais il fait tellement beau aujourd'hui que j'ai envie de t'offrir de faire un tour de moto avec moi.

Il y a un sacré moment que Mado n'a pas embarqué sur une moto. Sa première virée remonte au temps du cégep. Elle sortait avec un gars qui en avait une toute noire. C'était un beau garçon avec les cheveux jusqu'au milieu du dos qui vendait du *pot* pour payer ses études. Leur idylle n'a pas fait long feu, disons que leurs valeurs ne s'accordaient pas tellement bien.

Pendant qu'Alex attend patiemment sa réponse, Mado essaie de se convaincre qu'elle devrait refuser sa proposition alors qu'au fond elle meurt d'envie de l'accepter. Face à son silence prolongé, Alex revient à la charge.

— Alors ?

— C'est d'accord ! répond Mado.

— Super ! Crois-tu que Monique aimerait venir avec nous ? Parce que, si c'est le cas, elle pourrait monter avec mon ami Gervais. Je ne sais pas si je t'ai parlé de lui, c'est le gérant du magasin où je travaillais. Ne t'inquiète pas, c'est un chic type.

Avant même que Mado ait le temps de lui poser des questions sur son compagnon, Alex lui en brosse un portrait détaillé.

— Il a environ 50 ans. Il est divorcé, sans enfant, et célibataire en plus. Si je me fie aux femmes qui viennent au magasin, il ne semble pas être trop vilain puisqu'elles sont toujours après lui. Ah oui, je ne te l'ai pas encore dit, mais j'avais songé qu'on pourrait aller dans le parc de la Mauricie. Qu'est-ce que tu en penses ?

— Je l'appelle tout de suite.

L'idée que Monique les accompagne plaît beaucoup à Mado. Depuis le temps que son amie se plaint de rencontrer seulement des imbéciles, ça lui ferait du bien de changer pour une fois. Monique répond à la première sonnerie et Mado lui explique en quelques mots la raison de son appel.

— En moto ? s'exclame-t-elle. Avec un inconnu ? J'ai encore mon dernier rendez-vous pris au fond de la gorge.

— Viens donc ! Je suis certaine qu'Alex ne te le proposerait pas si Gervais n'était pas intéressant.

— Mais il est vieux, en tout cas beaucoup plus qu'Alex.

— Ce n'est pas lui qui est âgé, mais Alex qui est jeune. Allez, je ne te laisse pas le choix. Sois chez moi dans 45 minutes et n'oublie pas de prendre ta veste de cuir.

Mado raccroche en se disant que, dans le pire des cas, Monique la rappellera dans quelques minutes pour lui déclarer qu'elle ne viendra pas.

Monique sonne à la porte du condo de Mado une demi-heure plus tard.

— Il n'y a que toi pour m'entraîner dans des histoires comme ça. On ne monte pas derrière n'importe qui en moto comme on embarque dans une voiture. Faire de la moto avec quelqu'un, c'est un peu comme faire l'amour.

— Il ne te reste plus qu'à prier pour qu'il ne soit pas trop moche, raille Mado.

— Tu peux bien rire. Pendant que tu vas fusionner avec Alex, moi, je vais faire mon possible pour ne pas trop me coller tout en essayant de ne pas tomber en bas de la selle. Mais au fait, il me semblait que tu ne voulais plus voir Alex…

— Ce n'est pas moi qui l'ai appelé, dit Mado pour se défendre, c'est lui.

— Rien ne t'empêchait de refuser.

Monique s'approche de Mado et la prend par le cou.

— Je suis fière de toi.

Les deux amies entendent arriver les gars avant même de les voir. Elles attrapent leur manteau et sortent vite les rejoindre. Le cœur de Mado fait trois tours lorsqu'elle aperçoit Alex. Il enlève son casque et lui donne un long baiser. Il fait ensuite la bise à Monique, qui en profite pour le remercier d'avoir pensé à elle.

— Attends de voir Gervais avant de me remercier, dit Alex à la blague. Viens avec moi, que je te présente la bête.

Toutes les craintes de Monique se dissipent aussitôt qu'elle pose le regard sur Gervais. Il n'a pas encore ouvert la bouche, mais elle sait déjà qu'elle va bien s'entendre avec lui. Il est grand, charmant et n'a pas une once de graisse en trop. Il la regarde avec un sourire d'enfer et, au contact de sa main, elle se sent faiblir. Peut-être que cette escapade n'aura pas de suite, mais tout ce qui compte pour le moment est que Monique n'aura aucune gêne à se coller contre lui. En plus, il conduit une Harley-Davidson, ce qui accentue son charme. Elle fait un clin d'œil à Mado avant de monter derrière lui. Elle ne peut s'empêcher de se dire que, pour une fois, elle a plus de chance que son amie. La moto d'Alex n'est pas laide, mais ne se compare aucunement à une Harley.

Les filles sont méconnaissables derrière la visière de leur casque. Alors que les bolides sont arrêtés à un feu rouge, une voiture s'immobilise à leur gauche. Mado se retient de crier quand elle reconnaît non seulement l'auto d'André, mais aussi la femme qui l'accompagne. Il est avec son « ex-folle » Suzanne, comme il le disait souvent. Bien que Mado ne l'ait vue qu'en photo, avec la crinière rousse qu'elle a, elle est facilement reconnaissable. La scène qui se déroule sous ses yeux lui donne la nausée. André porte la main de Suzanne à ses lèvres et l'embrasse passionnément. Mado est trop loin pour voir comment il la regarde, mais elle gagerait qu'il lui a fait un clin d'œil. Elle n'est pas jalouse et ne lui en veut pas. Elle serait mal placée pour lui reprocher d'être avec une autre femme, mais elle se demande pourquoi il est avec son ex après tout ce qu'il avait à lui reprocher. D'ailleurs, quand Mado a commencé à sortir avec lui, Suzanne n'arrêtait pas de le harceler pour le récupérer. Quand le feu tombe au vert, Mado prend la décision de ne plus penser à André. Elle passe ses bras autour de la taille d'Alex et se love contre lui aussi près qu'elle peut. Il pose une main sur sa cuisse et la caresse quelques secondes avant de la remettre sur le guidon. Si Mado est heureuse d'être là, Alex, lui, est au septième ciel. Ça faisait deux jours qu'il voulait l'appeler mais n'osait pas. Il était mort de peur à l'idée de se faire revirer comme une crêpe.

Mado avait presque oublié à quel point elle appréciait la moto. Elle aime rouler sur les routes de campagne. Elle trouve même que les fermes dégagent des arômes moins agressants en moto. Elle regarde partout et elle sourit. Ils roulent jusqu'à ce qu'ils aperçoivent un pont couvert qui enjambe une petite rivière. À leur descente du bolide, les filles constatent très vite qu'elles manquent d'entraînement. Pendant une minute, elles ont du mal à mettre un pied devant l'autre, ce qui fait bien rire les hommes. Sans échanger un seul mot, Mado et Alex prennent une direction pendant que Gervais et Monique s'en vont complètement à l'opposé.

— J'espère que tu n'as pas eu peur, dit Gervais.

— Non ! répond promptement Monique. Je me sens complètement en confiance.

— Pour ma part, je peux te dire que tu bouges très bien.

À son expression, Gervais voit qu'elle ne comprend pas de quoi il parle.

— Laisse-moi t'expliquer. Il y a des personnes qui sont incapables de suivre le mouvement de la moto. C'est non seulement difficile pour le conducteur, mais ça peut être très dangereux. Un de mes amis a pris le clos dans une courbe à cause de la fille qui était assise derrière lui. Es-tu à la retraite ?

— Pour tout te dire, ce mot n'est même pas dans mon dictionnaire. J'en ai encore au moins pour cinq ans.

— C'est pareil pour moi. En même temps, je ne suis pas pressé de me bercer à longueur de journée. Pour moi, le travail, c'est la santé.

Pendant ce temps, Mado et Alex s'embrassent à perdre haleine sous le pont.

— Tu m'as tellement manqué ! dit Alex à l'oreille de Mado.

Les seules paroles qui lui viennent en tête sont « moi aussi », mais elle ne dit rien de peur de lui donner de faux espoirs. Elle sait que, dès qu'elle se retrouvera loin de ses bras, elle sera prise de remords et se jurera que c'était la dernière fois qu'elle le voyait. Mais quand elle est avec lui, elle ne voudrait pas être ailleurs. Alex la rend folle au point qu'elle ne sait plus ce qu'elle fait. Si elle réfléchissait une minute, elle se sauverait en courant. Elle n'a plus l'âge pour ces histoires. Et pourtant Dieu qu'elle aime être dans ses bras et l'embrasser.

Si Gervais n'avait pas sifflé, qui sait combien de temps ils seraient restés là. Au moment de remonter en selle, Monique y va d'un autre clin d'œil à Mado. À l'air de son amie, Mado en déduit que les choses se passent bien avec Gervais et elle sourit. Il serait temps que la chance tourne pour Monique, même si ce n'est que pour une balade en moto. À force de ne vivre que des échecs, elle a perdu de l'assurance face aux hommes.

Ils ont passé une merveilleuse journée. À leur retour en ville, ils sont allés manger une pizza et se sont séparés. Gervais a offert à Monique de la raccompagner chez elle et Alex en a fait autant pour Mado. Une fois dans la cour du condo, Alex et Mado descendent de la moto et se dépêchent de rentrer. Ils n'en peuvent plus de se désirer sans se toucher. Ils sont si occupés à se dévorer des yeux qu'ils ne remarquent pas qu'un homme les épie de l'autre côté de la rue. Quelques secondes plus tard, Mado reçoit un texto. Elle entend le signal caractéristique du cellulaire, mais ne prend pas la peine de regarder. Pour le moment, elle a mieux à faire.

***

— Je te garderais bien, s'excuse Mado, mais j'ai promis à ma mère d'aller bruncher avec elle.

— Ça adonne bien, dit Alex, je vais faire de la moto avec mon père et mon frère.

Alex lui a sûrement déjà parlé d'eux, mais tout ce qu'il lui a raconté en se rendant au chalet lui est entré par une oreille pour immédiatement sortir par l'autre. Étant donné que ça la gêne de l'avouer, elle l'écoute sans trop poser de questions sur ce qu'elle est censée savoir.

— Où allez-vous ?

— Je ne sais pas encore, c'est au tour de mon père de choisir. Avec lui, on se retrouve en Beauce le plus souvent. C'est un mordu de cette région.

— Et si c'était à toi de choisir ?

— On irait dans le coin de Mont-Tremblant.

Collés l'un contre l'autre depuis quelques minutes, ils ont du mal à se séparer. Cette fois, Alex s'est promis qu'il ne laisserait pas Mado lui dire qu'ils ne se verraient plus. C'est trop dur, d'autant plus que chaque fois qu'il la voit il l'aime davantage. Il a décidé de ne pas revenir sur le sujet. Il lui a fait part maintes fois de ses sentiments. Pour le reste, il n'en tient qu'à elle. Même avec la meilleure volonté du monde, il ne réussira jamais à l'aimer pour deux, mais il est convaincu qu'elle ressent quelque chose de bien réel pour lui. Il le sait parce que Mado est incapable de faire semblant. Quand elle est avec lui, elle l'est entièrement, et il peut le ressentir dans les tréfonds de son âme. C'est toujours lorsqu'elle s'éloigne de lui que les choses se gâtent. Elle lui a encore répété ce matin que c'était dommage qu'il soit si jeune, affirmation à laquelle il n'a pas daigné répondre. À quoi bon puisqu'il ne peut rien changer à ce qu'il est? Il aimerait bien comprendre pourquoi les 19 ans qui les séparent n'ont aucune importance pour lui alors que pour elle ça semble représenter la fin du monde.

Alex l'embrasse une dernière fois et sort vite avant d'entendre cette phrase meurtrière qu'il redoute tant: « C'était la dernière fois qu'on se voyait. »

Appuyée sur le cadre de la porte, Mado hume les effluves qui flottent dans le sillage de son amant. Une minute plus tard, la sonnette la fait sursauter. Elle se dit tout bonnement qu'Alex doit avoir oublié quelque chose. Elle ouvre avec empressement pour se retrouver nez à nez avec André.

— Tu m'as fait une de ces peurs! s'exclame-t-elle en posant la main sur son cœur. Que me vaut cet honneur? lui demande-t-elle d'une voix plutôt sèche. On n'avait pas rendez-vous, à ce que je sache!

— Je pense bien avoir droit à des explications, répond-il d'une voix remplie de colère. Qui est le jeune blanc-bec qui vient tout juste de sortir? Si je me fie au sourire qu'il avait, j'imagine qu'il n'a pas dormi dans la chambre d'ami…

Mado en a entendu suffisamment pour aujourd'hui. Si elle ne se débarrasse pas de ce parasite rapidement, elle sent qu'elle va finir par le frapper.

— Tu n'as pas de leçon à me donner. J'ai vu de quelle façon tu regardais ton ex hier matin dans ton auto.

Les paroles de Mado déstabilisent André quelques secondes, mais il se reprend aussitôt.

— Tu ne m'as toujours pas répondu !

— Et je n'ai pas l'intention de le faire non plus. Retourne vite auprès de Suzanne parce que j'ai autre chose à faire.

— Il est bien trop jeune pour toi, j'espère que tu réalises qu'il pourrait être ton fils.

— Sors de chez moi ! l'intime Mado. Ce que je fais pendant qu'on est en pause ne regarde que moi.

Mado le pousse sur le palier et lui claque la porte au nez. Plus le temps passe, plus elle se dit qu'elle ne pourra jamais retourner avec lui. C'est rendu que sa seule vue lui donne instantanément la nausée. Elle se demande bien comment elle a pu être aussi aveugle. Elle ne le reconnaît plus et commence sérieusement à croire que JP avait raison. André est un dépendant affectif et, même s'il ne l'était pas, ils ne pourraient pas se remettre ensemble, après tout ce qu'il a manigancé ces derniers jours. Elle verrouille sa porte à double tour et se dépêche d'appeler sa mère pour l'aviser qu'elle aura un peu de retard.

Chapitre 12

C'est maintenant au tour de Mado de courir après Monique pour avoir de ses nouvelles. Elle se doutait bien que son amie était occupée avec Gervais, mais elle voulait l'entendre de sa bouche. Monique s'est d'abord trouvé des excuses, mais Mado ne l'a pas laissée s'en tirer aussi facilement. Elle lui a donné rendez-vous dans un restaurant à deux pas de l'endroit où a lieu sa répétition de chorale.

— Je veux tout savoir, lui dit Mado d'entrée de jeu. Et ne t'avise surtout pas de me cacher quoi que ce soit.

— Il n'y a rien à dire, répond Monique, le sourire aux lèvres.

La seconde d'après, elle est comme un grain de maïs en train d'éclater. Elle parle tellement vite que Mado a du mal à saisir tout ce qu'elle dit. La seule chose qu'elle comprend est le nom de Gervais qui revient tous les deux mots. Il y a un sacré bout de temps que Monique n'a pas été aussi en verve, et son bonheur la rend resplendissante.

— Je suis heureuse de te voir comme ça, confirme Mado à la fin de la prestation de Monique.

— Et moi donc! Je me pince au moins vingt fois par jour pour être certaine que je ne suis pas en train de rêver. Bien que je cherche, je n'arrive pas encore à lui trouver de défauts. Il est parfait, et de partout en plus.

— Je suis si contente pour toi.

Monique et Gervais sont toujours ensemble depuis le jour où ils sont allés faire de la moto, il n'y a que lorsqu'ils sont au travail qu'ils sont séparés, et bien malgré eux.

— Je sais que tu vas me trouver folle, mais on pense déjà sérieusement à emménager ensemble. Je sais que ça fait à peine quelques jours qu'on se connaît, mais j'ai le sentiment que c'est le bon. Cette fois, j'en suis sûre.

Ce n'est certainement pas Mado qui agirait ainsi. Elle est bien trop réfléchie et raisonnable pour poser un geste aussi spontané, en plus un acte tellement engageant. Elle pourrait tenter de raisonner Monique pour la faire changer d'idée, mais elle s'abstient. Ce n'est pas parce qu'elle n'agirait pas ainsi qu'il ne faut pas le faire.

— Vu que mon appartement est plus grand que le sien, poursuit Monique, nous avons convenu que ce serait lui qui emménagerait chez moi.

— Mais que va-t-il faire de ses meubles ?

Un peu plus et Monique éclaterait de rire. Il n'y a que Mado pour poser ce genre de questions.

— Comment veux-tu que je le sache ? Il peut les entreposer, les vendre ou même les donner. Je ne dis pas ça pour être méchante, mais les miens sont beaucoup plus beaux que les siens.

— Et si ça ne marchait pas entre vous ?

Monique soupire. Comme éteignoir, on ne fait pas mieux que Mado quand quelque chose la sort des sentiers battus. Mais Monique n'a pas l'intention de se laisser atteindre. Pour une fois qu'elle est en amour et que c'est réciproque, rien ni personne ne l'empêchera d'en profiter. Comme disait sa mère, on ne mesure pas le bonheur à sa durée mais bien à son intensité. Monique ne se souvient pas d'avoir été aussi heureuse que maintenant.

— Je refuse d'y penser. On est bien ensemble, c'est tout ce qui compte, tu ne crois pas ? Il faut absolument que tu me donnes le numéro d'Alex. Je tiens à le remercier de m'avoir présenté Gervais.

Mado sort son téléphone. Il vaut mieux qu'elle le lui donne tout de suite avant d'oublier.

— Et toi, as-tu revu Alex ?

— Non !

— Je ne te comprendrai jamais. Ça crève les yeux que vous êtes faits l'un pour l'autre. Tu attends quoi, au juste ?

Pour toute réponse, Mado se contente de hausser les épaules. Si seulement elle le savait, ça lui simplifierait la vie. Elle est bien avec Alex, elle ne le nie pas. Mais elle ne s'illusionne pas ; tant et aussi longtemps qu'elle n'arrivera pas à surmonter ce qui la freine, eh bien elle devra se contenter de quelques apparitions ici et là. À force d'être mis de côté, Alex se fatiguera, elle en est certaine. Mais pour le moment, elle essaie de ne pas y penser. Ce conte de fées n'a aucun avenir, ses amies le savent autant qu'elle, sauf que contrairement à Mado elles refusent de l'avouer pour l'instant. Nous avons tous besoin d'espoir et de rêve. Histoire de faire diversion, Mado lui dit :

— Laisse-moi te raconter quelque chose qui va sûrement te faire rire.

Elle se fait aussitôt un malin plaisir de lui relater les dernières frasques d'André. En entendant cela, Monique est inquiète.

— Tu devrais faire attention avec lui. Je trouve qu'il commence sérieusement à déraper.

— Je n'ai pas peur de lui.

— Tu n'es pas la première à dire ça et tu ne seras pas la dernière non plus. Je ne comprendrai jamais cette manie qu'on a toutes de défendre les hommes, même lorsque tous les éléments sont contre eux. N'oublie pas une chose : l'être humain est capable du meilleur, mais il est aussi capable du pire. J'en glisserais un mot à Mathieu si j'étais à ta place. Il pourrait essayer de lui parler, il ne faut pas prendre ce genre de comportement à la légère.

— Je ne suis pas convaincue que Mathieu soit la bonne personne, tu devrais l'entendre le défendre. Chaque fois que je lui parle, il ne manque pas de me rappeler à quel point André est un homme merveilleux.

Mathieu a apprécié André dès leur première rencontre. On aurait dit que les deux hommes se connaissaient depuis toujours. Jimmy leur avait demandé s'ils s'étaient déjà rencontrés avant, tellement la chimie était bonne entre eux. Mado aurait plus de chance si elle s'adressait à Jimmy, mais pour le moment il n'y a pas urgence.

— Et la retraite ? demande Monique.

— Franchement ? Si c'est pour être comme ça tout le temps, je me cherche un emploi au plus vite.

Mado soupire avant de poursuivre, car ce qu'elle s'apprête à dire n'est pas encore complètement clair dans sa tête. Par contre, voilà l'occasion d'avoir l'avis de Monique, d'autant plus qu'elle a beaucoup de jugement.

— Tu vas me trouver folle, mais depuis que Jimmy m'a dit qu'il partait en affaires avec Louis, je me retiens pour ne pas leur offrir mon aide. Je ne veux pas seulement leur ouvrir des portes, non, non. Je voudrais travailler dans l'entreprise, avec eux. Tu sais bien que j'ai pris ma retraite parce que ça ne m'aurait rien donné de plus de rester en poste. De toute façon, même si j'aimais mon travail, j'avais fait le tour du jardin plus d'une fois. Pour tout te dire, je fais partie de ceux qui ne croient pas à la retraite. Je pense que l'être humain a besoin d'une raison de se lever le matin. C'est beau d'avoir tout son temps, mais comme disait mon grand-père, le temps, c'est de l'argent, et je n'ai pas envie de le gaspiller.

Monique n'est pas surprise par les propos de Mado. Ce n'est pas d'hier qu'elle a besoin de nouveaux défis. Certes, elle a les moyens de se laisser vivre jusqu'à la fin de ses jours, mais elle dépérirait sûrement après un court moment de farniente. Mado aime quand les choses bougent, elle a besoin d'action comme de l'air qu'elle respire.

— Je savais bien que tu ne resterais pas très longtemps à ne rien faire, raille Monique, mais là j'avoue que tu bats tous les records. En même temps, je ne suis pas étonnée, ça te ressemble tellement. Avec toute l'expérience que tu as accumulée, les gars seraient fous de refuser ton aide.

Bien que la décision lui appartienne, Mado est réconfortée par l'appui de Monique. Elle va réfléchir à ce qu'elle veut offrir à Jimmy avant de l'appeler. Elle aimerait travailler deux jours par semaine afin d'avoir du temps pour s'occuper de sa mère et faire ses choses sans courir. Elle veut aussi être capable de partir en voyage quand elle en a envie. Mado est consciente qu'elle a beaucoup d'exigences pour une entreprise en démarrage, d'autant qu'elle ne connaît pas grand-chose au marketing, mais elle peut au moins le leur demander.

— Il n'y a qu'eux qui peuvent répondre à cette question. Peut-être que Jimmy n'acceptera pas de travailler avec moi.

— Ne dis pas de bêtises, vous vous êtes toujours bien entendus, tous les deux.

— Oui, mais ça ne garantit pas qu'on serait capables de travailler ensemble. N'oublie pas que, cette fois, ce sera lui, le patron. Crois-moi, je suis loin d'être une employée facile à diriger.

— Oui, je sais tout ça, mais démarrer une entreprise coûte très cher. Qu'est-ce qui t'empêche de devenir leur associée ? Je suis certaine qu'ils ne refuseraient pas un peu d'argent supplémentaire.

— Je n'y avais pas pensé, mais c'est une excellente idée.

Mado est enchantée par la tournure que prennent les événements. Elle n'a pas des millions à investir, mais elle pourrait libérer suffisamment de fonds pour couvrir tous les frais de base. Et puis, en devenant associée, elle ferait d'une pierre deux coups. Elle aiderait Jimmy financièrement et se créerait un emploi par la même occasion. Reste maintenant à voir comment Jimmy et Louis accueilleront sa proposition.

— Ah ! avant que j'oublie, ajoute Monique, hier je me suis fait un masque avec les produits que nous a donnés Ginette et je l'ai adoré.

— J'espère bien, au prix qu'il coûte on serait en droit de s'attendre à ce qu'il soit non seulement bon mais excellent. Je ne crois pas tellement à tous ces produits de beauté hors de prix. Si tu veux, je suis même prête à te donner mon pot puisque, de toute façon, je ne l'utiliserai jamais.

Si les rides ne sillonnent pas le visage de Mado et si elle a toujours une peau de pêche, c'est loin d'être le cas de Monique. À l'adolescence, les rides lui sont apparues du jour au lendemain, et ça n'a pas arrêté depuis. À 56 ans, elle est ridée comme Gertrude ne le sera jamais, et ce, même si elle vivait 100 ans de plus. Aucune de ces crèmes ne fait de miracle, mais en revanche ce qu'elles peuvent camoufler vaut de l'or pour Monique qui a toujours été complexée par ces sillons qui parsèment son visage.

— Si j'avais une peau comme la tienne, je ferais exactement la même chose que toi, mais comme ce n'est pas le cas, j'aime croire que ces produits me font du bien. Par contre, je suis entièrement d'accord avec toi quand tu dis que certains sont hors de prix. Je veux paraître à mon avantage, mais je ne peux pas investir tout l'argent que je gagne dans des petits pots de crème.

Monique doit reconnaître que, depuis que Ginette travaille dans ce domaine, elle n'a pas déboursé beaucoup d'argent pour s'approvisionner en produits de beauté. Non seulement son amie la fournit en échantillons, mais aussitôt qu'un nouveau produit sort sur le marché elle se dépêche de lui en apporter un pot. En échange, Monique n'a qu'à lui faire part de ses commentaires.

— Tu te rappelles que ma mère m'a offert un billet d'avion pour aller à Sydney ? Eh bien, j'ai réfléchi et je pense lui offrir de m'accompagner.

— Ah oui ? demande Monique d'un air surpris. Je ne voudrais pas faire ma rabat-joie, mais tu n'as pas peur de trouver le temps long avec elle ?

— Pas du tout ! répond promptement Mado. Je ne te l'ai peut-être pas dit mais ma relation avec elle s'est beaucoup améliorée dans les dernières semaines. J'ignore ce qui s'est passé, mais depuis que je suis à la retraite je ne la reconnais plus. On dirait que j'ai retrouvé la mère que j'aimais tant lorsque j'étais jeune. Et comme elle ne rajeunit pas, c'est le moment ou jamais de voyager avec elle. Nous partirions probablement deux semaines.

Mado n'a pas eu besoin de réfléchir très longtemps à la question. Elle s'est levée ce matin avec cette idée en tête et a décidé de la mettre à exécution. Elle a ensuite téléphoné à l'agence de voyages pour connaître les disponibilités ainsi que la durée du vol. Son agente lui a confirmé qu'elles pourraient partir dans trois jours. Elle a appelé sa mère pour lui dire qu'elle passerait la chercher à 9 heures le lendemain matin pour aller déjeuner. Et c'est à ce moment-là qu'elle lui demandera si elle veut aller voir Émilie en Australie avec elle.

— Wow! Ta fille va être folle de joie, lance Monique.

— Je n'ai pas l'intention de l'aviser, précise Mado, c'est une surprise.

— Il me semble la voir... elle sera tellement contente.

L'idée de ne pas informer Émilie est venue à Mado pendant qu'elle rejoignait Monique au restaurant. Elle s'est dit que l'occasion était trop belle pour s'en priver. Elle peut déjà s'imaginer la tête que fera sa fille lorsqu'elle la verra, elle n'en croira tout simplement pas ses yeux. Elle lui sautera au cou la seconde d'après et se mettra sûrement à pleurer comme un bébé.

Les deux amies poursuivent leur discussion jusqu'à ce qu'il soit l'heure pour Mado d'aller à sa chorale. Comme tout le monde est impatient de connaître le nom des heureux élus pour les solos du prochain spectacle, le directeur musical ne les fait pas attendre plus longtemps.

— Quant à la pièce *Moi, quand je pleure* de Céline Dion, notre choix s'est arrêté sur Mado Côté. Félicitations, Mado!

Surprise, satisfaction, inconfort, peur, euphorie, inquiétude sont autant d'émotions qui assaillent tour à tour Mado. Ce sera le premier solo de sa vie. Elle se demande encore ce qui lui a pris de passer l'audition. Chose certaine, elle ne le criera pas sur les toits pour autant. Plus tard ses proches sauront qu'elle chantera en solo, mieux ce sera pour elle.

De retour chez elle, Mado téléphone à Jimmy. Elle lui dit qu'elle voudrait le voir avec Louis le lendemain. Évidemment, Jimmy veut en savoir plus.

— Je préfère vous en parler à tous les deux de vive voix, si ça ne te dérange pas. Accordez-moi juste une heure. On pourrait dîner ensemble.

— Laisse-moi vérifier avec Louis et je te confirmerai notre rendez-vous par texto.

Mado se sert ensuite une coupe de vin et met le CD de Céline. Elle met sa chanson et l'écoute jusqu'à ce que le sommeil la gagne. Elle cherchera les paroles sur Internet demain et les imprimera.

***

Gertrude est tellement contente que Mado lui offre de l'accompagner à Sydney qu'elle en a les yeux pleins d'eau.

— Quand est-ce qu'on part ? demande Gertrude.

— Si on s'envolait dans deux jours, est-ce que ce serait trop vite pour toi ?

Gertrude regarde Mado d'un drôle d'air, elle semble avoir du mal à croire ce qui lui arrive.

— Au contraire ! J'ai mon passeport, une valise et un tas de vêtements neufs qui ne demandent qu'à être portés. C'est quand tu veux. Je suis vraiment impatiente de revoir Émilie, je m'ennuie beaucoup de notre petite princesse.

— Et moi donc ! J'ai pensé ne rien lui dire pour lui faire une surprise.

— C'est une très bonne idée ! Sais-tu si on pourra dormir chez elle ?

— Si je me fie aux minuscules appartements qu'elle a occupés depuis le début de la tournée, on est mieux de prévoir une chambre d'hôtel. À tout le moins pour la première nuit, on verra après.

Mado avertit sa mère que le voyage ne sera pas de tout repos et insiste sur le fait qu'elle sera sûrement fatiguée. Gertrude est prête à faire beaucoup de sacrifices pour sortir de son quotidien, dont celui de rester dans les airs de longues heures. Elle est tellement énervée qu'elle picore dans son assiette plus qu'elle mange. En fait, elle ne touche plus terre. Elle a l'impression d'avoir rajeuni de 20 ans en quelques minutes seulement. Elle en a même oublié ses maux de dos et de genoux qui la font tant souffrir.

— Si tu veux, ajoute Mado, on passera à l'agence de voyages tout à l'heure.

Au moment de descendre de l'auto, Gertrude demande des nouvelles d'André à Mado. Cette dernière hésite quelques secondes avant de répondre, car elle n'a pas envie d'embêter sa mère avec ses histoires de cœur.

— Disons que c'est loin d'être l'amour fou entre nous ces temps-ci. Depuis que je lui ai imposé une pause, il ne cesse d'accumuler les bêtises. Tu ne me croiras peut-être pas, mais il a même simulé une crise de foie juste pour que j'aille le voir. Le plus drôle, dans tout ça, c'est qu'il se faisait cuire une pizza quand je suis passée. Je ne te mens pas, j'en suis rendue à me dire que j'ai perdu deux ans de ma vie avec lui. Et je pourrais te raconter bien d'autres choses...

— Tu es assez grande pour savoir ce que tu as à faire, dit Gertrude en mettant la main sur le bras de sa fille, mais sois vigilante.

— C'est précisément ce que Monique m'a dit. Tu sais, maman, je ne peux pas croire que je cours un danger avec lui.

Gertrude voudrait bien la rassurer, mais elle en est incapable. La vie lui a appris que parfois des situations arrivent pour nous montrer la vraie nature des gens que nous croyions pourtant connaître. Il n'en tient alors qu'à nous de prendre la bonne décision.

— As-tu l'intention de lui dire que tu pars ?

— Aucunement ! De toute façon, après ce qu'il a fait, ses chances que j'accepte de poursuivre ma relation avec lui sont pratiquement nulles. Veux-tu que je vienne t'aider à faire ta valise ?

— Je te remercie, mais je devrais m'en tirer seule. C'est vraiment très gentil de m'emmener avec toi.

— Il n'y a pas de quoi, maman. Je t'appelle demain sans faute.

Mado est heureuse de partir avec sa mère, encore plus qu'elle l'aurait cru. Alors qu'il y a quelques semaines seulement elle se serait morfondue d'inquiétude à l'idée de passer deux semaines avec elle, voilà qu'elle se sent aussi sereine que si elle partait avec Monique. Certes, ce ne sera pas le même genre de voyage, mais elle sait que ça lui plaira. Elle a vraiment hâte de revoir Émilie. Vu qu'elle dispose d'une heure avant son rendez-vous avec Jimmy et Louis, elle décide de passer voir Mathieu plutôt que de l'appeler. Elle lui demandera s'il peut les conduire à l'aéroport. Pour le retour, elle verra avec Jimmy.

Chapitre 13

Si Mado n'a pas cru bon d'aviser André de son départ, elle n'a pas plus averti Alex. Heureusement pour elle, Monique s'en est chargée alors qu'elle n'était même pas encore dans l'avion.

Il reste moins d'une heure de vol avant que Gertrude et Mado atterrissent à Sydney. Après autant d'heures passées dans l'avion, elles ont hâte d'en descendre. Elles ont eu beau s'étirer les jambes, se lever toutes les demi-heures ou bouger sur leur siège, elles ne se possèdent plus. Elles ont très peu dormi depuis leur départ de Montréal. Quand ce n'est pas l'hôtesse de l'air qui vient les déranger, c'est un enfant qui hurle à cause d'un mal d'oreille. Elles ont même eu droit il y a environ deux heures à une crise d'épilepsie d'un passager assis tout près d'elles. Le pauvre homme faisait pitié à voir, il était étendu dans l'allée, son corps se tordait dans tous les sens. Ce n'était apparemment pas la première crise qu'il faisait dans les airs. Jusqu'à ce qu'ils le sachent, les passagers compatissaient à sa condition, mais une fois qu'ils en ont été informés, la grogne a vite monté autour de lui. Être témoin d'une telle crise sur terre en traumatise plus d'un, mais dans un avion ça l'est doublement. On peut fermer les yeux et se boucher les oreilles, il n'en demeure pas moins que c'est le genre d'expérience qui met du temps à s'effacer.

— Je pense qu'on va commencer par aller dormir un peu avant d'aller voir Émilie, dit Mado. Je suis crevée.

Gertrude est épuisée, c'est indéniable, mais contrairement à Mado son visage ne le montre pas. C'est dans des moments comme celui-là que Mado constate que sa mère est encore beaucoup plus solide qu'elle n'y paraît. Elle marche peut-être moins vite qu'elle, mais elle a beaucoup d'endurance.

— Je suggère qu'on prenne un taxi jusqu'à l'hôtel, dit Gertrude. Je n'ai qu'une envie : dormir au plus vite.

Malgré les recommandations de l'agente de voyages, elles ont dormi aussi longtemps qu'elles en avaient besoin. Elles ont réservé une autre nuit et les voilà maintenant attablées au restaurant de l'hôtel devant un copieux repas.

— C'est vraiment très beau ici, dit Gertrude. Ton père aurait adoré l'architecture.

Il est très rare que Gertrude parle de son défunt mari. Ça lui faisait trop mal d'y penser pendant les mois qui ont suivi son décès. Elle en a perdu l'habitude avec le temps.

— Sûrement ! confirme Mado. Quand on aura fini de manger, on ira voir le concierge de l'hôtel pour qu'il nous réserve des billets pour le spectacle de ce soir, s'il reste encore des places. Sinon on se rendra là-bas pour attraper Émilie à sa sortie. J'ai vraiment hâte de voir sa réaction quand elle nous apercevra.

Elles ont leur première surprise quand le concierge leur apprend que Cavalia a annulé plusieurs spectacles.

— D'après ce que je sais, dit-il, les ventes n'étaient pas suffisamment importantes.

— Savez-vous si l'équipe est encore en ville ?

— Non, mais je peux m'informer, si vous voulez.

— J'apprécierais beaucoup, confirme Mado, on voulait faire une surprise à ma fille qui travaille pour Cavalia. On est venues de Montréal juste pour ça.

Le concierge les invite à s'asseoir au bar pendant qu'il va se renseigner. Il revient les voir une quinzaine de minutes plus tard.

— Apparemment, ils ont tous quitté la ville ce matin.

— Avez-vous une idée de leur destination ?

— Ils se produiront à Melbourne, qui se trouve à plus de 1 000 kilomètres de Sydney.

C'est bien mal connaître les femmes Côté que de croire que 1 000 kilomètres les empêcheront de voir leur princesse. Elles n'ont pas fait tout ce chemin pour rentrer au Québec bredouilles.

— Mais j'y pense, lance Mado, j'ai son adresse.

Elle sort un papier de son portefeuille et le tend au concierge.

— Vous êtes bien certaine que c'est la bonne ?

— Oui, j'en suis sûre ! répond Mado. En tout cas, c'est à cette adresse que je lui ai posté son cadeau de fête, il y a environ un mois. Est-ce que quelque chose ne va pas ?

— Une chose est sûre, ce n'est pas là que les gens de Cavalia habitaient pendant leur séjour. C'est dans le quartier le plus chic de Sydney. Ce n'est pas très loin d'ici, vous en avez pour cinq minutes en taxi.

Mado fronce les sourcils. Décidément, elle ne comprend plus rien et Gertrude pas davantage. Son anglais n'est pas aussi bon que celui de Mado, mais elle saisit quand même la conversation. Mado sort un billet et le tend au concierge, qui la remercie et lui dit qu'elle n'aura qu'à lui faire signe si elles ont besoin de quoi que ce soit.

— On devrait faire un saut à l'adresse qu'Émilie t'a donnée, suggère Gertrude. Après, il sera toujours temps de prendre les dispositions nécessaires pour la rejoindre à Melbourne.

— Tu as raison ! Je vais passer à la chambre enfiler un vêtement plus léger et on y va. As-tu besoin de quelque chose ?

— Tout ce que je veux, c'est trouver Émilie.

Mado aimerait rester calme, mais c'est au-dessus de ses forces. Son cœur bat à toute vitesse et elle ne peut s'empêcher de s'inquiéter. Elle a beau se dire qu'il n'est rien arrivé à Émilie, que c'est juste un malentendu et que le concierge s'est sûrement trompé... mais elle s'imagine le pire.

Assises dans le taxi, la mère et la fille se rendent vite compte que le concierge avait raison, elles viennent d'entrer dans un quartier très luxueux. Il faut voir les maisons toutes plus somptueuses les unes que les autres qui bordent la rue. Elles tentent d'estimer le prix de ces palaces, qui doivent valoir une petite fortune. Quand le véhicule s'arrête au numéro inscrit sur le papier de Mado, les deux femmes ne cachent pas leur admiration. Comme elles ne veulent pas courir le risque de retourner à l'hôtel à pied par cette chaleur, Mado demande au chauffeur de patienter quelques minutes devant la maison et suggère à Gertrude de l'attendre au frais dans le taxi. Mado sent la pression monter en elle, à chaque pas qui la rapproche de la porte d'entrée. Elle sonne et attend qu'on vienne lui répondre. Quelques secondes plus tard, un beau grand jeune homme aux cheveux blonds légèrement bouclés apparaît devant elle.

— Bonjour, madame, lui dit-il poliment, que puis-je faire pour vous ?

Mado fait un effort pour se calmer. Elle est tellement énervée qu'elle peine à trouver ses mots.

— Je cherche ma fille, Émilie Côté.

L'homme la regarde d'un drôle d'air. En fait, il serait plus juste de dire qu'il la détaille des pieds à la tête de manière plutôt impolie. Au fond, il essaie probablement de trouver des traits de ressemblance entre Émilie et la femme qui se trouve devant lui.

— Suivez-moi, ajoute-t-il, elle est sur le bord de la piscine avec mon père.

Des dizaines de questions se bousculent dans la tête de Mado. Qu'est-ce qu'Émilie peut bien faire ici ? Chez qui habite-t-elle ? Pourquoi n'a-t-elle pas suivi la troupe ? Et ça continue ainsi jusqu'à ce qu'elle aperçoive enfin sa fille étendue bien confortablement sur une chaise longue. Alors qu'elle s'approche d'elle, le jeune homme s'exclame d'une voix forte et enjouée :

— Émilie, j'ai une surprise pour toi.

Émilie lève la tête et regarde dans leur direction. Quand elle aperçoit sa mère, elle croit rêver. Elle se frotte les yeux et demande :

— Maman ? C'est bien toi ?

— Oui, ma princesse, je voulais te faire une surprise, mais j'avoue que tu m'as prise de vitesse. Viens ici que je te serre dans mes bras.

Émilie se retrouve collée à sa mère en un éclair. Il suffit de quelques secondes pour qu'elles se mettent toutes les deux à pleurer à chaudes larmes.

— Je ne suis pas seule, finit par dire Mado. Il y a quelqu'un dans le taxi qui nous a amenées ici qui aimerait te dire bonjour.

Émilie se demande bien avec qui sa mère est venue en Australie. Elle traverse la maison et l'allée en courant. Quand elle aperçoit sa grand-mère, elle crie si fort qu'on doit l'avoir entendue à des kilomètres à la ronde. Elle ouvre aussitôt la portière et tend la main à Gertrude pour l'aider à sortir. Elle lui réserve ensuite la même démonstration d'amour qu'à sa mère, elle pleure de joie sur l'épaule de sa grand-mère. Mado, qui l'a suivie, est témoin de la scène. Devant tant d'émotions, le chauffeur de taxi descend de son véhicule pour s'approcher de Mado et lui demande si elle veut toujours qu'il les attende. Émilie lui répond entre deux reniflements qu'il peut disposer.

— Je l'aurais bien payé, dit-elle, mais je n'ai pas d'argent sur moi.

Mado regarde sa fille et sourit. Elle ne connaît aucune femme qui a de l'argent sur elle quand elle est en bikini dans sa cour. Mado règle la course et se tourne vers sa fille.

— Il faut qu'on se parle, lance-t-elle, et le plus vite sera le mieux.

Émilie n'a pas besoin d'en entendre davantage pour savoir que sa mère ne la laissera pas tranquille tant et aussi longtemps qu'elle ne saura pas ce qui se passe ici. Émilie était tellement certaine que Mado ne viendrait pas la voir à Sydney qu'elle retardait de lui dire la vérité chaque fois qu'elle l'avait en communication sur Skype. Mais là, elle n'a plus le choix de faire face à la musique.

— Laissez-moi d'abord vous présenter aux deux hommes de la maison.

Une fois les présentations terminées, Émilie invite les femmes à la suivre dans la résidence où elles seront plus à l'aise pour discuter. La chaleur est tellement étouffante à l'extérieur qu'à moins d'être dans l'eau jusqu'au cou il vaut mieux rester au frais. Elle leur sert un grand verre de limonade bien froide et s'assoit avec elles. Elle les regarde ensuite en souriant.

— C'est toute une surprise que vous m'avez faite là. Je n'en reviens pas que vous soyez venues me voir en Australie. C'est vraiment super. Comment vont mes frères ?

— Parle-moi d'abord de toi, clame Mado d'une voix teintée d'autorité, et après je te donnerai des nouvelles de tout le monde. Je t'écoute.

Émilie regarde sa mère et sa grand-mère tour à tour. Elle n'a pas de quoi être fière. Elle a devant elle les deux femmes qu'elle aime le plus au monde et elle les a bernées. Elle respire bruyamment avant de se lancer.

— Vous n'aimerez pas ce que vous allez entendre : j'ai quitté Cavalia il y a plus de deux mois. Je pourrais trouver toutes les excuses du monde pour justifier mon geste, mais ça ne changerait rien. Disons simplement que j'en avais assez. J'habite dans cette maison depuis, mais ça c'est une autre histoire.

— Veux-tu bien me dire de quoi tu vis ? lui demande Mado.

Il y a des questions qu'on voudrait éviter à tout prix, surtout si elles viennent de notre mère. Émilie fronce les sourcils avant de reprendre la parole.

— Tu ne vas pas apprécier cette réponse non plus. Te souviens-tu de la voix d'homme que tu as entendue la dernière fois qu'on s'est parlé sur Skype ?

Mado confirme d'un hochement de la tête.

— Eh bien, c'était John.

Tout s'est passé si vite au moment où Émilie leur a présenté les deux hommes, que Mado et Gertrude essaient de se rappeler s'il s'agit du fils ou du père. Leur réaction n'échappe pas à Émilie.

— C'est le père, confesse-t-elle d'une voix à peine audible. Je sais qu'il est plus vieux que moi, mais je l'aime.

— Plus vieux ? s'écrie sa mère. Il pourrait facilement être ton père.

— Si tu veux savoir, *mom*, il a vingt-trois ans de plus que moi, mais je te le répète : je l'aime.

Si Mado n'était pas assise, elle sentirait le sol se dérober sous ses pieds. Les paroles d'Émilie tournent en boucle dans sa tête. Sa princesse est finalement tombée amoureuse. Elle espérait ce jour depuis longtemps, mais maintenant qu'il est arrivé elle est désespérée.

Silencieuse jusque-là, Gertrude juge que le temps est venu pour elle de se manifester. Elle dit à Émilie :

— Raconte-nous comment tu l'as connu.

Les yeux de la jeune femme s'illuminent comme deux diamants étincelants en plein soleil.

— Un soir, John est venu voir le spectacle avec des amis. L'un d'entre eux connaissait Pierre, le pianiste, et ils l'ont attendu pour le saluer. Comme il est toujours le dernier à sortir, je suis passée devant eux. Je ne sais pas trop comment expliquer ce qui s'est passé, c'était magique. Nos regards se sont croisés, on s'est retournés pour se suivre des yeux comme dans les films. Le lendemain soir, il est revenu voir le spectacle et m'a attendue. On ne s'est pas laissés depuis ce jour-là.

Gertrude a écouté sa petite-fille avec intérêt. Elle l'a aussi observée pendant qu'elle parlait. L'amour qu'Émilie porte à cet homme crève les yeux. Si John avait le même âge qu'elle, son histoire les aurait émues, Mado et elle. Au lieu de ça, elles sont sur leurs gardes comme si l'amour devait absolument entrer dans une petite boîte et avoir le même format pour tout le monde. Gertrude réfléchit quelques secondes et reprend la parole.

— Parle-nous un peu de lui.

— C'est un homme merveilleux. Je n'ai pas une grande expérience en amour, je n'ai eu que quatre relations sérieuses qui n'ont pas duré. Ce que je peux vous dire, c'est que John à lui seul regroupe tout ce que j'ai aimé chez chacun d'entre eux. On n'a pas besoin de se parler pour se comprendre. On est bien ensemble. À ses côtés, ma vie coule de source. C'est seulement dans le regard des autres que je vois l'âge qu'il a. John croit en moi et m'encourage à me dépasser.

Émilie se tourne vers sa mère.

— Tu te rappelles, je t'ai dit que j'allais suivre un cours de fabrication de chapeaux. Eh bien, je l'ai fait. Sans John, jamais je n'aurais pu m'offrir cette formation. Il est aussi très généreux.

À force d'entendre sa fille louanger son homme, Mado sent ses barrières tombées et se dit qu'il serait peut-être temps qu'elle s'intéresse un peu à ce John.

— Que fait-il dans la vie ?

— Il travaille dans l'immobilier. Il est spécialisé dans la vente des résidences de luxe, un peu comme celle qu'il habite. Mais je devrais plutôt dire qu'il travaillait dans l'immobilier, parce qu'il a pris quelques mois de congé pour qu'on passe plus de temps ensemble. Rassurez-vous, son équipe travaille pour lui, il a un gros bureau au centre-ville. Il a un seul fils, vous l'avez rencontré. Peter reste ici quand il vient à Sydney. Autrement, il travaille à Adélaïde. Je m'entends très bien avec lui. On est un peu comme frère et sœur.

Émilie regarde sa mère et sa grand-mère et ajoute :

— John est un homme d'une grande simplicité. Je ne sais pas quoi vous dire de plus.

Le silence tombe dans la pièce. Gertrude observe Émilie avec intensité. L'amour la rend encore plus belle, elle a pris beaucoup de maturité depuis la dernière fois qu'elle l'a vue. Gertrude n'a jamais vu cette flamme dans ses yeux auparavant. Elle lui sourit. Elle regarde ensuite Mado. Si elle connaissait la teneur des pensées de sa fille, elle tomberait en bas de sa chaise. C'est à peine si Mado a le souvenir du visage de John, mais les traits qu'elle se rappelle se superposent à ceux d'Alex. Elle se dit qu'elle n'a rien à reprocher à sa fille puisqu'elle voit un homme beaucoup plus jeune qu'elle. Elle se dit aussi que les choses seraient tellement plus simples, et plus normales, si Émilie était amoureuse d'Alex et elle de John. Mais les sentiments ne sont pas interchangeables. Émilie aime John comme jamais elle n'a aimé personne, pas même sa chatte Princesse qu'elle a été obligée de donner avant de partir avec Cavalia. Ce que Mado redoute, c'est qu'Émilie ne soit qu'une passade pour John. Par contre, la vie s'est chargée de lui apprendre que personne n'a de contrôle sur la durée des sentiments qu'on a pour quelqu'un. Un jour, on aime et le jour d'après, on regarde ailleurs. Un jour, on est aimé et un autre jour, on pleure en petite boule jusqu'à ce que la douleur finisse par s'estomper. Plus elle réfléchit, plus Mado sent ses épaules se relâcher. Elle n'a pas traversé la moitié du globe pour faire la tête à sa fille. Le moins qu'elle puisse faire, c'est donner une chance à John. Contre toute attente, elle se lève et va se placer derrière Émilie.

— Et si tu nous présentais John, dit Mado.

— Et Peter aussi, ajoute Gertrude.

La réaction d'Émilie ne se fait pas attendre. Elle se lève à son tour et se jette dans les bras de sa mère.

Il était près de minuit lorsque Émilie a ramené les deux femmes à leur hôtel. John a insisté pour qu'elles s'installent à la maison pour toute la durée de leur séjour. Mado n'était pas très chaude à l'idée au départ, mais Gertrude a vite tranché en disant dans un anglais approximatif qu'elles acceptaient avec plaisir. Mado lui a jeté un regard noir, qui n'a eu aucun effet sur Gertrude. Au contraire, ça l'a fait sourire.

Chapitre 14

John et Peter sont des hôtes et des guides exceptionnels, ils sont aux petits soins avec elles. Peter ne lâche pas Gertrude d'une semelle. Il veille non seulement sur elle, mais il s'assure aussi régulièrement qu'elle va bien et qu'elle n'est pas trop fatiguée. À la grande surprise de Mado, sa mère est plus endurante qu'elle-même ne l'est, elle semble supporter beaucoup mieux la chaleur. Alors que Mado cherche continuellement des zones d'ombre quand ils visitent des lieux, Gertrude se contente de caler son chapeau de paille un peu plus et avance d'un bon pas. Elle sourit constamment et, dès que Peter s'approche d'elle, elle sourit encore plus. Elle lui a dit à maintes reprises qu'elle voudrait bien être sa grand-mère, ce à quoi le jeune homme répond toujours :

— Trop tard, je vous ai déjà adoptée.

Mado et Gertrude auraient pu voir du pays si elles l'avaient souhaité, mais elles ont préféré visiter seulement Sydney et ses environs. Il était plus important pour elles de passer du temps avec Émilie que de voyager partout durant leur séjour. Elles ont été à même de constater qu'il n'y a pas qu'au Québec qu'il y a des éléphants blancs. John les a emmenées voir la Maison de l'opéra, construit sur une péninsule, visible de partout. Certes, le coup d'œil est magnifique, mais quand on connaît son coût, on commence à lui trouver des défauts. Préalablement estimé à 7 millions de dollars, le prix de la construction s'est élevé à plus de 102 millions. Quand elle l'a su, Mado s'est fait un malin plaisir à raconter la petite histoire d'horreur du Stade olympique. Et ils se sont relancés ainsi avec les pires projets de leur gouvernement respectif un bon moment. N'eût été de l'heure du souper qui approchait, qui sait combien de temps encore ils auraient continué sur cette lancée…

— Si on administrait notre argent comme le font nos gouvernements, a conclu John, il y a longtemps que nous aurions tous fait faillite.

Ils sont allés voir la mythique cathédrale Sainte-Marie, un magnifique bâtiment de style gothique. John a attendu qu'ils en ressortent pour leur avouer qu'en réalité c'était une arnaque et que sous ses airs de vieille cathédrale se cache une jeune première dont la construction a été terminée en 2000.

— C'est vraiment du beau travail ! s'est exclamée Mado. Je n'ai jamais vu quelque chose de neuf avoir l'air aussi vieux.

La veille, John les a emmenées en haut de la Sydney Tower pour y admirer le coucher de soleil. La vue était à couper le souffle ! Après, il les a conduites dans le quartier très branché de Darling Harbour, où ils se sont installés à une petite terrasse pour profiter de la soirée en dégustant un bon repas.

Mado a beaucoup discuté avec John pendant leur séjour. Elle doit avouer qu'il est aussi cultivé qu'intéressant. Elle a très vite oublié son âge et s'est mise à l'apprécier de plus en plus. Un soir, alors qu'elle était seule au salon avec lui, pendant qu'Émilie jouait aux cartes avec Peter et Gertrude, il s'est confié à elle.

— Je sais que ça peut paraître difficile à croire vu la différence d'âge, mais j'aime réellement Émilie. C'est une femme exceptionnelle et, maintenant que je vous ai rencontrée, je comprends beaucoup de choses. On a discuté des heures et on a pris le temps d'établir les points positifs et négatifs de notre relation. On a décidé de tenter notre chance ensemble. J'aimerais pouvoir vous dire que ça va durer toute la vie, mais même si c'est ce que je souhaite de toutes mes forces, je l'ignore encore. Pour le moment, Émilie m'a dit qu'elle ne voulait pas avoir d'enfant, mais nous aurons un gros problème le jour où elle changera d'idée parce que, pour moi, la paternité est désormais chose du passé. J'adore mon fils plus que tout, mais je n'ai aucune ambition de lui donner un petit frère ou une petite sœur. Je refuse même de donner la vie à un enfant avec qui je ne pourrais pas faire tout ce qu'un père se doit de faire. Vous savez comme moi qu'Émilie est bourrée de talents. Il est important pour moi que vous sachiez que je n'ai pas l'intention de les étouffer, bien au contraire. Je désire faire tout ce qui est en mon pouvoir pour qu'elle puisse se réaliser pleinement.

Ils ont discuté en buvant une bouteille de vin. Les propos que John a tenus ont fait s'envoler les dernières inquiétudes de Mado. Ils étaient en pleine conversation sur le réchauffement climatique planétaire et sur ce qu'essaient de faire croire les gouvernements pour tenter de faire oublier leurs trop nombreux faux pas quand les autres sont venus les rejoindre.

John a emmené les visiteuses en croisière pour leur dernière journée. Il faisait un temps magnifique, ce qui est somme toute habituel vu que le soleil brille en moyenne 300 jours par année à Sydney. À leur retour sur la terre ferme, ils ont fait un petit arrêt à la célèbre plage de Bondi, le temps de boire une chope de bière bien froide.

Mado et Gertrude ont préparé le souper d'adieu. Émilie a fait une demande spéciale à chacune d'elles : des cigares au chou à sa grand-mère et une tarte au sucre à la crème à sa mère. Tout le monde s'est régalé, le vin a coulé à flots, tellement que personne ne peut dire l'heure exacte à laquelle ils sont allés se coucher, pas même Gertrude.

***

Les adieux ont été très émouvants pour les femmes Côté. Même après deux heures de vol, Mado et Gertrude s'essuient encore les yeux et reniflent de temps en temps.

— Je te remercie du fond du cœur de m'avoir emmenée avec toi, dit Gertrude en posant sa main sur le bras de Mado. Je ne voudrais pas enlever du crédit à ton défunt père, mais de toute ma vie c'est le plus beau voyage que j'ai fait.

— C'est plutôt moi qui devrais te remercier. J'ai adoré voyager avec toi et j'espère vraiment qu'on remettra ça.

Même dans ses rêves les plus fous, Gertrude n'aurait jamais pensé qu'elle pourrait entendre ces paroles un jour. Au sens propre comme au sens figuré, elle flotte désormais sur un petit nuage.

— Tu n'as qu'à me dire à quelle heure on prend l'avion deux jours à l'avance et je suis partante, peu importe la destination. Je suis vraiment contente de mon voyage. J'étais très heureuse de passer du temps avec ma petite-fille, j'ai adoré John et, bien sûr, Peter. Émilie est heureuse avec eux, ça paraît. Tu devrais arrêter de t'en faire, elle est en de bonnes mains, notre princesse.

— Je sais.

Mado n'a soufflé mot à personne de l'existence d'Alex durant son voyage, mais là, probablement en raison des bons moments passés avec sa mère, elle ressent une envie irrésistible de tout lui raconter.

— Maman, je voudrais te parler de quelque chose.

Compte tenu de sa violente réaction lorsqu'elle a appris qu'Émilie sortait avec John, Mado se dit qu'elle doit s'attendre à une attitude semblable de la part de sa mère. Elle prend son courage à deux mains et plonge.

— Eh bien, le soir de mon souper de départ à la retraite, j'ai rencontré un homme. Il s'appelle Alexandre et a 19 ans de moins que moi. Je ne suis pas fière de moi, parce que je m'étais juré de ne plus jamais le revoir, mais va donc savoir pourquoi, j'ai eu quelques rechutes depuis. Je sais bien que ça n'a aucun sens et qu'il pourrait être mon fils, mais je suis bien avec lui comme jamais je ne l'ai été avec un homme auparavant. Il est...

Si seulement Mado relevait la tête pour regarder l'expression qu'a Gertrude à l'instant, elle arrêterait aussitôt de se justifier. Sa mère l'observe avec amour, un sourire sur les lèvres et, quand Mado arrive au bout de son plaidoyer, elle lui dit tout simplement :

— Je croirais entendre Émilie. Qu'est-ce que tu attends ?

— Pour quoi ?

— Mais pour être heureuse ! Je te l'ai déjà dit, ne te contente pas de regarder passer le train, saute dedans pendant que tu peux encore le faire.

Mado pose des yeux remplis de tendresse sur sa mère. Leur relation a tellement changé ces derniers temps qu'elle est émue.

Durant les nombreuses heures de vol du retour, Mado a raconté à sa mère tous les stratagèmes qu'André a inventés depuis qu'elle a pris sa retraite.

— Es-tu sérieuse ? demande Gertrude. Tu n'as qu'à lui dire que c'est fini.

— Après ce qu'il a fait, jamais je ne pourrai retourner avec lui. Mais ce n'est pas aussi simple. J'espère que je me trompe, mais j'ai l'impression qu'il ne me laissera pas partir aussi facilement. Je t'avoue que je commence à avoir un peu peur de sa réaction. Le nouvel André n'a rien pour me plaire.

Gertrude aimerait lui dire que tout se passera bien, mais après ce qu'elle vient d'entendre sur les frasques d'André elle est loin d'en être certaine. Elle ne peut s'empêcher de penser à sa nièce Diane qui a découvert des années après son mariage que son mari était schizophrène. Il était devenu tellement dangereux qu'elle a dû se sauver par une fenêtre au milieu de la nuit. Elle croyait avoir mis un terme à ses problèmes, mais au contraire ils commençaient à peine. La pauvre a dû déménager 12 fois en cinq ans pour échapper à son bourreau. L'homme criait sur tous les toits qu'il allait lui faire la peau quand il mettrait la main dessus. Elle déposait constamment des plaintes à la police, mais les systèmes judiciaire et médical étant ce qu'ils sont, son ex-mari parvenait toujours à recouvrer sa liberté dans les heures qui suivaient son arrestation. Diane était désespérée. En plus d'être sans le sou, elle devait se terrer au fond des bois pour rester en vie. Elle vit toujours avec la peur au ventre, même après dix longues années. Si par malheur elle le croise, elle prend ses jambes à son cou et se dépêche de disparaître de sa vue. Heureusement, André ne souffre pas de la même maladie. Cependant, sa dépendance affective envers Mado n'est pas tellement plus rassurante.

— Jamais je ne croirai qu'il va s'entêter, la rassure Gertrude, André est un homme intelligent.

— J'envie ton optimisme, réplique Mado.

— En attendant que tu viennes me présenter Alex, je prendrais bien un whisky, dit Gertrude pour détendre l'atmosphère.

— Et moi un rhum sur glace !

***

Jimmy était là au moment où elles ont passé la douane et il s'est approché d'elles aussitôt qu'il les a aperçues. Il les a embrassées chaleureusement et il a tout de suite pris le contrôle du chariot sur lequel Mado avait posé leurs valises.

— Comment va ma sœur ? leur demande-t-il.

— Très bien, répond promptement Mado. Elle est amoureuse par-dessus la tête.

— Tu parles de John ?

— Tu étais au courant… Tu ne penses pas que tu aurais dû m'en parler ?

— Tu sauras que je suis comme une tombe quand quelqu'un me confie un secret.

Puis, sur un ton suffisamment bas pour que sa mère soit la seule à l'entendre, il ajoute :

— La preuve, je n'ai parlé à personne de ton fond d'écran de cellulaire.

Même si Gertrude connaît désormais l'existence d'Alex, Mado n'a pas l'intention de s'étendre sur le sujet. C'est pourquoi elle se dépêche de demander à Jimmy comment il va.

— À part le fait que je ne sais plus où donner de la tête, ça ne pourrait aller mieux. Ah oui, avant que j'oublie, on a trouvé un associé.

Si l'objectif de Jimmy était de déstabiliser sa mère, il a réussi. Elle ne trouve pas très habile de sa part de lui apprendre une nouvelle aussi importante au beau milieu d'un stationnement. Surtout qu'elle lui avait offert son aide avant de partir en voyage et qu'il devait lui donner sa réponse à son retour. Elle respire à fond, ce n'est ni le moment ni l'endroit pour faire une scène. Aussi, elle ne doit pas oublier que Jimmy et Louis pouvaient choisir avec qui ils voulaient s'associer, et ce, au risque de la froisser.

Jimmy voit bien que l'attitude de sa mère a changé, il tente difficilement de ne pas sourire.

— Tu ne veux pas savoir son nom ?

— Il n'y a pas d'urgence, répond Mado.

Il s'en faut de peu pour qu'il éclate de rire. Il constate une fois de plus qu'il ne tient pas son mauvais caractère des voisins. Il pourrait la mener en bateau encore longtemps, mais il trouve qu'elle fait pitié à voir.

— Elle s'appelle Mado Côté.

Gertrude comprend aussitôt ce que Jimmy vient de dire, mais Mado met quelques secondes à saisir que c'est elle dont il est question.

— Félicitations, ma fille! s'exclame-t-elle.

Puis elle ajoute à l'adresse de son petit-fils:

— Tu viendras me voir, je ne veux pas m'associer, mais je pourrais te donner un petit montant pour t'encourager.

C'est à ce moment que Mado réalise enfin que Jimmy et Louis ont accepté son offre. Elle saute aussitôt au cou de son fils et l'embrasse sur les joues.

— Je vous garantis que vous ne le regretterez pas, lance-t-elle joyeusement.

— J'y compte bien, réplique-t-il sur-le-champ, je ne sais pas si tu te rends compte, mais ça prend un sacré courage pour accepter de travailler avec sa mère. J'espère que tu as eu le temps de te reposer parce que nous avons une réunion chez moi demain matin à 8 heures.

Jimmy et Louis ont fait exprès de placer la réunion aussi tôt. Ils se sont dit que l'occasion était parfaite pour mettre leur nouvelle associée à l'épreuve. Comme le dit souvent Louis à ses étudiants: l'avenir appartient à ceux qui se lèvent tôt, et ceux qui se lèvent tard échouent tôt ou tard!

— Tant qu'à y être, vous auriez dû la mettre à 7 heures ! blague Mado. J'y serais allée avec deux grands cafés, mais j'aurais été là.

— Tu auras tout le reste de ta vie pour récupérer du décalage horaire, raille Gertrude. Le moins qu'on puisse dire, c'est que tu n'auras pas eu le temps de prendre des mauvais plis pendant ta retraite.

— Mais je ne travaillerai que deux jours par semaine, se défend Mado.

— Tu penses vraiment que je vais te croire ? Permets-moi d'en douter, je te connais assez bien pour savoir comment tout ça va se terminer.

Chapitre 15

Comme elle avait laissé son cellulaire chez elle afin de se couper de son quotidien, Mado prend ses messages dès qu'elle rentre dans le condo. À lui seul, André lui a envoyé pas moins de 15 textos en seulement deux jours. Le dernier message disait qu'elle aurait pu l'avertir de son intention de partir, ce qui fait supposer à Mado qu'il a probablement demandé des nouvelles à Mathieu ou Monique. Il savait sûrement quand elle devait atterrir parce qu'il est revenu à la charge il y a moins d'une heure. Mado ne fait ni une ni deux et elle les supprime tous après les avoir lus mais seulement en diagonale.

Appelle-moi!

Tu me manques!

Il faut absolument que je te voie!

C'est trop long!

J'ai hâte que cette maudite pause finisse!

Tu dois sûrement être rentrée maintenant.

Elle vient à peine de revenir et elle en a déjà plus qu'assez de lui et de tous ses enfantillages. Elle n'arrive pas à comprendre comment un homme peut se comporter d'une telle façon. En tout cas, une chose est certaine, ça ne peut pas continuer, elle n'en peut tout simplement plus! Elle va prendre le temps de revenir et elle va lui donner son bleu. Lorsque ce sera fait, elle se mettra à prier à genoux s'il le faut pour qu'il lui foute la paix.

Un message de Claire attire son attention:

Avec quelle agence as-tu fait affaire? Je suis prête à payer 2 000 $ moi aussi.

Mado saisit aussitôt les propos de son amie, ce qui ne l'enchante pas du tout. Elle se demande, quelques secondes, comment Claire peut être au courant pour l'escapade au chalet avec Alex. Elle obtient très vite la réponse en lisant un texto envoyé par Monique il y a trois jours.

Désolée, je me suis encore échappée. Claire est au courant pour les 2 000 $.

Si elle ne rentrait pas tout juste de vacances, Mado sauterait sur le téléphone et ne se gênerait pas pour sermonner Monique. On ne peut plus se fier à personne de nos jours, à tout le moins pas à une amie comme Monique. La vie lui démontre une fois de plus que le secret entre femmes est ni plus ni moins qu'un leurre. Elles commencent toutes par jurer de ne jamais rien dire à qui que ce soit et qu'elles garderont le silence même sous la torture. Puis, elles le disent à une autre en lui faisant promettre à son tour de tenir sa langue et ainsi de suite. En deux temps trois mouvements, le secret se transforme en fait divers comme ceux qu'on peut lire sur les réseaux sociaux. Mado pourrait en vouloir à Monique, mais pour ce que cela changerait... de toute façon, le mal est fait. Mais elle se promet bien à compter de maintenant de garder pour elle tout ce qu'elle ne veut pas qui se sache, ce n'est qu'ainsi qu'elle pourra éviter les fuites comme celle-ci.

Élise et Ginette lui ont envoyé chacune un texto. Le premier est un message de détresse :

Pitié, je n'en peux plus ! Mon Dieu, faites qu'il sorte de ma vie.

Mado pourrait prendre Élise en pitié, mais elle a déjà donné de ce côté. La pauvre leur casse les oreilles depuis trop longtemps avec son cher mari sans rien faire pour s'en sortir, du moins à leurs yeux. Ses amies lui ont toutes dit à maintes reprises qu'elle était la seule à pouvoir changer quelque chose à sa vie. Tant et aussi longtemps qu'Élise refuse de demander le divorce, c'est bien dommage mais tout ce qu'elle peut faire c'est continuer de souffrir.

Le deuxième, quant à lui, est rempli d'espoir :

Yé ! Il est parti pour une semaine ! Le pire, là-dedans, c'est que je l'aime. Mais pourquoi a-t-il fallu qu'il prenne sa maudite retraite si tôt ?

Mado sourit. Ginette ne lui inspire pas plus de pitié qu'Élise. Elle pourrait améliorer son sort juste en sortant son bureau de la maison, mais elle s'entête à rester là sous prétexte qu'elle perdrait beaucoup trop d'argent si elle louait un local. Mado ne veut pas prendre la défense de son *chum*, mais depuis qu'il est à la retraite le pauvre n'a plus sa place à la maison. Dès que Ginette travaille via la maison, ce qui arrive tout de même assez fréquemment, c'est à peine s'il peut respirer sans qu'elle le lui reproche. Il a beau être un homme du genre réservé, il y a tout de même des limites à marcher sur la pointe des pieds et à se faire discret. Quand Ginette est au téléphone, le moindre petit bruit la déconcentre et elle ne se gêne pas pour le lui faire remarquer.

Compte tenu que les messages de ses amies datent tous de plusieurs jours, Mado décide d'attendre au lendemain pour les appeler. Et il en sera de même pour André.

Elle a souvent pensé à Alex pendant ses vacances à l'autre bout du monde. Elle n'est pas encore prête à dire qu'il lui a manqué, ce qui impliquerait beaucoup trop de choses pour le moment, mais elle aurait adoré partager quelques moments avec lui lors de ce séjour. Elle aurait entre autres aimé faire de longues balades en moto sur le bord de la mer bien collée contre lui, admirer les couchers de soleil qui se reflètent sur l'océan, boire un verre dans ces petits bars tous plus charmants les uns que les autres, lui présenter sa fille, John et Peter. Et sa mère aussi, qu'elle redécouvre depuis quelques semaines. Plus le temps s'écoule, plus son envie de le voir monte en elle. Elle sélectionne son numéro de téléphone dans sa liste de contacts et commence à lui écrire un message texte. Elle l'efface après seulement quelques lettres et compose son numéro. C'est bien beau, les textos, mais rien ne vaut une bonne conversation de vive voix. Elle a malheureusement droit à sa boîte vocale.

— Salut, Alex, c'est Mado. Je viens de revenir de voyage et je me demandais si tu étais libre ce soir. Rappelle-moi.

Et elle raccroche. Elle fait rouler sa valise jusque dans sa chambre, la dépose sur son lit et commence à la vider en attendant qu'il la rappelle. C'est la même chose chaque fois qu'elle rentre de voyage. La majorité de son contenu se retrouve dans le panier à linge et elle la range ensuite à sa place. Prise d'une faim soudaine, Mado file à la cuisine et ouvre le garde-manger. Il lui suffit de quelques secondes pour évaluer le contenu de toutes les tablettes et elle referme la porte. Elle n'a rien trouvé d'inspirant dans cette armoire. Elle s'attaque ensuite au réfrigérateur mais, étant donné qu'elle l'a vidé avant de partir, elle ne déniche rien d'intéressant là non plus. Il ne lui reste plus que le congélateur comme dernier espoir. Elle prend le temps d'examiner les quelques plats cuisinés qui y sont empilés et repère une coquille de fruits de mer. Elle la prend et referme la porte du congélateur ; ça fera l'affaire, dans les circonstances. La sonnerie de son cellulaire retentit au moment où elle enfourne son repas. Elle se dit une fois de plus qu'elle devrait la changer. Un large sourire illumine son visage lorsqu'elle constate que c'est Alex. Et si elle pouvait voir celui d'Alex, elle se rendrait compte que c'est pareil de son côté. Mado prend vite de ses nouvelles aussitôt les salutations d'usage passées.

— Je vais très bien ! J'ai recommencé à travailler il y a environ une semaine. Imagine-toi que mon ancien patron m'a rappelé et, la bonne nouvelle, c'est que je vais travailler seulement un samedi sur deux à l'avenir. J'ai même eu une augmentation de salaire que je n'avais pas demandée !

— Tant mieux ! Je sais que je suis à la dernière minute, mais es-tu libre ce soir ?

— Je travaille jusqu'à 21 heures, mais je suis tout à toi après. Veux-tu que j'aille te rejoindre chez toi ?

— Oui ! Alex ? J'ai vraiment hâte de te voir.

Compte tenu qu'elle a du temps devant elle avant que son plat soit prêt, Mado compose le numéro de Mathieu. À moins qu'il y ait eu des changements de dernière minute, il était retourné à Fermont depuis le surlendemain de son départ pour l'Australie, mais elle prendra de ses nouvelles auprès de sa belle-fille. Comme Mado s'en doutait, Martine ne s'attarde pas plus longtemps qu'il faut sur son voyage et elle lui donne ensuite des nouvelles de toute la maisonnée.

— Mathieu va bien, on s'est parlés hier soir. Il m'a affirmé que ses bras le font encore souffrir, mais moins qu'au dernier voyage. Les enfants sont en grande forme, comme d'habitude. Laura a eu un très beau bulletin, dont elle était fière, et Olivier, lui, s'ennuie de plus en plus de sa sœur quand elle est à l'école. Tu devrais le voir, il la surveille à la fenêtre matin et soir quand elle monte ou descend de l'autobus.

— Dis-leur que je me suis ennuyée d'eux et qu'il me tarde de les voir. Dis-leur aussi que je leur ai rapporté des cadeaux et que tante Émilie leur a envoyé à chacun un kangourou. Et toi, comment vas-tu ?

— À part le fait que je suis de plus en plus grosse, ça va. J'avoue que cette fois j'ai hâte d'accoucher, et que c'est probablement la dernière grossesse.

Quelques secondes plus tard, Mado raccroche. Il lui arrive à l'occasion d'avoir des échanges plus élaborés avec sa belle-fille, mais encore faut-il que Martine les initie. Quand elle a commencé à sortir avec Mathieu, elle lui avait dit après sa première rencontre avec Mado qu'elle ne l'aimait pas tellement sous prétexte qu'elle était trop vivante et trop expressive. Comme Mathieu s'était cru obligé de le dire à sa mère, on peut comprendre que Martine a fait son entrée dans la famille avec toute une prise. Bien que Mado s'était toujours mis un point d'honneur à faire ce qu'il fallait pour entretenir de bonnes relations avec les blondes de ses fils, eh bien ce jour-là elle avait déposé les armes en ce qui concerne Martine. Même lorsqu'elle est devenue officiellement sa belle-fille et qu'elle lui a donné ses petits-enfants, sa relation avec elle n'a pas changé pour autant. Mado lui reconnaît de belles qualités mais elle ne perd plus son temps à tenter de s'investir avec elle. En réalité, Mado la voit seulement quand l'occasion se présente. Il y a longtemps qu'elle s'est faite à l'idée que jamais elle n'ira magasiner avec elle, qu'elle ne l'invitera pas non plus au restaurant pour un repas en tête à tête et qu'elle ne lui proposera surtout pas d'aller passer une semaine au chalet avec elle. Martine fait partie de la vie de Mado au même titre que sa voisine de palier. Avec le temps, elle a accepté la situation.

Mado repense à son voyage à Sydney et se dit qu'elle n'aurait vraiment pas pu souhaiter mieux. Une fois l'effet de surprise dissipé, tout a été comme un rêve qui a passé bien trop vite. Elle s'ennuyait énormément de sa fille, et les deux semaines qu'elle a passées en sa compagnie lui ont fait beaucoup de bien. Mado a eu un peu de mal à saisir pourquoi Émilie avait quitté Cavalia alors qu'elle tenait tant à travailler pour la troupe. Pour Mado, c'était l'emploi rêvé. Mais comme Émilie lui a dit, c'est plus beau lorsqu'on profite du spectacle que lorsqu'on est sur scène ou qu'on tire les ficelles dans les coulisses.

— C'est une expérience unique, mais je peux te dire que ce n'est gratuit pour personne, même les chevaux paient le gros prix.

Émilie lui a parlé longuement des avantages et des inconvénients de son ancien travail. Elle racontait entre autres que leur salaire reste toujours le même, peu importe le coût de la vie du pays dans lequel ils se produisent. Comme il n'est pas très élevé pour le nombre d'heures exigées, les artistes et artisans doivent compter le moindre sou gagné s'ils veulent visiter les lieux. Émilie lui a dit qu'elle n'avait pas réussi à mettre un seul dollar de côté en travaillant pour Cavalia. Et pourtant, elle a toujours été une vraie pro de l'économie. Elle parvenait à le faire même lorsqu'elle était au cégep et ne travaillait que quelques heures par semaine.

— C'est encore pire pour les musiciens qui sont payés seulement lorsqu'il y a des spectacles. J'ai parfois l'impression que les gens pensent que les artistes vivent de l'air du temps. Pourtant, quand on va à l'épicerie, on paie le même prix que tout le monde. Et contrairement à ce que plusieurs croient, on n'est pas logés dans des palaces. J'ai vraiment adoré mon expérience, mais je n'en pouvais plus de constamment vivre dans mes valises. Je suis prête à passer à autre chose maintenant.

Émilie lui a confirmé que John n'avait rien à voir avec sa décision, qu'elle l'avait déjà prise avant de le rencontrer.

— Si tu veux, tu n'as qu'à appeler Maryse et elle te le dira.

— Ce ne sera pas nécessaire, tu as toute ma confiance et tu le sais très bien.

Seulement, au lieu de prendre l'avion pour rentrer au Québec et retrouver les siens, Émilie avait décidé de rester à Sydney. Elle n'a pas travaillé depuis la fin de son contrat avec Cavalia, mais les vacances ne dureront pas, et ce, même si John a insisté pour qu'elle prenne son temps. Lorsqu'elle a terminé son cours de fabrication de chapeaux, elle a proposé à John de travailler avec lui. Elle l'a accompagné chez plusieurs clients potentiels et, chaque fois qu'ils sortaient de la maison, elle se faisait la même réflexion. C'est ainsi qu'elle a fini par lui parler de son idée.

— Je pourrais retoucher un peu les maisons que tu vends pour les rendre plus belles, plus attrayantes et, du coup, ça augmenterait leur valeur. Et sûrement ton profit par la même occasion !

Émilie lui a ensuite expliqué en détail de quelle façon elle comptait s'y prendre pour y arriver. John a tout de suite été emballé par son idée. Les propriétés de prestige qu'il vend ont beau avoir appartenu à des gens riches, plusieurs ont gardé les traces d'un manque flagrant d'amour au fil des années. Il faut voir à quel point certaines ont un intérieur tellement vieillot qu'on dirait qu'elles ne sont plus habitées depuis belle lurette, alors que ce n'est pas le cas.

— Aujourd'hui, a poursuivi Émilie, les gens veulent acheter des propriétés clé en main. Parfois, un peu de peinture, un nouveau papier peint, des tentures au goût du jour et quelques boiseries suffisent à donner un réel coup de jeunesse. Crois-moi, tu ne pourras qu'en sortir gagnant, fais-moi confiance.

Il n'en fallait pas plus pour convaincre John. Il a dit à Émilie qu'il allait lui donner la chance de faire ses preuves sur une des propriétés qu'il a à vendre et que, si le résultat était concluant, il l'embaucherait pour retoucher toutes les maisons que son bureau doit vendre. Inutile de dire qu'Émilie était folle de joie à cette idée.

— Loin de moi l'intention d'atténuer ton exubérance, lui a dit John, mais je ne voudrais surtout pas non plus que tu croies que je te fais un cadeau. Tu tiens ton avenir entre tes mains et c'est à toi de me montrer, ainsi qu'à mes agents, de quoi tu es capable. Je m'attends à recevoir un plan des travaux que tu veux faire, une estimation des coûts et une date de livraison avant que chaque projet débute.

Comme Émilie l'a expliqué à sa mère et à sa grand-mère, c'est un défi de taille pour elle. Elle n'a pas une formation en *design* d'intérieur. Mais il y a suffisamment de points communs avec les décors de scène pour qu'elle soit certaine de réussir. La seule chose avec laquelle elle risque d'avoir de la difficulté, c'est en ce qui concerne le coût des travaux. Elle est tellement habituée à faire des miracles avec des riens qu'elle va devoir s'ajuster à sa nouvelle réalité. John a été très clair là-dessus, le prix a peu d'importance si l'investissement en vaut le coup.

— Il y a toujours quelqu'un prêt à payer ce que ça vaut.

Émilie a demandé à sa mère si elle pouvait lui envoyer ses plans avant de les soumettre à John. Naturellement, Mado a tout de suite accepté. Elle n'est ni comptable, ni architecte, ni décoratrice, mais elle a suffisamment de jugement pour donner son avis. Et le seul fait de savoir qu'elle participera, même de l'autre bout de la terre, à l'avenir de sa fille la ravit. Décidément, l'arrivée de John dans la vie d'Émilie amène son lot de points positifs.

Mado et Gertrude ont tellement été choyées par le père et le fils qu'elles se demandent bien comment elles pourront leur rendre la pareille le jour où ils viendront au pays. Ce n'est probablement pas pour demain, mais ils ont clairement énoncé leur envie de venir leur rendre visite. Émilie a pouffé de rire lorsque les deux femmes lui ont fait part de leur crainte de ne pas être à la hauteur.

— Arrêtez de vous inquiéter pour rien. On s'installera au chalet et, croyez-moi, je suis certaine qu'ils adoreront ça. Je leur ai suggéré d'y aller pendant l'hiver. Ils pourraient faire de la motoneige, de la raquette, du ski de fond, pêcher sur la glace… N'oubliez pas qu'ils ont les pieds dans le sable à longueur d'année. Notre hiver n'a pas son pareil et c'est ce que je voudrais leur montrer.

— Il leur faudra des vêtements chauds, s'est inquiétée Gertrude.

— Ne t'en fais pas avec ça, grand-maman. Ils sont déjà équipés pour l'hiver. Ils font du ski chaque année. Si par hasard ils n'ont pas tout, ils n'auront qu'à l'acheter.

Une des choses que Mado a apprécié plus que tout de ce voyage, c'est la compagnie de sa mère. Honnêtement, elle ignorait dans quelle galère elle s'embarquait. Après tout, la nouvelle Gertrude venait à peine de faire son apparition. Mado savait que sa mère pouvait être sociable, mais elle avait oublié à quel point. Il fallait la voir à l'œuvre avec John et Peter. Elle souriait tout le temps et ne s'est pas plainte une seule fois de tout le voyage. On aurait dit qu'elle avait laissé tous ses petits malaises au Québec. Mado lui en a glissé un mot pendant le vol de retour.

— Une chose est certaine, rester enfermée dans ton appartement ne t'aidera pas à aller mieux.

— Je le sais bien, a répliqué Gertrude, mais je ne peux quand même pas passer ma vie à voyager. Et il est hors de question que je m'inscrive dans une ligue de jeu de poches ou quelque chose du genre.

— Mais il y a un tas d'autres choses que tu peux faire. Si tu veux, on regardera ça ensemble cette semaine.

Plus le temps passe, plus Mado a hâte de revoir Alex. On dirait que toutes les cellules de son cerveau ne pensent plus qu'à lui. Elle se sent aussi fébrile que s'il s'agissait d'un premier rendez-vous. Il lui tarde de se jeter dans ses bras et de s'abandonner totalement à lui. Voilà déjà une heure qu'elle tourne en rond dans son appartement. Elle a allumé la télévision et fait beaucoup d'efforts pour comprendre le but du jeu qu'elle regarde. Lorsque la sonnerie de la porte se fait enfin entendre, elle se lève d'un bond et court ouvrir comme une enfant le soir de Noël. Alex lui sourit, une rose rouge à la main. Elle ressent à cette seconde précise une sensation complètement nouvelle qu'elle serait incapable de nommer. Elle lui tend la main et le tire jusqu'à elle. Les bras d'Alex se referment aussitôt sur sa taille. La tête appuyée sur son épaule, Mado profite au maximum de ce moment de pur bonheur.

— C'est fou ce que tu m'as manquée, susurre Alex en lui mordillant le lobe de l'oreille.

Pour une fois, Mado ne censure pas ses paroles.

— Je commençais à croire que tu n'arriverais jamais. Tu ne peux même pas t'imaginer le nombre de fois que j'ai pensé à toi ces deux dernières semaines.

Alex est comblé. Il ne lui en veut pas de ne pas l'avoir averti qu'elle partait, parce qu'après tout elle ne lui doit rien. Mais il était content que Monique ait décidé de l'aviser de son départ. Son appel d'à peine une minute lui a évité des jours et des jours de torture inutile.

Sous l'effet de la passion, Mado claque la porte derrière lui et la verrouille à double tour. Elle ne veut pas courir le risque de se faire déranger alors qu'Alex et elle ont beaucoup de temps à rattraper. Elle se poste ensuite devant lui et ils se dévorent des yeux jusqu'à ce qu'ils n'en puissent plus et se sautent littéralement dessus. Ils s'embrassent et s'ensuit une danse passionnée qui n'a de fin que lorsque, complètement épuisés, ils sombrent dans un sommeil profond et paisible.

Chapitre 16

Mado n'est pas en retard à sa réunion, mais elle n'est pas en avance pour autant. Elle a pris soin de s'arrêter acheter deux grands cafés, comme prévu. Ce que Jimmy et Louis ignorent, c'est que le décalage horaire n'a rien à voir avec l'air qu'elle a ce matin. Elle serait volontiers restée couchée quelques heures de plus, mais tant qu'à être debout, aussi bien être tout à fait réveillée. Les gorgées de café se succèdent à la vitesse de l'éclair. Elle écoute comment les deux hommes voient leur association avec elle et est ravie de constater qu'ils souhaitent tous les trois la même chose.

— Vous êtes conscients que, contrairement à vous, je n'ai pas fait d'études en marketing.

— Je suis au courant, dit Louis, Jimmy m'a parlé de votre expérience de travail et, croyez-moi, les études ne garantissent en rien la qualité d'un candidat, à moins bien sûr de travailler en sciences. En gros, le marketing concerne la rencontre des besoins et des désirs des clients. Je vous ai imprimé un diagramme qui récapitule les éléments clés. On ne s'attend pas à ce que vous pilotiez seule des mandats dans l'immédiat. Notre but est de vous faire aimer ce qui nous motive à nous lever tous les matins, Jimmy et moi, de vous transmettre un peu de notre passion au passage et de nos connaissances sans que vous soyez obligée de passer trois ans à l'université.

Mado est flattée par leur confiance, mais il reste qu'elle ignore totalement dans quoi elle s'embarque. Une fois de plus, elle se dit qu'elle aurait peut-être dû y réfléchir à deux fois avant de se lancer à corps perdu dans cette nouvelle aventure. Il sera toujours temps de se retirer dans le cas où ça ne marcherait pas.

— Est-ce qu'on pourrait se tutoyer ? lui demande Mado.

Louis acquiesce avec joie. Le passage du vouvoiement au tutoiement enlève un peu de pression sur les épaules de Mado. Malgré la peur qui lui tiraille l'estomac, elle adore la tournure que prennent les événements. Ils discutent allègrement jusqu'à l'heure du dîner sans même prendre une pause. Elle constate très vite qu'ils n'ont pas chômé depuis qu'elle leur a fait part de son intérêt de travailler avec eux. Ils prennent plusieurs décisions et évaluent le coût de chacune d'elles du mieux qu'ils le peuvent. Ils conviennent de se revoir le lendemain matin à la même heure, sauf que cette fois ils se réuniront chez Mado. D'ici là, ils retournent chacun chez eux avec une liste de choses à faire qui comprend beaucoup plus d'éléments que le nombre d'heures dont ils disposent jusqu'à leur prochaine rencontre.

***

Comme elle était sans nouvelles de Mado, Claire revient à la charge en lui téléphonant au moment où Mado attrape ses clés et son sac à main. Elle est pressée parce que son bel Alex l'attend pour manger.

Claire demande si elle a bien reçu son texto.

— Alors ?

— Alors rien, répond Mado d'un ton irrité. J'ignore comment tu as pu penser que j'avais fait affaire avec une agence. Jamais je n'aurais osé faire ça.

— Mais je ne suis pas folle, Monique m'a dit que tu avais payé 2 000 $ pour une fin de semaine.

La moutarde commence sérieusement à monter au nez de Mado. Si elle avait Monique devant elle à cet instant précis, elle lui tomberait dessus.

— J'en connais une à qui je ne suis pas prête de refaire des confidences. Tu sais très bien que ça m'embête d'étaler ma vie privée comme ça.

— Voyons, Mado, plaide Claire, depuis le temps qu'on est amies, on ne va quand même pas s'enfarger dans les fleurs du tapis.

Mado fait des efforts surhumains pour ne pas réagir trop violemment. Elle pourrait refuser de parler, mai ça n'effacerait pas ce que Claire sait à propos d'Alex et elle.

— Écoute-moi bien ! Je n'ai pas fait affaire avec une agence d'escortes ou de quoi que ce soit de ce genre. Comme je vous l'ai dit, j'ai rencontré Alex par pur hasard le soir de mon souper de départ à la retraite. Il était avec le mari de l'une de mes anciennes collègues de travail. Et, oui, je lui ai donné 2000$ parce qu'il risquait de perdre son emploi s'il passait la fin de semaine avec moi. Et il l'a effectivement perdu.

— Wow ! s'exclame Claire. À ce que je vois, il n'y a pas une grande différence entre les mots et les chiffres, à l'un comme à l'autre on peut leur faire dire ce qu'on veut. J'admire ta pureté d'esprit, mais dans mon livre à moi tu l'as payé pour qu'il passe la fin de semaine avec toi, un point c'est tout.

— Je t'interdis de dire ça.

Claire ne l'entend pas ainsi. À la limite, elle trouve plutôt ridicule que Mado se défende comme une collégienne de ce qu'elle a fait.

— Il faut appeler un chat un chat. Ce n'est pas le montant que tu as versé qui est le plus important, c'est le geste que tu as posé. De toute façon, comme je te l'ai écrit, je suis prête à payer.

Plus elle discute avec Claire, plus Mado désespère de mettre un terme à cette conversation qu'elle trouve de plus en plus difficile à gérer.

— Qu'est-ce que tu attends de moi, à la fin ?

— C'est pourtant simple ! Je veux bien croire que tu n'es pas passée par une agence, mais ton Alex a sûrement un ami qui serait intéressé de gagner un peu d'argent facilement. Ce n'est pourtant pas compliqué, tu n'as qu'à lui poser la question. C'est tout ce que j'attends de toi.

Mado est outrée par ce que Claire vient de lui demander. Comment peut-elle seulement penser qu'elle va faire une telle chose ? Mado a beaucoup trop de respect pour Alex pour lui dire que ses amies le prennent pour un gigolo. Elle ignore encore où s'en va leur histoire, mais elle n'a pas envie de tout risquer pour satisfaire les caprices de Claire.

— Il est hors de question que je fasse ça, objecte Mado.

— Es-tu en train de me dire que tu es tombée sous le charme de ton jeunot ?

— Écoute, argumente vivement Mado, je dois te laisser. Je suis déjà en retard à mon rendez-vous.

Claire n'est pas du genre à se laisser démonter par le premier obstacle. Comme on dit, quand elle a quelque chose dans la tête, elle ne l'a pas dans les pieds.

— Je vais t'envoyer une photo récente de moi. De cette manière, tu auras tout ce qu'il faut en mains si jamais ton Alex trouve un ami qui accepte de me rencontrer. Je t'autorise même à lui donner mon numéro de cellulaire.

— Ne compte pas sur moi pour te trouver un gigolo. Internet déborde d'agences qui servent précisément à ça. Tu pourras même choisir celui que tu veux. Moi, je refuse de m'associer à tes magouilles.

— Mais voyons, qu'est-ce qui te prend, Mado? Il n'y a pas de quoi te mettre dans cet état. Je ne te demande pourtant pas la mer à boire, je veux juste que tu poses la question à Alex la prochaine fois que tu le verras.

La boutade de Claire n'a pas échappé à Mado, elle l'irrite tellement que ses poils se dressent sur ses bras. Si elle continue cette discussion, elle sent qu'elle va finir par dire des bêtises.

— Bon, je te laisse.

Mado sort de son appartement en coup de vent. Franchement, il n'y a que Claire pour penser qu'elle peut l'aider sur un tel coup. Voir si Mado servira d'entremetteuse entre elle et sa prochaine proie. Elle peut bien rêver, mais elle devra se trouver une autre personne pour combler ses envies de *cougar* inassouvie.

Ce n'est pas la première fois que Mado s'arrête devant l'immeuble où habite Alex, mais ce sera la première fois qu'elle y entrera par exemple. Au premier coup d'œil, c'est un bloc d'apparence convenable, sans aucun luxe. Ce n'est un secret pour personne, ce quartier est reconnu pour en être un populaire. Ici, il n'y a aucune fioriture aux édifices. Tous sans exception sont à leur plus simple expression. Tout laisse croire qu'il en sera de même à l'intérieur. Mado a toujours eu la chance d'habiter dans les plus beaux quartiers, ceux qui brillent tant à l'intérieur qu'à l'extérieur. Même pendant ses premières années de mariage, elle a profité du confort le plus total. Par exemple, pour elle, un appartement sans la climatisation n'a plus sa raison d'être de nos jours. Elle sait bien que tous n'ont pas cette chance, mais il y a longtemps qu'elle a compris qu'elle ne pouvait pas sauver tout le monde non plus. Elle saisit la bouteille de vin qu'elle a apportée et sort de son auto, un grand sourire accroché sur ses lèvres. En réalité, peu lui importe la grandeur de l'appartement d'Alex, ses meubles et sa décoration; ce qui compte pour elle, c'est de passer du bon temps avec lui.

Mado était très contente de le revoir et a été obligée d'admettre qu'il lui avait manqué plus qu'elle l'aurait pensé. Le simple fait de se retrouver de nouveau dans ses bras lui a enlevé toute la fatigue qu'elle avait accumulée lors du vol de retour. Elle sonne. Quelques secondes plus tard, la porte s'ouvre. Avant même qu'elle ait le temps d'ouvrir la bouche, Alex la prend par la main et la tire dans l'appartement. Il l'attire ensuite à lui et l'embrasse avec passion. En mettant les bras autour de son cou, Mado réalise qu'il n'a pas de t-shirt. Elle descend ses mains sur ses fesses et constate qu'il est nu comme un ver sous son tablier. Elle éclate de rire. Elle se recule un peu et lui dit:

— Tourne-toi.

Évidemment, Alex s'exécute sans se faire prier. Mado rit de plus belle. C'est la première fois qu'on l'accueille ainsi et, franchement, elle trouve ça très drôle.

— Je ne pensais jamais vivre ça un jour, tu es vraiment fou, mais j'adore.

Comme si ce n'était pas suffisant, Alex fait quelques tours sur lui-même avant de l'attirer à nouveau contre lui. Ils ont l'air de deux collégiens. Ils s'embrassent à perdre haleine jusqu'au moment où la sonnerie de la cuisinière se fait entendre.

— Donne-moi une petite minute et je reviens.

Heureuse, Mado se dirige vers le salon. Le regard fixé sur son amant, elle se délecte du spectacle qu'il offre. Alex lui propose un verre de vin avant de venir la rejoindre.

— Il n'y a rien qui presse, répond-elle. Viens plutôt te coller contre moi.

Ce n'est que deux heures plus tard que Mado pose finalement les yeux sur le décor d'Alex et avoue que ça lui plaît.

— C'est vraiment très beau chez toi, je trouve que ça te ressemble beaucoup. C'est à la fois coloré et sobre, chaleureux et épuré. J'aime la façon dont tu as décoré ton appartement. Maintenant, quand je penserai à toi, j'aurai au moins des images.

Alex la regarde avec amour. De toutes les femmes qu'il a connues, Mado est la seule qui a réussi à prendre son cœur en aussi peu de temps. Il l'aime à un point tel qu'elle pourrait faire ce qu'elle veut de lui. Il ne lui en a évidemment rien dit, mais il a trouvé le temps long pendant qu'elle était à Sydney. Ses chances qu'elle le rappelle étaient minces, même si elle était restée en ville, mais la savoir à proximité le rassure énormément. Il se garde bien de lui mettre de la pression, car jamais il n'a forcé une femme à l'aimer. Cependant, s'il était certain qu'elle accepterait, il la demanderait en mariage sans aucune hésitation. Comme il ignore le sort qu'elle lui réserve, il préfère tenir sa langue pour l'instant. Il sait bien que tout un monde les sépare.

— Qu'est-ce qu'on mange ? demande Mado. Je suis affamée, et ça sent trop bon !

— J'espère que ça va te plaire. J'ai préparé des cannellonis. D'après mes amis, je suis plutôt doué pour les pâtes.

— C'est tant mieux, parce que j'adore les pâtes.

Ils mangent tous les deux avec appétit. Alex n'avait pas menti, Mado a tellement aimé le repas qu'elle s'est fait servir une deuxième portion, au grand plaisir d'Alex.

— Tes amis ont raison, confirme-t-elle entre deux bouchées. Ce sont les meilleurs cannellonis que j'ai mangés de toute ma vie. Il faut absolument que tu me donnes ta recette.

— Je vais faire encore mieux que ça, lance Alex, je suis prêt à t'en préparer chaque fois que tu auras envie d'en manger.

Cette phrase aurait fait fuir Mado il n'y a pas si longtemps, aujourd'hui elle la touche plus qu'elle aurait pu l'imaginer. Est-ce le fait qu'Émilie sorte avec un homme plus vieux qu'elle qui lui fait voir les choses différemment ? Ou bien parce que sa mère lui a donné son aval sans même connaître Alex ? Elle n'en a aucune idée. Tout ce qu'elle sait, c'est que, tout doucement, elle lui fait une place dans sa vie.

Alors que Mado est perdue dans ses pensées, Alex se rend à sa chambre puis revient à la table. Lorsqu'il s'assoit, il lui tend un bout de papier. Mado le rejette aussitôt qu'elle voit de quoi il s'agit.

— Il est hors de question que j'accepte ce chèque. Un marché est un marché.

— J'ai récupéré mon emploi, alors je te redonne la différence. Accepte-la, je t'en prie, sinon tu vas me rendre mal à l'aise.

Mado le regarde un moment sans savoir quoi faire. Comme son objectif n'était pas de le blesser, mais plutôt de l'aider, elle se dit qu'elle n'a pas vraiment le choix. Elle reprend donc le chèque, le plie et le glisse dans sa poche.

— Dire qu'il y en a qui pense que je t'ai payé pour que tu passes la fin de semaine au chalet avec moi.

— De qui parles-tu au juste ?

— J'ai discuté avec mon amie Claire avant de venir, c'est d'ailleurs à cause d'elle que je suis arrivée en retard. Imagine-toi donc qu'elle s'est mis en tête que j'avais fait appel à une agence. Elle voulait que je lui donne le nom et les coordonnées de mon contact.

Alex écoute tout ce que Mado lui dit avec attention. Il pourrait être blessé de savoir qu'elle a avoué à quelqu'un lui avoir donné de l'argent, mais ce n'est pas son genre de s'en faire pour si peu. De toute façon, il n'a pas de leçon à lui dispenser puisqu'il a lui-même tout raconté à David.

Le vin aidant, au lieu de s'arrêter là, Mado continue son histoire.

— Elle m'a dit qu'elle aussi était prête à payer ce qu'il faut pour passer une belle fin de semaine. Quand je lui ai expliqué comment je t'avais rencontré, elle a insisté pour que je te demande si tu avais un ami qui pourrait être intéressé par un semblable projet. Je n'en reviens tout simplement pas. Elle a beau être mon amie, mais je trouve qu'elle a du front tout le tour de la tête. Et crois-moi ça ne date pas d'hier !

— As-tu une photo d'elle ?

Mado le fixe et ne comprend pas pourquoi il lui pose cette question. Elle va chercher son cellulaire dans son sac à main et lui montre la photo que Claire lui a envoyée. Alex la regarde attentivement.

— C'est une belle femme.

En voyant Mado froncer les sourcils, Alex se dépêche d'ajouter, en lui caressant la joue :

— Tu n'as pas à t'inquiéter, ce n'est pas mon genre du tout. Je ne peux rien promettre, mais j'ai l'impression que ça pourrait peut-être marcher avec mon collègue et ami David. Tu vas rire mais, depuis que je te connais, il n'arrête pas de m'achaler pour que je te demande si l'une de tes amies aurait envie de passer du bon temps avec un plus jeune. Il faut que les choses soient bien claires, par exemple, David ne lui redonnera jamais son argent, lui.

— Je ne sais pas trop, ajoute Mado. Claire n'est pas de tout repos. Pour être franche, c'est une dure à cuire avec les hommes. Elle les amasse comme d'autres collectionnent les petites cuillères, et je ne voudrais pas qu'elle s'en prenne à ton ami.

— Ne t'en fais pas pour David, c'est un grand garçon. Voici ce que je te propose : on lui envoie sa photo et son numéro de téléphone et on les laisse s'arranger ensemble.

Mado prend quelques secondes pour réfléchir. Elle ne connaît pas David, mais s'il est aussi gentil qu'Alex, Claire risque de le dévorer tout cru s'il lui tombe entre les mains. En même temps, Mado se dit qu'Alex a probablement raison, David est assez grand pour savoir ce qu'il fait.

— Peux-tu lui envoyer ? demande Mado. Il faudrait aussi que tu me montres comment effacer des textos, s'il te plaît.

Chapitre 17

La première chose que Mado a faite en se levant ce matin a été d'appeler André et de lui donner rendez-vous dans un restaurant pour le dîner. Il était fou de joie lorsqu'il a entendu sa voix. On aurait dit un enfant de 10 ans qui venait de recevoir le cadeau auquel il rêvait depuis des mois. Bien qu'elle n'ait aucune envie de le voir, et encore moins de lui annoncer sa décision, Mado s'est résignée à lui donner signe de vie. Il lui a envoyé tellement de textos depuis qu'elle est revenue de voyage qu'elle n'en peut plus. Heureusement, Alex lui a montré comment les effacer. Le vendeur le lui avait expliqué au moment où elle avait acheté son cellulaire, mais elle avait oublié comme la plupart des choses qu'il avait essayé de lui montrer. En fait, quand elle en avait trop dans sa boîte de messagerie, elle profitait d'une visite de Jimmy et lui demandait de faire du ménage dans son cellulaire.

Hier, Mado a fait un saut chez sa mère après sa journée de travail avec les gars. Elle lui a raconté les dernières frasques d'André.

— Le moins qu'on puisse dire, a déclaré Gertrude, c'est qu'il cachait bien son jeu, ton dépendant affectif. Dire que je lui aurais pratiquement donné le bon Dieu sans confession. Je n'en reviens tout simplement pas. Jamais je n'aurais pensé qu'il pourrait agir ainsi. Je ne voudrais pas te faire peur, mais je dois admettre que ton André est malade. Tu n'as pas besoin d'un homme comme lui dans ta vie.

Mado n'a pas réagi quand Gertrude a dit « ton André ». Elle sait bien que sa mère n'a pas dit ça pour la blesser. Pour Mado, il a perdu ce statut depuis le jour où il a essayé d'organiser sa vie.

L'Anse-Saint-Jean ou pas, il est hors de question qu'elle laisse qui que ce soit penser à sa place, encore moins prendre des décisions pour elle.

— Tu as raison, confirme Mado, mais ce n'est pas aussi simple que ça en a l'air. Dire que je croyais bien le connaître…

Gertrude n'aime pas beaucoup ce qu'elle entend. Elle sait bien qu'André n'est pas le seul homme à s'accrocher désespérément à une femme sous prétexte qu'il l'aime, mais ça ne la rassure pas pour autant.

— Dépêche-toi de mettre fin à tout ça avant qu'il t'arrive malheur. En même temps, j'ose espérer qu'il lui reste un peu de dignité pour accepter ta décision. Dans le pire des cas, tu pourras toujours demander à tes fils d'intervenir auprès de lui.

Mado réalise qu'elle n'aurait pas dû en dire autant à sa mère. Elle voit bien qu'à cause d'elle Gertrude est inquiète et elle n'aime pas ça.

— Je ne veux pas les mêler à mes histoires de cœur.

— Alors il te reste la police !

— Arrête de t'inquiéter pour moi, tout va bien se passer. Ce n'est quand même pas un imbécile.

— Peut-être, mais le journal est rempli d'histoires d'amour qui ont mal tourné. Promets-moi au moins de m'appeler pour me donner des nouvelles.

Mado se trouve maintenant devant le restaurant où elle a donné rendez-vous à André. Elle n'est pas arrivée en avance, elle a même cinq minutes de retard, ce qui ne lui ressemble pas. Elle respire à fond et fonce. Plus vite elle entrera, plus vite elle pourra sortir.

Comme elle s'y attendait, André s'est placé de façon à la voir entrer. Il se lève et vient à sa rencontre.

— Te voilà enfin, ma belle! s'exclame-t-il joyeusement comme s'ils s'étaient vus la veille. Je commençais à me demander si je ne m'étais pas trompé de journée.

Chacun des mots qui sortent de la bouche d'André irrite Mado au plus haut point. S'il lui restait un doute, si petit soit-il, il s'est envolé dès qu'André s'est mis à parler. La main qu'il vient de poser sur son bras la brûle comme un feu ardent, au point qu'elle se retient de hurler pour qu'il l'enlève. Au moment où il s'approche pour l'embrasser, elle tourne la tête et lui présente sa joue. Elle voudrait prendre ses jambes à son cou et se sauver sur-le-champ. À cet instant, elle a du mal à comprendre comment elle a pu aimer cet homme. Elle a l'impression de se retrouver devant un étranger.

— Viens t'asseoir. J'ai commandé ton vin préféré. Je t'aime tellement, ma belle…

Même ses petites attentions lui tapent royalement sur les nerfs. Elle n'a qu'une idée en tête: sortir d'ici au plus vite et oublier jusqu'à son existence.

Assis en face d'elle, André la regarde langoureusement. De son côté, Mado fait un effort surhumain pour garder son calme et tente de soutenir son regard. Elle cherche désespérément quelque chose à dire pour casser la glace, mais elle ne trouve rien. Heureusement pour elle, André reprend la parole:

— Est-ce que tu sais au moins à quel point tu m'as manqué?

Mado replace une mèche de cheveux imaginaire derrière son oreille, elle incline légèrement la tête sur le côté et respire bruyamment. Elle n'a aucune idée de ce qu'elle pourrait répondre à cette question. Non seulement André ne lui a pas manqué, mais il lui tarde de faire ce pour quoi elle lui a donné rendez-vous et de quitter les lieux.

Loin de décourager André, son silence semble lui donner des ailes. Il lui lance même son petit clin d'œil légendaire accompagné d'un sourire en coin.

— Je ne sais pas pour toi, mais moi je n'ai jamais trouvé quatre semaines aussi longues de toute ma vie.

André étend son bras sur la table dans l'espoir de toucher la main de Mado. Au moment où il s'apprête à l'effleurer du bout des doigts, elle la retire brusquement. S'il a vu son geste, il n'en prend pas ombrage.

— Tu ne peux pas savoir à quel point j'étais content que tu m'appelles, poursuit-il d'un ton doux en la dévorant du regard. Je commençais à penser que ce jour n'arriverait jamais. En tout cas, j'ai fait plein de projets pour nous deux pendant ton absence. Je peux t'en parler un peu si tu veux, je suis certain que tu vas adorer, j'ai pensé à tout.

Voilà la goutte qui fait déborder le vase. En entendant le mot « projet », Mado explose :

— Là, j'en ai assez entendu ! Si j'ai demandé à te voir aujourd'hui, c'est pour te dire que tout est fini entre nous. Je ne veux plus que tu m'appelles. Je ne veux plus que tu me suives. Je ne veux même plus que tu me salues si tu me croises dans la rue. Nous deux, c'est fini pour toujours !

Mado se lève brusquement sous le regard effaré d'André. Au moment où elle passe à sa hauteur, elle s'arrête et lui dit d'une voix si forte que tous les clients se tournent vers elle :

— Je peux même te le répéter juste pour être sûre que tu as bien compris. C'est fini!

Elle sort du restaurant sans se retourner. Ce n'est qu'une fois assise dans sa voiture qu'elle parvient à respirer normalement. Elle aurait souhaité que les choses se passent différemment, mais elle s'est vite aperçue qu'elle rêvait en couleurs. André s'entêtait à faire semblant que tout était comme avant. Son attitude à elle seule lui confirmait qu'il refusait d'écouter ce qu'elle avait à lui dire. Mado n'aurait jamais cru que leur relation pouvait se terminer ainsi. Au contraire, avant que tout commence à déraper, elle croyait sincèrement qu'elle ferait un long bout de chemin avec lui. Elle ne voulait pas se marier avec lui pour autant, mais somme toute ils étaient bien ensemble. Peut-être que les choses auraient pu continuer ainsi un moment si elle n'avait pas pris sa retraite, mais elle ne pourra jamais le savoir. Mado n'est pas la personne la plus croyante de la Terre, mais elle remercie le ciel de lui avoir montré la vraie nature d'André.

De retour chez elle, Mado se sert un verre de Campari et le remplit de jus d'orange bien frais. Elle ajoute quelques glaçons, prend une gorgée de cet alcool qu'elle aime tant et la savoure doucement. C'est toujours ce qu'elle boit lorsqu'elle a besoin de réconfort. Elle sort ensuite la partition de la chanson qu'elle doit interpréter dans quelques semaines et chausse ses lunettes. Elle va d'abord commencer par apprendre les paroles. Elle les lit à répétition à voix haute jusqu'à ce que ses pensées lui ramènent l'image d'André. Une petite voix à l'intérieur de sa tête lui dit qu'il n'acceptera pas sa décision aussi facilement. Elle n'a aucune idée de ce qu'il va bien pouvoir inventer pour tenter de la récupérer, mais compte tenu du discours qu'il lui a tenu tout à l'heure il ne restera certainement pas les bras croisés. Alors que les paroles de mise en garde de Monique et de sa mère lui reviennent en mémoire, Mado secoue la tête et reprend sa partition. Il est hors de question qu'elle commence à s'inquiéter avec ça. Après tout, André est un homme civilisé.

Affairée à apprendre les paroles de sa chanson, Mado ne voit pas le temps passer. Alors qu'elle s'arrête pour regarder l'heure, elle réalise qu'elle a tout juste le temps de se changer avant d'aller rejoindre les filles. Curieusement, cette fois, c'est Élise qui les a convoquées.

— Rendez-vous *Chez Charlie* à 17 heures mercredi. J'ai quelque chose de très important à vous annoncer.

Elles ont toutes essayé d'en savoir plus, mais Élise a refusé de leur donner le moindre petit indice.

— Vous le saurez en temps et lieu.

Depuis que les cinq filles sont amies, c'est presque toujours Monique ou Mado qui initient leurs rencontres. C'est pourquoi elles se disent qu'Élise doit avoir une excellente raison pour prendre les devants comme elle vient de le faire. Inutile d'ajouter que chacune a sa petite idée sur sa motivation à les convoquer, il ne reste plus que quelques minutes à patienter avant de savoir qui aura vu juste.

Mado enfile son jeans blanc qui moule ses fesses à la perfection et un haut très coloré sans manches. Elle arrête ensuite son choix sur une paire d'escarpins marron qu'elle a achetés à Sydney. C'est alors que son regard se pose sur le sac à mains assorti. Elle le saisit et elle se rend au salon. Elle attrape celui qu'elle utilise depuis une semaine et s'affaire à transférer ses choses. Elle aime que tout ce qu'elle porte soit coordonné. Elle regrette chaque fois d'être aussi fière. Elle retourne dans sa chambre pour admirer le résultat final et, satisfaite, sort de son condo.

Sur la courte distance qui la sépare du bar où Élise leur a donné rendez-vous, Mado fredonne sa chanson. À part un petit bout de phrase sur lequel elle accroche toujours, elle connaît les paroles par cœur.

Ça part un peu n'importe quand
Comme un ouragan
Comme une peine de cœur…

Décidément, elle adore cette chanson, elle ne se fatigue pas de l'écouter. À la dernière répétition, elle a demandé au directeur musical de lui suggérer quelqu'un pour la diriger dans son interprétation. Même si Céline est l'une de ses chanteuses préférées, Mado veut donner sa propre couleur à cette chanson. C'est ça ou elle devra se contenter de faire une pâle imitation. Elle serait incapable de se regarder dans le miroir si elle devait manquer son coup. Si l'on ne s'appelle pas Véronic DiCaire, on ne se risque pas à imiter la diva. Comme Mado n'a la voix d'aucune des deux, elle a intérêt à trouver son chemin hors des sentiers battus. Chaque fois qu'elle entend une chanson de Céline à la radio, elle se dit qu'elle devrait aller la voir en spectacle à Las Vegas. «Je suis certaine que maman serait ravie de m'accompagner, d'autant qu'elle adore jouer au casino!»

Tout le monde est arrivé lorsque Mado fait son entrée dans le bar. Elle embrasse ses amies à tour de rôle et, à Claire, elle lui met la main sur le front et lui lance une boutade:

— Veux-tu bien me dire ce qui se passe avec toi? À moins que je me trompe, c'est la première fois que tu es à l'heure à l'une de nos rencontres.

— Bah! laisse tomber Claire en balayant l'air de la main. Je te l'ai déjà expliqué. Je suis chronométrée à longueur de journée, alors je me reprends avec vous.

— Les amies comprendront… lance Mado d'un ton moqueur. Je sais tout ça… mais on n'est pas ici pour parler de ta ponctualité. Je meurs d'envie d'entendre ce qu'Élise a à nous dire. Pas vous ?

Tous les regards se tournent instantanément en direction d'Élise. Cette dernière passe près de s'étouffer avec sa gorgée de vin. Elle dépose vivement sa coupe sur la table et prend une grande inspiration avant de parler. Jamais elle n'aurait cru qu'elle prononcerait un jour les paroles qu'elle s'apprête à dire et n'aurait pu imaginer que sa vie tournerait au cauchemar comme c'est le cas depuis des mois. Elle savait que son mari était loin d'être parfait – les filles le lui ont dit de toutes les manières possibles, et ce, même le jour de son mariage –, mais elle ignorait à quel point.

— Je ne passerai pas par quatre chemins, si l'offre de Claire de s'occuper de mon divorce tient toujours, je l'accepte.

Ce n'est tellement pas dans les habitudes d'Élise de dire ce genre de choses qu'elles ont toutes du mal à encaisser le coup. Elles avaient imaginé des tas d'affaires mais jamais celle-là. Depuis le temps qu'elles connaissent Élise, c'est la dernière chose qu'elles s'attendaient à entendre. Élise est toujours la première à leur rabattre les oreilles avec ses foutus principes et l'importance de l'engagement. Ça ne lui ressemble pas du tout de quitter le navire ainsi.

Surprise qu'aucune fille ne réagisse, Élise les regarde une à une et explose :

— Hé ! Je ne vous ai pas dit que j'étais atteinte d'une maladie incurable, je veux juste divorcer. Depuis le temps que vous m'achaler pour que je le laisse, vous devriez être contentes pour moi. Regardez-moi, je n'ai pas l'air si malheureuse que ça.

Les filles sont sous le choc devant cette nouvelle, au point qu'elles doivent se faire violence pour réagir.

— Alors, lance Monique en s'efforçant d'avoir l'air contente, ça veut dire que c'est moi qui ai gagné le pari.

Mado, Ginette et Claire la fusillent du regard.

— Quel pari ? s'enquiert aussitôt Élise.

— C'est sans importance, plaide Claire, et oui, mon offre tient toujours. Tu n'as qu'à appeler ma secrétaire pour prendre un rendez-vous.

— Si vous pensez que vous allez vous en tirer aussi facilement, rétorque Élise, c'est manqué. De quel pari parlez-vous ?

Monique disparaîtrait sur-le-champ si elle le pouvait. Elle vient de commettre une autre bourde.

— Je ne suis pas certaine que tu aimeras ce que je vais te dire, dit Monique du bout des lèvres. On a parié toutes les quatre sur la durée de ton mariage pendant que tu prononçais tes vœux. Je ne me rappelle plus exactement ce que les filles avaient dit, mais moi j'avais misé qu'il tiendrait moins de cinq ans… et il n'y avait plus que moi en lice. Je suis vraiment désolée !

Le visage d'Élise change de couleur en quelques secondes à peine. Toutes les émotions défilent en elle : la colère, la rage, la déception, l'étonnement, le dégoût, le découragement, le désespoir… ainsi que l'euphorie. Elle pourrait en vouloir à ses amies – et elle le devrait –, mais elle en est incapable. Certes, elle aurait préféré ne pas savoir qu'elles avaient mis sa tête à prix le jour même de son mariage, mais il est vrai que si elle les avait écoutées elle se serait évité bien des problèmes. Enfin, elle se met à rire aux éclats. Bien qu'elles ne comprennent pas ce qui lui arrive, les filles l'imitent. Lorsque Élise reprend son souffle, elle dit :

— Je dois vous faire une confidence : vous n'êtes pas les seules à avoir parié sur la durée de mon mariage, même mes parents l'ont fait. Ma mère me l'a avoué hier soir. Rassurez-vous, je vous aime trop pour vous en vouloir.

— Tant mieux ! s'exclame Monique. Mais il va pourtant falloir que je finisse par apprendre à me taire.

Élise n'a pas l'intention de s'éterniser sur le sujet. Elle a un peu honte quand elle pense qu'elle était la seule à croire que ça allait marcher.

— Maintenant, ajoute-t-elle, laissez-moi vous expliquer ce qui m'a décidée à faire le grand saut.

Ce mariage n'est pas le seul échec de sa vie, mais c'est de loin le pire auquel elle a dû faire face. Élise a fait le tour de la question jusqu'à en avoir mal au cœur, le mot « divorce » ne faisait pas partie de son vocabulaire et encore moins des choses qu'elle tenait à réaliser. Elle était mariée pour la vie et y croyait vraiment.

— Les choses vont de mal en pis depuis notre dernier souper. Imaginez-vous donc que mon cher mari a commencé à venir m'attendre après l'école et à la sortie de mes réunions. C'est rendu que je n'arrive plus à faire un seul pas sans buter contre lui. C'est simple, il est en train de me rendre complètement folle. Il suffit que je retarde d'une seule seconde pour qu'il m'engueule comme du poisson pourri, et il le fait même en public. Je n'en peux tout simplement plus, je vous le dis, j'ai épousé le diable en personne. Et il ose aller dire qu'il m'aime plus que tout à qui veut l'entendre. Ce n'est pas des farces, même mes parents refusent de venir à la maison à cause de lui. Il a réussi à faire le vide total autour de moi et chaque fois que j'essaie de lui en parler, il se dépêche de mettre fin à la discussion en me disant que lorsqu'on a la chance d'avoir un trésor on n'a pas envie de le partager avec qui que ce soit. J'ai eu beau retourner la question dans tous les sens, mais la seule option qu'il me reste est le divorce. Alors, Claire, au risque de me répéter, est-ce que ton offre tient toujours ?

— Plus que jamais ! lui confirme son amie d'une voix forte. Tu peux même venir t'installer chez moi en attendant que tu te trouves un appartement. J'ai une belle chambre d'amis rien que pour toi.

— Je te remercie, mais j'ai déjà tout réglé. Je vais emménager avec une collègue de travail le temps de retomber sur mes pieds. Je profiterai de la seule sortie en solo de la semaine de mon cher mari pour prendre mes affaires et déguerpir en douce.

Mado est particulièrement sonnée par l'annonce d'Élise. Elle lui fait réaliser que c'est souvent les personnes qu'on croit connaître le mieux qui nous surprennent le plus. Elle est aussi forcée d'admettre que son histoire avec André ressemble étrangement à celle d'Élise. Comment des femmes aussi intelligentes qu'elles peuvent-elles se laisser berner de cette façon ?

— As-tu besoin d'aide ? demande Mado.

— J'allais justement te le demander. Ça me rassurerait que tu sois avec moi. Peux-tu venir me chercher à l'école à 10 heures demain ?

— Bien sûr !

Après avoir entendu ces révélations, Ginette ne peut s'empêcher de se demander si elle en viendra elle aussi au divorce un jour. Sa situation ne ressemble en rien à celle d'Élise, mais dans les faits elle lui pèse chaque jour davantage, au point qu'elle a de plus en plus de difficultés à se rappeler les nombreuses qualités qu'elle reconnaissait à son *chum* avant qu'il prenne sa retraite. Leur vie a complètement changé depuis qu'il a commencé à errer dans la maison comme une âme en peine.

— Tu es bien la dernière personne que j'aurais cru voir divorcer un jour, lance Ginette d'un air découragé.

— Crois-moi, riposte Élise, j'ai fait tout ce que je pouvais pour ne pas en arriver là. Mais je n'ai pas d'autre choix que partir si je ne veux pas y laisser ma peau.

Élise voit bien que son annonce a frappé fort et qu'aucune de ses amies ne s'attendait à ça. Comme elle trouve qu'elle a suffisamment parlé de sa misère, elle lève son verre et s'écrie :

— À ma nouvelle vie !

À peine ont-elles porté leur coupe à leurs lèvres que la porte du bar s'ouvre sur le valeureux mari d'Élise. Comme Claire est assise face à l'entrée, elle devient blanche comme un linge en l'apercevant. Elle se lève aussitôt et pose les deux mains à plat sur la table comme si elle était prête à bondir sur une proie. En voyant l'air qu'elle fait, les filles suivent son regard et, à l'exception d'Élise, se lèvent. Il est évident qu'elles sont prêtes à défendre leur amie. Mais Élise ne l'entend pas ainsi, elle sait très bien qu'affronter son époux en public n'est pas la solution à adopter. Elle se lève à son tour, prend son sac à main et dit à ses amies d'une voix forte :

— Il faut que j'y aille. On se rappelle.

Elle va vite rejoindre son mari avant que l'une de ses amies ait le temps de faire quoi que ce soit de regrettable. C'est connu, la prison n'est pas faite pour tout le monde.

— Comme l'aurait si bien dit ma mère, s'indigne Claire en se rassoyant, il vient de se pendre avec sa corde. Croyez-moi, il ne l'emportera pas au paradis. Il a intérêt à ne pas l'empêcher de partir parce que je vous garantis qu'il aura affaire à moi. Vous rendez-vous compte à quel point il faut être effronté pour agir ainsi ?

Claire respire un bon coup et poursuit sur sa lancée à l'intention de Mado :

— Si son espèce de malade te cause du trouble demain, tu m'appelles immédiatement et je m'occupe de son cas.

— Compte sur moi, confirme Mado. Il faut la sortir de là, ça presse.

— À bien y penser, déclare Monique, ton André n'est pas tellement plus rassurant.

— Je ne suis pas d'accord, se défend aussitôt Mado, et de toute façon je ne sors plus avec lui.

Les filles sont surprises d'apprendre la nouvelle. Elles savaient que le couple de Mado commençait sérieusement à battre de l'aile, mais elles ignoraient que leur amie s'était finalement décidée à se débarrasser de lui. Devant l'expression qu'elles font, Mado se dépêche d'ajouter :

— Inutile de faire cet air, ça date à peine de quelques heures. Je lui ai dit ce midi.

— Tu as bien fait ! confirme Monique. J'espère seulement qu'il ne te fera pas trop de misère.

— Et moi donc ! d'ajouter Mado.

— Je ne sais pas si vous pensez la même chose que moi, lance Ginette, mais il y a des jours où je me demande où sont passés les vrais hommes. Le journal est rempli d'histoires d'horreur, on peut en lire chaque semaine. Parce qu'il n'a pas accepté que madame le laisse, monsieur a tué leurs enfants avant de s'enlever la vie comme un lâche. Un autre les a enlevés et s'est enfui dans je ne sais pas quel pays. Un autre épie les moindres faits et gestes de son ex-femme et la menace ouvertement de la tuer si jamais elle voit d'autres hommes… Nous vivons dans un drôle de monde, vous ne trouvez pas ?

— Je ne voudrais pas crever ta bulle, renchérit Monique, mais ce n'est pas plus joyeux du côté des femmes. Certaines sombrent dans l'alcool ou la drogue alors que d'autres ne vivront jamais assez vieilles pour se venger de celui qui a osé les quitter. Aujourd'hui, quand on rencontre un homme bien, on doit faire tout ce qui est possible pour le garder. Croyez-moi, je sais de quoi je parle, j'ai eu mon lot d'imbéciles pour cette vie. Mais depuis que je suis avec Gervais, j'avoue que c'est mieux que le paradis. C'est un ange, cet homme, rien de moins.

Il faut voir le magnifique sourire que Monique a sur les lèvres quand elle parle de son prince charmant. Elle a l'air d'une petite fille. Pour elle, Gervais n'a pas son pareil, personne ne lui arrive à la cheville. Ils filent le parfait amour depuis le jour où ils n'ont fait qu'un sur la selle de sa moto. Ils ont emménagé ensemble sans faire de vagues et sont bien comme ils ne l'ont jamais été auparavant. Monique est tellement contente qu'il lui arrive encore de se pincer pour être certaine qu'elle ne rêve pas.

— Moi, ajoute Claire, ce que je peux vous dire, c'est que je me suis offert un beau cadeau la fin de semaine passée. Voulez-vous que je vous donne un indice ?

Mado n'a nul besoin d'en entendre plus pour savoir à quoi Claire fait allusion. Elle mettrait sa main au feu que son amie s'est payé une fin de semaine tout inclus avec le beau David. Elle n'est pas surprise, elle se doutait qu'elle le ferait.

— Mon premier est : j'ai copié Mado.

Mado sent la moutarde lui monter au nez. Elle hésite entre se lever et s'en aller, ou s'opposer de toutes ses forces à ses amies et leur donner l'heure juste. Mais Claire est si butée quand elle a une idée en tête que ça ne donnerait rien d'embarquer dans son petit jeu. C'est pourquoi Mado se contente de faire un sourire niais et d'écouter la suite sans broncher.

— Tu l'as fait ? s'écrie Ginette.

— Oui, madame, et tout ce que je peux vous dire, c'est que j'en ai eu pour mon argent, et même plus encore. Je n'ai pas fermé l'œil de toute la fin de semaine, j'avais presque oublié ce que c'était.

— Heureuse femme ! renchérit Ginette. Pas de saint danger que ça m'arrive ! Ça t'a coûté combien, au juste ?

Alors que Mado attend patiemment que la conversation bifurque sur un autre sujet, la sonnerie de son cellulaire l'avertit qu'elle a reçu un texto.

Mon appartement est inondé…

Mado boit sa dernière gorgée, prend son sac et dit :

— Il faut que j'y aille, Alex a besoin de moi.

— Et après tu viendras dire que tu ne l'aimes pas, la taquine Monique. Cours vite à la rescousse de ton Roméo, Juliette.

Comme si elle se sentait obligée de se défendre, Mado s'exclame :

— J'en ferais autant pour n'importe laquelle d'entre vous ! Bye, les filles !

Chapitre 18

Mado et Alex ont quitté le condo très tôt ce matin et sont partis en direction de Mont-Tremblant. Ils ont apporté un minimum de bagages au cas où la température se mettrait à faire des siennes ou si l'envie leur prenait de traîner un peu en chemin. Mado a l'impression de retrouver sa jeunesse chaque fois qu'elle s'installe derrière Alex. C'est qu'elle en a déroulé, de l'asphalte, installée derrière son amoureux de l'époque. Elle se souvient encore de son périple, et le mot est faible, sur la piste Cabot. Elle y avait rencontré des gens extrêmement sympathiques et les paysages à eux seuls valaient amplement le déplacement. Sans oublier les fruits de mer exquis qu'ils y avaient mangés. La seule chose qui ne convenait pas, dans ce voyage, c'était la selle de la moto. Elle était tellement inconfortable pour le passager que Mado, pourtant de nature résistante lorsqu'elle monte sur un tel engin, a très vite exigé de s'arrêter toutes les heures pour pouvoir se dégourdir les jambes. À la fin des 10 jours de voyage, elle se jetait littéralement en bas de la moto aussitôt qu'ils s'arrêtaient tellement elle n'en pouvait plus.

Bien serrée contre Alex, elle profite de chaque paysage et de chaque odeur. Elle n'a pas cessé de répéter sa chanson depuis qu'ils sont partis. Lorsqu'Alex est arrivé chez elle avec ses bagages pour s'installer le temps que son propriétaire répare les dégâts causés par l'eau dans son appartement, elle a été tentée de lui dire qu'elle allait faire un solo, mais elle s'est vite ravisée. Étant donné qu'elle n'a pas encore statué sur leur avenir, il aura la surprise comme tout le monde le soir du spectacle.

Quand Mado a vu l'état dans lequel était le logement d'Alex, elle n'a pas hésité et a insisté pour qu'il vienne s'installer chez elle, alors que lui avait prévu d'aller chez David. Elle s'entend encore argumenter :

— Tu n'as qu'à venir chez moi. Si ça peut te rassurer, je promets de ne pas toucher à une seule casserole pendant tout le temps où tu seras là. Et je t'assure aussi que je ne te laisserai pas dormir sur le canapé.

Entre David et Mado, le choix n'était pas difficile à faire pour Alex. Depuis la seconde où elle est entrée dans sa vie, il rêve secrètement de vivre avec elle. Mais maintenant qu'elle lui a fait une petite place, il ne voudrait surtout pas risquer de se faire tasser.

— Je ne suis pas certain que ce soit une bonne idée, a-t-il objecté plus d'une fois.

— Puisque je te l'offre…

Elle a insisté jusqu'à ce qu'Alex finisse par céder. Il débarquait chez elle une heure plus tard avec ses valises. À peine avait-il déposé ses choses que Mado lui tendait un tablier et lui lançait en riant :

— Je mangerais bien des pâtes aux fruits de mer, moi. Allez, esclave, au travail !

La seconde d'après, elle se jetait à son cou et l'embrassait. Mado ignore toujours où cette histoire la mènera. Elle repense à ce que sa mère lui a dit chaque fois que les remords la prennent et elle les renvoie alors d'où ils viennent. Ce qu'elle sait, c'est que pour le moment son bonheur passe par Alex et qu'elle serait bien bête de ne pas en profiter. Qu'il soit plus jeune qu'elle ne la préoccupe plus, tellement qu'elle ne voit plus rien de désobligeant dans le regard des personnes qu'ils croisent. Elle le trouve beau, attirant, intelligent et tellement drôle en plus… Désormais, c'est tout ce qui compte pour elle. Elle n'est pas prête à lui ouvrir sa porte pour qu'ils s'installent ensemble et deviennent officiellement un couple, mais vivre quelques jours avec lui n'est pas pour lui déplaire.

Mado refuse encore de se l'avouer, mais sa vie est beaucoup plus agréable depuis qu'Alex s'est installé chez elle. Elle a le sourire plus facile que d'habitude aussi. Elle se prend même à chanter sous la douche, ce qu'elle n'avait plus fait depuis la mort de son deuxième mari. Alex a reçu un appel de son propriétaire la veille au soir pour l'aviser qu'il pourra retourner dans son appartement dans deux jours. Mado a été prise d'un vague à l'âme aussitôt qu'elle a appris la nouvelle, tellement qu'elle a eu beaucoup de mal à le cacher à Alex. Elle ne veut pas qu'il emménage avec elle, mais elle ne souhaite pas non plus qu'il s'en aille aussi vite. Elle apprécie chaque moment passé avec lui et serait bien déçue de ne pas pouvoir profiter de ceux à venir.

Bien collée contre Alex, Mado pense à Élise. Malgré le fait que son mari soit arrivé alors que les filles s'apprêtaient à sortir les deux dernières boîtes de la maison, les choses ne se sont pas trop mal passées dans l'ensemble. Il a argumenté un moment, mais lorsque Mado lui a parlé d'appeler son avocate, il a battu en retraite et s'est contenté de dire à Élise avec un air de chien battu qu'elle commettait une grave erreur, et que jamais elle ne rencontrerait un homme qui pourrait l'aimer autant que lui. Élise a respiré profondément une fois installée dans la voiture et s'est mise à trembler comme une feuille.

— J'ignorais qu'il te faisait peur à ce point, lui a dit Mado en lui prenant la main. Jure-moi que tu ne retourneras jamais avec lui.

— Tu ne peux même pas t'imaginer tout ce qu'il a pu tenter pour que nous ne formions qu'un, lui et moi. Crois-moi, maintenant que j'ai réussi à sortir de son joug, je ne veux plus jamais avoir affaire à lui. Il y a des jours où je me demande comment j'ai pu être aussi naïve. J'aurais dû voir à quel point il était contrôlant dès nos premières sorties. Au lieu de ça, je trouvais ça mignon qu'il se préoccupe constamment de moi. Je peux te dire qu'il va couler de l'eau sous les ponts avant que je me rembarque avec un homme. Crois-moi, il va devoir être indépendant, le prochain.

— Moi, j'aime encore croire que la majorité d'entre eux sont corrects.

— Tu as probablement raison, mais pour l'instant leur cote est au plus bas. Je pense de plus en plus à adopter la même attitude que Claire face aux hommes.

Mado a eu envie de lui dire que ce n'était pas pour elle, qu'elle était bien trop sensible pour vivre ainsi, mais elle s'est contentée de lui demander l'adresse de sa collègue. Au moins, Élise n'a pas perdu au change de ce côté. Mado avait à peine mis les pieds dans la maison que déjà elle s'y sentait bien. Elle l'a d'ailleurs fait remarquer à Élise.

— Marlène est une femme remarquable, il faudra que je te la présente un de ces jours. Je me considère comme privilégiée d'habiter ici en attendant que mon divorce soit prononcé. Il me reste à souhaiter que monsieur ne me fera pas trop de misère.

— Je ne m'inquièterais pas trop avec ça si j'étais à ta place, il va vite s'apercevoir de quel bois se chauffe Claire. En tout cas, il vaut mieux pour lui qu'il se fasse tout petit. J'y pense, veux-tu garder la maison ?

— Non ! Il est hors de question que je vive dans les souvenirs. Tout ce que je souhaite, c'est pouvoir récupérer ma part.

Élise n'avait pas reçu de nouvelles de lui la dernière fois que Mado lui avait parlé et elle s'en portait très bien. Elle sait que ses amies veillent sur elle à distance et ça la rassure beaucoup.

Mado hésite encore à présenter Alex à Gertrude malgré les demandes répétées de sa mère. De son côté, Jimmy se contente de l'agacer chaque fois qu'il la voit, mais elle ne fléchit pas. Quant à Mathieu, il ignore l'existence d'Alex, et c'est très bien ainsi pour le moment.

À son grand soulagement, André ne s'est pas manifesté depuis qu'elle lui a dit que c'était fini entre eux et elle croise les doigts pour que ça continue ainsi.

JP lui a téléphoné la veille, il était euphorique.

— Tu ne sais pas la meilleure? s'est-il écrié. Imagine-toi que j'ai enfin rencontré quelqu'un. Je suis certain que tu vas l'aimer, il est tout simplement adorable. Je te le dis, il est encore plus parfait que la perfection. Un beau grand brun aux tempes grises, avec un sourire d'enfer et un cul à faire rêver même le plus serré des curés. Il a une conversation intelligente et… est-ce que je t'ai parlé de ses fesses? Hou! Je te le dis, je me pince au moins vingt fois par jour pour être bien certain que je ne rêve pas.

Mado l'a écouté monologuer quelques minutes. Plus elle en entendait, plus elle souriait. Ce n'est pas la première fois que JP lui tient ce discours, et ça ne risque pas d'être la dernière non plus. Il a toujours été excessif, dans la joie autant que dans la peine. C'est d'ailleurs l'une des raisons qui fait qu'elle l'aime tant.

— Où l'as-tu rencontrée, cette fois, ta perle rare?

— Tu vas rire, dans l'allée des surgelés chez IGA. Tu sais que j'ai de la difficulté à conduire un chariot d'épicerie. Eh bien, j'ai foncé dans le sien. Je ne te mens pas, je me suis mis à avoir des sueurs froides aussitôt que je l'ai vu. Je me suis confondu en excuses et, sans même nous en rendre compte, on s'est retrouvés à boire un café dans les minutes qui ont suivi. Je te jure, c'est la première fois que j'ai un coup de foudre aussi violent.

— Qu'est-ce qu'il fait dans la vie, ton Adonis ?

Devant l'hésitation de JP à répondre à la question, Mado a vite compris que l'homme doit avoir quelques squelettes dans son placard.

— Disons qu'il est entre deux emplois, finit par répondre JP d'une petite voix, mais… c'est temporaire.

Mado aurait eu des tonnes de questions à poser à son ami, mais elle les a gardées pour elle. C'est classique, JP tombe toujours sur des profiteurs. Le pire dans tout ça, c'est qu'il s'en accommode très bien et paie le prix qu'il faut sans se plaindre aussi longtemps qu'il y trouve son compte. Le jour où il décide que c'est assez, il ouvre grand la porte de sa maison et invite l'abuseur à sortir de sa vie sans aucun préavis. Mado n'est pas prête à dire que ses échecs amoureux répétés ne l'affectent pas, mais elle sait qu'aussitôt qu'une relation est terminée JP repart à la recherche d'une nouvelle. Si elle l'écoutait, Mado ouvrirait la porte de son logement et celle de son cœur à pleine grandeur pour y laisser entrer Alex. Heureusement qu'elle n'est pas comme lui !

Pour Mado, la moto représente le summum des moyens de transport. Elle aime tellement ça qu'un jour elle a décidé de suivre des cours privés pour apprendre à en conduire une. Tout roulait à merveille jusqu'au moment où elle a fait le constat qu'elle détestait la conduite manuelle. Elle n'avait pas chuté, elle progressait même très bien, mais elle n'aimait tout simplement pas ça.

— Tu sais, lui a dit l'instructeur, en 25 ans de carrière, je n'ai jamais perdu un seul élève.

— Eh bien, a riposté Mado, c'est aujourd'hui que ça commence. Je suis désolée, mais je viens de réaliser que je n'ai aucune envie de conduire une moto. J'ai la conduite manuelle en horreur. À bien y penser, ce que j'aime, c'est être passagère.

Alex lui met la main sur la cuisse alors qu'ils arrivent à la hauteur de Saint-Jérôme, il lui propose de s'arrêter. Outre le plaisir de rêver au vent, la découverte de nouveaux endroits lui plaît énormément. Elle a lu de nombreuses fois le nom de cette ville sur les pancartes comme bien des gens, mais jamais elle n'a pris le temps d'y faire un saut. Au centre-ville, Alex gare sa moto dans le premier stationnement public qu'ils croisent. Fidèle à son habitude, il aide Mado à descendre.

— Je ne sais pas si tu es comme moi, dit Alex, mais je commence à avoir un petit creux.

— Je me disais justement la même chose.

Ils prennent place quelques minutes plus tard sur une terrasse en plein soleil. Alex lui saisit la main et la porte à ses lèvres.

— Est-ce que je t'ai dit à quel point j'étais chanceux?

Mado fait comme si elle ignorait de quoi il parle.

— Je ne trouve pas tant que ça. Ton appartement a été inondé et tu es obligé de rester chez moi…

— C'est justement pour ça. Je ne devrais probablement pas te le dire, mais j'adore habiter avec toi.

Alex a pesé ses mots avant de parler parce que, s'il avait écouté son cœur, il en aurait dit plus. Depuis qu'il partage le quotidien de sa douce, il se dit que c'est avec elle qu'il veut passer le reste de sa vie. Tout est si facile qu'il a peine à croire que ce qu'ils vivent tous les deux est vrai. Poussé par son nouveau bonheur, il se risque à ajouter:

— Mes parents aimeraient vraiment te rencontrer.

Surprise par les paroles d'Alex, Mado rougit jusqu'à la racine des cheveux. Sa demande est tout ce qu'il y a de plus légitime, mais pour y acquiescer il faudrait d'abord qu'elle sache ce qu'elle veut vraiment. Souhaite-t-elle s'afficher au bras d'Alex ou le garder à distance ? Son cœur lui dicte une chose, sa tête une autre.

Devant son silence, Alex ajoute :

— Tu n'es pas obligée de me répondre tout de suite, je te demande juste d'y penser.

Puis, sur un ton enjoué, il poursuit :

— Je suis si content que tu aimes faire de la moto. Si tu veux, un jour, je te montrerai comment la conduire.

Perdue dans ses pensées, Mado entend à peine ce qu'il lui dit. Il faut qu'elle se décide sur ce qu'elle attend de cette relation. Elle devrait survivre à cette rencontre. Et tant qu'à y être, elle pourrait le présenter à sa mère, et à ses fils, éventuellement.

— C'est d'accord, s'exclame-t-elle, pour tes parents. J'accepte de les rencontrer à une condition : je vais te présenter ma mère et mes fils.

Alex est le plus heureux des hommes à cet instant. Il se lève et se penche pour l'embrasser. L'arrivée de la serveuse avec leurs assiettes met fin à leur baiser passionné.

— Que dirais-tu de dimanche prochain ?

— Si vite ? OK ! Je suis morte de peur juste à l'idée, mais ça ira.

— Et pour ta famille ?

— Laisse-moi d'abord vérifier à quel moment Mathieu sera en ville. Pour ce qui est de conduire ta moto, c'est non.

Mado se met alors à lui raconter son expérience passée en détail.

Chapitre 19

André est comme une âme en peine depuis que Mado l'a évincé de sa vie. Il a tenté de comprendre ce qu'il avait fait pour mériter ça, mais il ne trouve rien. Il s'est fait larguer comme une vieille chaussette et il ne le prend pas bien. Comment Mado a-t-elle pu oser l'insulter devant autant d'inconnus ? Il était tellement atterré, et gêné aussi, qu'il a attendu que le restaurant se vide complètement avant de sortir. Elle n'avait pas le droit de le traiter de cette façon, pas après tout ce qu'il avait fait pour elle. Il ne mange plus, il ne dort plus, il est désespéré. Sa vie n'a plus aucun sens sans sa Mado. C'est la femme de sa vie. Ils sont faits pour être ensemble et il va bien falloir qu'elle finisse par le reconnaître un jour. Il l'a toujours traitée comme une princesse, parfois même comme une reine. Il a toujours été là pour elle, s'oubliant pour satisfaire ses moindres désirs, même ceux qu'elle n'osait pas avouer. Il en veut à la terre entière pour ce qui lui arrive, et particulièrement à ce jeune blanc-bec. Ce n'est pas un homme pour elle. À vrai dire, André n'est même pas convaincu qu'il soit assez vieux pour être appelé ainsi !

En désespoir de cause, André a téléphoné à Mathieu.

— J'ai besoin de ton aide. Je suis en train de devenir fou. Ta mère vient de me larguer, il faut absolument que tu la raisonnes et que tu lui fasses comprendre qu'elle commet une erreur monumentale. Je ne sais pas ce qui lui arrive, mais depuis qu'elle a pris sa retraite, elle n'est plus la même. Tu sais à quel point je l'aime…

Mathieu considère André un peu comme son père. Et étant donné qu'André n'a pas de fils, il le lui rend bien. Malgré qu'ils aient une bonne relation, il y a des choses que Mathieu n'est pas prêt à faire, notamment se mêler des histoires de cœur des autres, et encore plus de celles de sa mère. La connaissant, il sait que, s'il fait la moindre tentative pour plaider la cause d'André, il se fera revirer comme une crêpe avant même de pouvoir finir sa phrase. Mado a toujours respecté les choix de ses enfants et s'attend à la même chose de leur part. Par exemple, Mathieu sait depuis longtemps que ce n'est pas l'amour fou entre sa mère et sa femme, mais jamais sa mère ne lui a fait le moindre petit reproche à propos de son choix. C'est sa vie, pas la sienne, et pour elle c'est sacré. Elle a toujours été la première à les encourager à expérimenter des choses, ce qui fait qu'elle serait bien mal placée pour leur faire des remontrances à la première occasion.

— Je suis vraiment désolé pour toi. Je vais voir ce que je peux faire, mais je ne te promets rien. Tu la connais aussi bien que moi, elle déteste qu'on se mêle de ses affaires. Je ne serai pas en ville avant une dizaine de jours, ça devra attendre jusque-là.

— Mais tu peux l'appeler de Fermont…

André a insisté jusqu'à ce que Mathieu finisse par lui promettre d'appeler sa mère.

La barbe longue, les vêtements défraîchis, le regard perdu, André a plus l'air d'un itinérant que d'un ingénieur à la retraite aisé financièrement. La tête entre les mains, il essaie désespérément de trouver un sens à ce qui lui arrive. Il prend la bouteille de rhum sur la table du salon et boit d'un trait les quelques gorgées qui avaient échappé à sa vigilance la veille. Il s'essuie la bouche du revers de la main et se lève péniblement de son fauteuil. Il se rend d'un pas lourd à la salle de bain et, lorsqu'il voit son reflet dans le miroir, il s'écrie :

— Il n'est pas question que je la laisse me détruire ! C'est aujourd'hui qu'elle va savoir de quoi je suis capable.

Il attrape ses clés et sort de son appartement en claquant la porte de toutes ses forces sans toutefois la verrouiller. Jamais il n'a mis aussi peu de temps pour se rendre chez Mado. Il se stationne dans la rue et entre dans l'édifice d'un pas décidé. Aussitôt devant la porte, il sonne une fois, deux fois, et finalement comme un enfant de trois ans il martèle la sonnette sans arrêt. Étant donné qu'il n'obtient aucune réponse, il se met à frapper sur la porte à grands coups de poing. Quand elle s'ouvre enfin, André se fige. Alors qu'il s'attendait à voir Mado, c'est le jeune blanc-bec qui se tient devant lui.

— Qu'est-ce qui se passe avec vous ? lui demande Alex d'une voix remplie de colère. Ce ne sont pas des manières pour arriver chez les gens. Vous m'avez réveillé.

— Tasse-toi, l'intime André en avançant d'un pas, je veux voir Mado.

Comme il n'a jamais rencontré cet homme, Alex se tasse mais plutôt pour l'empêcher d'aller plus loin. D'ailleurs, il se demande ce que cet énergumène peut bien vouloir à Mado.

André fait un pas en avant, mais Alex le bloque.

— Ce n'est certainement pas toi qui vas m'empêcher de rentrer, s'écrie André d'un ton autoritaire. Au cas où tu ne le saurais pas, je suis André.

Maintenant, tout devient plus clair pour Alex. Il a devant lui le pauvre homme qui n'a pas assez de fierté pour accepter que sa relation avec Mado soit terminée. Au lieu de souffrir en silence, comme un vrai homme le ferait, il vient s'humilier une fois de plus sous prétexte qu'il veut la récupérer. Alex n'a aucune pitié pour ces gens qui s'accrochent de manière exagérée. Il peut comprendre que tous les humains n'ont pas la même tolérance à la douleur, mais il y a quand même des limites. De toute façon, agir comme André le fait est la pire des attitudes à adopter dans un tel cas.

— Elle n'est pas là, elle travaille.

— Comment ça, elle travaille? Elle a pris sa retraite il y a quelques semaines à peine...

— Ce n'est pas à moi de vous raconter ce qu'elle fait de ses journées.

André commence sérieusement à ennuyer Alex. Non seulement il l'a réveillé, mais il est tellement mal dégrossi que, si Alex ne se retenait pas, il lui mettrait son poing sur la gueule.

— Qu'est-ce que tu fais chez elle de toute façon?

En temps normal, Alex aurait dit la vérité, c'est-à-dire que Mado a accepté de l'héberger quelques jours pour le dépanner, mais vu le personnage qu'il a devant lui et son attitude, il décide de se payer sa tête.

— J'habite ici. Avez-vous quelque chose contre ça?

André voit rouge. De grosses gouttes de sueur perlent sur son front et il a le souffle de plus en plus court. Son cœur s'emballe. Il est abasourdi par ce qu'il vient d'entendre et il n'arrive pas à comprendre comment Mado a pu lui faire ça. Alors qu'elle a toujours refusé qu'ils emménagent ensemble, voilà qu'elle a laissé le premier venu s'installer chez elle. «Ça ne se passera pas comme ça! se dit André. Il y a tout de même des limites à me prendre pour un imbécile!»

— Je vais lui demander de vous rappeler, ajoute Alex.

— Écoute-moi bien, le jeune, siffle André entre ses dents, je ne sais pas ce qu'elle peut te trouver ni ce que tu as pu lui faire pour qu'elle t'ouvre sa porte, mais si tu ne la laisses pas tranquille, je t'avertis que tu vas avoir affaire à moi. Mado, c'est la femme de ma vie, et je ne laisserai personne me la voler sans me battre. Surtout pas un petit con comme toi! Est-ce que j'ai été assez clair, morveux?

Plus il en entend, plus Alex se demande comment Mado a pu le supporter aussi longtemps sans tenter de l'étouffer dans son sommeil.

— Comme de l'eau de roche, mais il faut que vous sachiez que vous êtes loin de me faire peur, monsieur. Je dirai à Mado que vous êtes passé pour faire une autre de vos petites crisettes.

Alex fait un pas en arrière et, au moment où il s'apprête à refermer la porte, André lui jette un regard noir. Comment ce jeunot ose-t-il lui parler sur ce ton et avec cet air arrogant en plus?

— Tu devrais avoir honte de t'afficher avec une femme de son âge. Es-tu conscient qu'elle pourrait être ta mère? Si je ne me retenais pas, crache André, je te sortirais d'ici d'un coup de pied au cul.

— J'aimerais bien voir ça, le nargue Alex, mais je vous avertis, je n'ai pas l'habitude de me laisser faire sans bouger.

Des dizaines de mots tous plus meurtriers les uns que les autres se bousculent dans la tête d'Alex, mais il se retient tant bien que mal d'en prononcer ne serait-ce qu'un seul. Une petite voix lui dit qu'il vaut mieux qu'il n'embarque pas dans le jeu d'André et que, de toute façon, ça ne l'avancerait aucunement puisqu'il a déjà remporté la partie.

Contre toute attente, André recule et fait demi-tour pour quitter les lieux. Cette fois, Alex ne peut pas résister au plaisir de lui lancer d'une voix forte:

— Vous savez où me trouver si vous changez d'idée. Bonne journée, monsieur !

Alex referme la porte. « C'est vraiment une chiffe molle, cet homme. » Il ne s'est jamais arrêté à imaginer à quoi pouvait ressembler André, pas plus qu'il n'a posé de questions à propos de lui à Mado. De son côté, elle ne lui a pas dit grand-chose sur son compte non plus. Maintenant qu'il l'a vu, il n'arrive pas à comprendre ce qu'elle pouvait faire avec cet individu, un dépendant affectif et un contrôlant de la pire espèce. Alex songe à téléphoner à Mado pour l'avertir qu'André est à ses trousses, mais se ravise. Étant donné qu'André ignore où elle travaille, il ne risque pas de se présenter sans s'être annoncé, comme il semble aimer le faire. Et puis, c'est le genre de sujet qu'il est préférable d'aborder à tête reposée et en personne.

À peine André est-il sorti de l'édifice qu'il est déjà en train d'envoyer un texto à Mado. Pas de chance pour lui, elle est en pleine réunion avec Louis et Jimmy et a pris soin d'éteindre son cellulaire. C'est d'ailleurs une chose qu'elle a exigée d'entrée de jeu de la part de ses associés. Ils l'ont regardée d'un drôle d'air au début, mais ont acquiescé à sa demande sans trop rechigner.

— On épargnera un temps fou si on parvient à se concentrer sur ce qu'on fait plutôt que de se laisser distraire par des textos, des appels ou des courriels toutes les deux secondes.

Elle a ajouté en riant :

— On fait un essai pendant un mois !

Comme André désespère de recevoir une réponse, il lui envoie un nouveau message à chaque minute qui s'écoule. Après une dizaine de textos, il compose son numéro et se vide le cœur sur sa boîte vocale. Il en a tellement long à dire qu'il doit se reprendre par trois fois avant d'arriver au bout de ses idées. Devant son silence, il démarre le moteur de sa voiture et retourne chez lui avec l'âme encore plus en peine qu'au moment où il a quitté son logement.

***

Mado vérifie si elle a des messages sur son cellulaire avant d'aller manger avec les gars.

— Dix textos! s'écrie-t-elle d'une voix forte. Il n'y a même pas autant de personnes qui ont mon numéro de cellulaire. Et trois appels manqués en plus! Il y a des jours où je maudis la technologie.

— C'est probablement ton amoureux qui s'ennuie, la taquine Jimmy. Quand vas-tu enfin te décider à me le présenter?

Mado est tellement préoccupée par ses messages qu'elle ne réagit pas à la boutade de son fils.

— Il me semblait, aussi, que c'était trop beau pour être vrai. C'est André. Il commence sérieusement à me tomber sur les nerfs, celui-là. Ce n'est pas mon problème si ça ne fait pas son affaire que j'aie rompu. Je me demande sérieusement s'il comprendra un jour.

— Si tu veux mon avis, ajoute Louis d'un ton taquin, c'est le genre de question qu'il vaut mieux ne jamais se poser.

Alors qu'elle trouvait déjà ses textos toxiques, elle constate très vite que ce n'était rien comparé à ses messages vocaux. Il a tout déballé. Sa colère, sa déception, son amour pour elle, sa peine, son amour, encore son amour… Il a insisté, deux fois plutôt qu'une, sur le fait qu'Alex avait été impoli avec lui. Mado fulmine lorsqu'elle arrive au bout du dernier message. Cette fois, il a dépassé les limites. Elle regarde l'heure pour savoir si elle a le temps de parler à Alex avant qu'il parte travailler.

— Allez-y sans moi, dit-elle à Jimmy et Louis. J'ai une urgence à régler.

Jimmy voudrait aider sa mère, mais il sait que lorsqu'elle a cet air-là il est préférable de la laisser mener sa barque seule.

Mado appuie sur le nom d'Alex et, la seconde d'après, se met à pester contre son téléphone qu'elle trouve tout à coup beaucoup trop lent à son goût. Alex décroche à la première sonnerie et la pression de Mado baisse d'un cran seulement en entendant le son de sa voix. Elle lui raconte ce qui vient de lui arriver et lui demande ce qui s'est réellement passé. Elle l'écoute sans l'interrompre.

— Ça me surprenait, aussi, que tu l'aies menacé. Je vais aller lui rendre une petite visite et régler cette histoire-là une fois pour toutes.

Mado en a marre des frasques d'André, tellement qu'elle n'hésitera pas à aller voir la police s'il ne bat pas en retraite. « Ce soir, je vais appeler Frank. » Mathieu et Frank sont amis depuis la petite école. Ils disaient à tout le monde qu'ils étaient frères quand ils étaient au primaire. Leurs parents leur répétaient qu'ils étaient des amis et non des frères puisqu'ils n'avaient pas les mêmes parents, mais les deux garçons s'entêtaient à dire qu'il y avait des frères de sang et des frères de cœur et qu'eux appartenaient à la deuxième catégorie. Ils avaient entendu ça dans leur émission de télévision préférée et n'en démordaient pas. Ils dormaient chez l'un ou chez l'autre toutes les fins de semaine. Ils étaient les meilleurs amis du monde. Il fallait voir à quel point ils étaient tristes lorsqu'il arrivait malheur à l'un d'eux. Ils étaient toujours ensemble jusqu'à ce que leurs chemins se séparent au moment d'aller au cégep. Ils ne se sont jamais perdus de vue et même s'ils n'habitent plus dans la même ville et que Mathieu passe la majorité de son temps à

Fermont, ils se voient une ou deux fois par année. Mathieu s'est fait de nouveaux amis, mais aucun n'a pris la place qu'occupait et qu'occupe toujours Frank, son ami policier.

— Veux-tu que j'y aille avec toi ?

— Non, ce ne sera pas nécessaire.

— Fais attention à toi, l'implore Alex. Je ne le connais pas autant que toi, mais il ne m'a pas fait une très bonne impression. À la limite, je le trouve même dangereux.

— Tu n'as pas à t'inquiéter, André aboie mais ne mord pas. À ce soir !

Pendant la courte distance qu'elle parcourt pour se rendre chez André, Mado se répète pour la énième fois qu'il a dépassé les bornes. Elle réfléchit à ce qu'elle va lui dire pour qu'il comprenne enfin, mais tout se bouscule dans sa tête. D'un côté, elle lui en veut à mort de la harceler comme il le fait. De l'autre, elle le plaint de toutes ses forces et se sent coupable de la façon dont elle l'a traité. Elle sait qu'il était fou d'elle, mais d'aussi loin qu'elle se souvienne elle ne lui a jamais promis quoi que ce soit. Au contraire, elle le freinait continuellement dans les projets qu'il tentait de lui imposer. Pour elle, ils sortaient ensemble comme bien d'autres couples le font – et ça s'arrêtait là. « Je ne peux tout de même pas être tenue responsable de tout ce qu'il a pu s'inventer. »

Alex ne s'est pas seulement contenté de lui répéter la conversation qu'il avait eue avec André, il lui a aussi décrit son apparence. Si ces propos étaient sortis de la bouche de quelqu'un d'autre, Mado les aurait assurément mis en doute tellement elle ne reconnaissait pas André dans la description. Pas une seule fois elle ne l'a vu débraillé pendant tout le temps qu'ils ont été ensemble. D'ailleurs, ça la faisait toujours rire de voir à quel point il se mettait chic, même pour une simple promenade dans les bois. Chaque fois qu'ils se rejoignaient à son condo, Mado tentait de le convaincre d'aller se changer, mais malgré son insistance elle n'avait gain de cause qu'une fois sur deux. Encore là, il détonnait toujours, que ce soit avec ses espadrilles d'un blanc immaculé ou ses bermudas griffés.

Mado est arrivée devant la porte du logement d'André. Elle prend une grande inspiration et sonne. Les secondes s'écoulent, rien ne bouge. Elle a pourtant vu son véhicule dans le stationnement. Au moment où elle allait appuyer de nouveau sur la sonnette, la porte s'ouvre. Si Alex ne lui avait pas brossé un portrait aussi précis de l'apparence d'André, elle ne l'aurait même pas reconnu. Il a une tête d'enterrement et fait peur à voir.

— Mado ? dit-il d'une voix éteinte. Je croyais que tu travaillais...

— Je suis sur mon heure de dîner.

— Boirais-tu un verre de vin rouge ? Je suis justement passé à la Société des alcools ce matin et j'ai acheté ton vin préféré.

André poursuit avant que Mado ait le temps de répondre :

— Tu n'as pas idée à quel point je suis content de te voir, ma belle. Entre. Ne fais pas attention au ménage, je l'ai un peu négligé ces derniers jours. Tu sais ce que c'est, on trouve toujours mieux à faire que de frotter.

Mado souhaiterait disparaître. Elle a l'impression d'être en plein cauchemar. Toutes les toiles sont baissées et il règne un tel désordre qu'une vache y perdrait son veau. Il y a une forte odeur d'alcool, une odeur à donner mal au cœur. Il est certain qu'elle ne traînera pas ici plus longtemps qu'il faut. Elle avance jusqu'au salon et s'assoit sur le bout de la causeuse après avoir pris soin d'enlever les vêtements qui la jonchent. Depuis qu'elle connaît André, jamais elle n'avait vu son appartement dans un tel état, il ressemble à un endroit malfamé. Elle ne peut s'empêcher de regarder autour d'elle et de constater le chaos qui l'entoure. La chambre est dans le même état que le salon. Seule la cuisine semble avoir résisté au tsunami, ce qui s'explique facilement par toutes les boîtes de pizza et les cartons de restaurant chinois qui traînent un peu partout dans le salon. La voix d'André lui parvient en sourdine.

— Es-tu venue pour me dire que tu avais retrouvé la raison? J'espère vraiment que c'est ça…

Mado est tentée de lui hurler au visage qu'elle lui a déjà dit de toutes les façons inimaginables que c'était fini entre eux, mais elle n'en fait rien. Il est inutile de frapper sur un homme lorsqu'il est déjà par terre. Par contre, elle n'a pas l'intention de lui donner de faux espoirs pour autant.

— Non! répond-elle d'une voix ferme. Je suis venue te dire de te reprendre en main parce que je ne reviendrai pas auprès de toi. Ni maintenant ni jamais. Je te l'ai dit, toi et moi c'est terminé. Je ne mérite pas que tu en fasses autant pour moi. Il faut te secouer, André, parce que tu vaux plus que ça.

Mado s'efforce de penser, ce qu'elle vit en ce moment dépasse son entendement. Elle parle, mais comprend à l'expression d'André que ses paroles lui rentrent par une oreille et ressortent aussitôt par l'autre. Elle ne peut pas se résoudre à le laisser ainsi, elle doit absolument faire quelque chose pour le sortir du gouffre.

— Je vais appeler Johanne pour qu'elle vienne mettre un peu d'ordre ici. Je ne te demande pas ton avis. Tu ne peux pas vivre dans un tel fouillis.

— Tu ne comprends pas, dit André, je me fiche de tout si tu n'es pas avec moi.

Mado se contente d'aller chercher le carnet dans lequel André a noté le numéro de téléphone de sa femme de ménage. Elle sort son cellulaire. Elle surveille André du coin de l'œil pendant qu'elle attend qu'on lui réponde. C'est fou à quel point il fait pitié à voir. Elle discute ensuite quelques minutes avec Johanne et raccroche.

— Tu es chanceux, elle peut venir à 15 heures. Tu devrais en profiter pour aller prendre une douche et te raser, tant qu'à y être.

Assis dans le fauteuil, André la regarde sans réagir.

— Je vais appeler ta fille aussi.

Comme il n'offre aucune résistance, Mado s'exécute. Ce n'est pas l'amour fou entre le père et la fille, mais quand Mado lui explique ce qui arrive, cette dernière se laisse attendrir.

— Elle s'en vient. Je vais l'attendre avec toi.

***

— J'ai un tas de bonnes nouvelles à t'annoncer, s'exclame joyeusement Mado lorsqu'Alex revient de travailler. Je suis tellement contente. Deux de nos soumissions ont été acceptées aujourd'hui. On a eu le contrat pour refaire complètement l'image et le matériel promotionnel d'une grosse entreprise qui fabrique des serviettes hygiéniques. Elle existe depuis près de 20 ans, mais elle vient juste d'être rachetée. Les patrons nous ont aussi demandé si on voulait organiser l'ouverture officielle. Sur ce coup-là, j'avoue que j'ai dû forcer un peu la main des gars, car la gestion d'événements n'est pas leur tasse de thé. En tout cas, à force d'insister, j'ai réussi à les convaincre d'accepter et de voir ça comme un nouveau défi. Ils m'ont nommée responsable en chef de cette partie du projet. Ce n'est pas une petite affaire, les invités viendront de partout au Québec. Le plus surprenant, c'est que ce sont majoritairement des hommes, alors qu'il s'agit de serviettes hygiéniques. Quand on lui a demandé combien il était prêt à investir, le président nous a dit qu'il paierait ce qu'il faut, à la condition que ça frappe fort. Je suis tellement énervée que Jimmy et Louis aient accepté de me laisser organiser tout ça. Je ne te l'ai probablement jamais dit, mais j'ai toujours rêvé d'organiser des événements.

— Wow! Tu risques d'être très occupée!

— D'après moi, je devrais être capable de m'en tirer en travaillant trois jours par semaine. Mais attends, c'est loin d'être terminé, on a aussi obtenu un gros contrat avec un concessionnaire de voitures de luxe. Il nous a demandé de réaliser plusieurs publicités télévisuelles. Sérieusement, je ne m'attendais pas à ce que les choses évoluent aussi vite. Je suis tellement contente de pouvoir enfin réaliser mon rêve.

— Tant mieux! Moi aussi, j'ai une bonne nouvelle pour toi. C'est maintenant officiel, je peux retourner dans mon appartement dès demain.

Mado accuse le coup sans sourciller alors que le départ d'Alex la dérange beaucoup plus qu'elle ne voudrait l'avouer. En réalité, elle a tellement pris goût à l'avoir à ses côtés qu'elle avait presque oublié que sa présence n'était que temporaire. C'est dans ces moments qu'elle se rend compte à quel point la vie est parfois curieuse. Alors qu'elle était morte de peur à l'idée d'être en couple avec lui, voilà maintenant qu'elle ne veut plus le voir partir. C'est qu'elle en a fait, du chemin, depuis la nuit où ils ont fait l'amour pour la première fois. Elle lui a même ouvert la porte de son logement. Partager son quotidien avec Alex est tellement facile qu'il y a des moments où elle a l'impression qu'il a toujours fait partie de sa vie.

— Tu n'es pas pressé de partir, lui dit-elle.

Si ce n'était que de lui, Alex emménagerait avec Mado immédiatement, mais étant donné qu'il ne veut pas courir le risque de la brusquer, il retournera dans son appartement le lendemain comme prévu et attendra bien sagement de lui manquer suffisamment pour qu'elle prenne elle-même l'initiative de l'inviter à vivre chez elle, avec elle.

— Tes petits plats me manquent déjà…, ajoute Mado.

— Je peux venir cuisiner tous les jours si tu veux. Je veux te remercier de tout cœur d'avoir accepté de…

Mado ne lui laisse pas terminer sa phrase et lui saute au cou pour l'embrasser avec passion. Elle est tellement bouleversée par son départ imminent qu'elle se mettrait en petite boule et pleurerait toutes les larmes de son corps si elle était seule. Elle doit le reconnaître, Alex n'a pas cessé de marquer des points depuis qu'elle le connaît. Il s'est d'abord glissé dans sa vie sans faire de bruit, sans la bousculer. Elle n'ira pas jusqu'à l'implorer de rester, mais elle remettra en question sa position de ne plus jamais habiter avec un homme. La première chose qu'ils constatent, c'est qu'ils sont nus comme des vers, ils donnent libre cours à toutes les idées plus passionnantes les unes que les autres qui flottent dans leur esprit.

C'est la sonnerie du téléphone qui les fait tomber brusquement de leur petit nuage douillet. Alors que Mado tente de se lever, Alex la retient.

— Je t'en prie, l'implore-t-il, ne réponds pas.

— Je vais juste regarder qui c'est, plaide Mado le corps en feu.

Après lui avoir mordillé le lobe d'oreille, Alex la libère à contrecœur.

— Tu ne sais pas ce que tu manques…

— Ne bouge surtout pas, l'intime Mado en pointant son index sur lui, je reviens tout de suite.

Aussitôt qu'elle voit le numéro, elle s'écrie :

— Il faut absolument que je réponde, c'est Mathieu. Ça doit être vraiment important pour qu'il prenne la peine de m'appeller de Fermont.

Mathieu a mis tellement de temps avant de se décider à téléphoner à sa mère qu'aussitôt qu'il l'a au bout du fil il ne prend pas le temps de lui demander comment elle va et il saute aussitôt dans le vif du sujet.

— Écoute, *mom*, si je te téléphone, c'est pour te parler d'André. Le pauvre, il m'a contacté l'autre jour, il est complètement à l'envers depuis que tu l'as laissé. Je ne voudrais surtout pas te dire quoi faire, mais il me semble qu'il mériterait que tu lui laisses une autre chance, tu ne penses pas? Il t'aime comme un malade et… c'est un bon gars comme il ne s'en fait plus beaucoup, il…

Mado sent la colère l'envahir. Quelques phrases additionnelles suffisent à la faire sortir de ses gonds.

— Stop! s'écrie-t-elle d'une voix autoritaire. J'en ai assez entendu. D'abord, je tiens à te rappeler que ce qui se passe dans mon lit ne regarde que moi. Je ne me suis jamais mêlée de tes histoires de cœur et j'en attends autant de ta part. Maintenant, pour ce qui est d'André, je n'en peux plus que tu l'idolâtres, alors laisse-moi te parler un peu de lui.

Mado lui en débite tout un chapitre sur André, cet homme si exceptionnel aux yeux de son fils, sans lui laisser placer un mot. Elle ne lui demande pas de prendre sa défense, elle est assez grande pour le faire toute seule, mais elle est fatiguée de l'entendre constamment louanger André sans savoir de quoi il en retourne vraiment. Elle n'a pas l'habitude de lui parler sur ce ton, mais là c'en est trop.

— Pendant que je t'ai au bout du fil, ajoute-t-elle d'un ton décidé, j'ai un nouvel homme dans ma vie. Il s'appelle Alexandre, il est beaucoup plus jeune que moi et je l'aime.

Mado est si fâchée qu'elle sent son cœur battre à toute vitesse. Elle en profite pour lancer une dernière bombe avant de raccrocher.

— Fais-moi signe lorsque tu seras en ville, je te le présenterai. Maintenant, tu m'excuseras, mais il faut que je te laisse, j'ai un rendez-vous.

Témoin de la scène, Alex observe Mado sans dire un mot. Il savait qu'elle avait du caractère, mais il n'aurait jamais pu imaginer qu'elle pouvait être aussi cassante avec l'un de ses fils. En même temps, après tout ce qu'il a entendu, il ne l'a pas volé. A-t-il rêvé ou vient-elle de dire qu'elle l'aime ? Il affiche un sourire à cette idée.

— As-tu vraiment un rendez-vous ? lui demande-t-il.

— Mais oui… il s'appelle Alex.

Mado se rue sur lui pour l'embrasser tendrement.

Chapitre 20

Mado aurait vraiment souhaité que le départ d'Alex ne la chamboule pas autant. Elle se souvient qu'elle vit désormais seule chaque fois qu'elle entre dans son appartement et, franchement, elle trouve ça décourageant. Le pire est que, même si elle le voit pratiquement tous les jours, Alex lui manque cruellement. Sa brève incursion dans sa vie quotidienne lui a rappellé à quel point la vie à deux pouvait lui manquer. Certes, quand on vit seul, on est le seul maître à bord, mais aujourd'hui Mado réalise à quel point le prix à payer est élevé. Pour elle, il n'y a rien de meilleur que de rentrer chez soi et de se faire accueillir par les gens qu'on aime. Aujourd'hui, Mado est capable de reconnaître qu'elle ressent quelque chose de fort pour Alex sans que ça la mette tout à l'envers. Elle irait même jusqu'à lui répéter qu'elle l'aime si elle n'avait pas aussi peur des mots. Si elle allait au fond de sa pensée, elle oserait ajouter qu'elle n'a jamais aimé un homme à ce point, et qu'aucun ne mérite cet amour autant que lui. Et c'est précisément ce qui bouleverse autant sa vie. Pourquoi ? Tout simplement parce qu'Alex a toujours l'âge qu'il a et que ça n'a pas de sens pour elle qu'ils puissent former un couple. On a beau être au XXIe siècle, il est encore mal vu qu'une femme sorte avec un homme plus jeune, alors que l'inverse n'est pas le cas. Elle en a eu le parfait exemple la veille lorsqu'elle était au restaurant avec Jimmy et Louis. Un homme d'une soixantaine d'années a fait son entrée avec à son bras une femme splendide d'à peine 30 ans, et tout ce que ses associés ont trouvé à dire était que le type devait avoir de l'argent.

— Si c'était elle qui était plus vieille, leur a demandé Mado, qu'auriez-vous dit ?

— Que c'est une *cougar* et qu'elle a beaucoup de chance! a répondu spontanément Jimmy.

En voyant l'air de sa mère, il a cru bon d'ajouter:

— J'imagine que tu sais ce qu'est une *cougar*...

Avec tout ce qu'on dit sur ce genre de femmes depuis quelques années, il faudrait vivre sur une autre planète pour ne pas en avoir au moins une petite idée. Mado en connaissait déjà les grandes lignes, mais elle était curieuse d'entendre la version de son fils sur le sujet. C'est pourquoi elle a joué la carte de l'innocence.

— Pas vraiment, non...

Jimmy l'a observée quelques secondes avant de lui répondre. Il n'a pas cru que sa mère ignorait ce qu'est une *cougar*, elle qui est informée sur à peu près tout. Il la connaît assez pour savoir qu'elle voulait juste le faire parler. Il a joué le jeu à son tour.

— Je vais te le résumer bien simplement. Pour moi, c'est une femme qui a décidé de rattraper le temps perdu. Elle a toujours été sage et a tout fait sauf s'envoyer en l'air juste pour le plaisir. Comme elle n'a aucune chance de trouver ça auprès des hommes de son âge, eh bien elle se tourne vers les plus jeunes.

— C'est tout?

— Ajoute à cela qu'elle a les moyens de ses ambitions et tu as le modèle parfait des couples qu'on croise de plus en plus dans la rue.

— Et toi, que penses-tu de tout ça?

Jimmy a haussé les épaules.

— Que veux-tu que j'en pense à part que chacun est libre de faire ses propres choix? Je ne t'en ai jamais parlé avant, mais si j'avais la chance de tomber dans l'œil de ton amie Claire, par exemple, disons que je ne lui dirais pas non.

Mado n'était pas surprise que Jimmy lui parle de Claire. Il était tout petit et elle le fascinait déjà. Elle s'est promis de ne pas vendre la mèche auprès de son amie, elle la connaît, elle n'hésiterait pas à s'en prendre à Jimmy. Claire est une bonne personne, mais quand il s'agit de sexe, elle n'a plus aucun discernement. Mado n'arrête pas de lui répéter qu'elle pense comme un homme.

— Et toi, Louis?

— Moi? Dans l'ensemble, je partage l'avis de Jimmy. J'ajouterais que tous les hommes auraient avantage à sortir avec une femme plus âgée qu'eux, du moins en ce qui a trait au sexe. Les jeunes femmes ont bien d'autres choses en tête. Elles sont pleines de complexes et, plus souvent qu'autrement, se lancent la tête la première dans leurs études, leur carrière, les enfants et la vie au quotidien. Crois-moi, je sais de quoi je parle, je vis avec la même femme depuis longtemps, une femme que j'adore, mais à qui il ne reste jamais de temps pour s'envoyer en l'air au sens où je l'entends. Pour moi, les galipettes sont un plaisir du passé depuis trop longtemps à mon goût. Le mieux que je puisse faire désormais, c'est garder mes souvenirs bien vivants dans ma mémoire.

Ce n'était pas la première fois que Mado entendait ce discours dans la bouche d'un homme marié. Elle s'est même portée à leur défense plus d'une fois.

Bien qu'elle n'ait pas cherché ce qui lui arrive, Mado n'a eu aucune difficulté à se reconnaître dans les propos des gars. Certes, elle a eu une vie sexuelle plutôt agréable avec ses deux maris, mais de là à dire qu'elle était aussi débridée que celle qu'elle a avec Alex, il y a un fossé infranchissable.

L'occasion étant parfaite pour parler de sa relation avec Alex à Jimmy, Mado s'est jetée à l'eau.

— Aussi bien vous le dire avant que vous l'appreniez par quelqu'un d'autre, je sors avec un homme beaucoup plus jeune que moi.

— Est-ce que c'est celui avec qui tu étais au chalet? lui a demandé aussitôt Jimmy.

— Oui, qui est sur mon écran de cellulaire aussi, a-t-elle répondu en rougissant jusqu'à la racine des cheveux.

— Je me doutais bien qu'il y avait un homme là-dessous, a ajouté Jimmy. Tu n'as jamais été aussi rayonnante. Tellement que si tu n'étais pas ma mère je te ferais les yeux doux. Farce à part, je suis content pour toi, *mom*.

— Moi, je t'envie, a renchéri Louis. Quand as-tu l'intention de nous le présenter, ton mec?

— Tu n'as qu'à lui demander de te montrer le fond d'écran de son cellulaire..., a raillé Jimmy.

— C'est hors de question! a tranché Mado. Il y a bien assez de toi qui l'a vu!

Fidèle à lui-même, Jimmy ne lui a posé aucune question sur André. Il l'aimait bien, mais il ne lui manquera pas. Si sa mère est heureuse de sortir avec un gars plus jeune, Jimmy est content pour elle. Qu'il la prenne ou non pour une *cougar*, Mado n'en a rien à faire. La glace est brisée maintenant, Jimmy connaît l'existence d'Alex. Il reste à le présenter à Gertrude et Mado a décidé que ce sera demain le grand jour.

Mado se sert un verre de vin rouge en arrivant chez elle. Au moment d'y tremper les lèvres, elle se dit qu'il serait bien meilleur si

Alex était là pour l'accompagner. Elle regarde ensuite l'heure pour être sûre de ne pas manquer Émilie, elles se sont donné rendez-vous sur Skype. C'est d'ailleurs pour cette raison qu'elle est rentrée un peu plus tôt. Comme elles vivent à l'envers l'une de l'autre, leur horaire variable leur permet de se simplifier la vie. Émilie lui a dit que pour cette fois ce n'était pas grave si c'était la nuit pour elle, qu'elle n'aurait qu'à se recoucher après son appel. Émilie apparaît sur l'écran de l'ordinateur à peine deux minutes plus tard. Mado a les yeux pleins d'eau seulement en la voyant.

— Salut, *mom*, s'écrie Émilie. Tu ne vas pas te mettre à pleurer!

— Non, non! Rassure-toi, ma princesse, ce sont des larmes de joie. C'est parce que tu me manques trop.

— À moi aussi, mais j'ai une bonne nouvelle pour toi. Prépare-toi, parce que j'arrive avec mes deux hommes dans moins d'un mois. On pense rester deux semaines, peut-être trois. Ça dépendra des affaires de John.

Mado est si contente que les larmes coulent doublement de ses yeux. Savoir qu'elle va revoir sa fille la remplit de joie.

— Tu viens quand tu veux et tu restes aussi longtemps que tu en as envie. Dis à John et à Peter que j'ai vraiment hâte de les revoir. C'est ta grand-mère qui sera contente, elle n'arrête pas de me demander quand tu te décideras à venir nous voir. J'imagine que vous vous installerez au chalet?

— J'ai bien l'intention d'y aller quelques jours, mais c'est un peu trop loin de la famille. John et moi en avons parlé et on prendra une chambre d'hôtel près de chez toi pour le reste du temps.

Avec l'accueil que John leur a réservé, jamais Mado ne pourra accepter qu'ils aillent s'installer à l'hôtel.

— J'ai une bien meilleure idée, je vais vous prêter mon condo.

— Et toi ?

— Ne t'inquiète pas pour moi, au nombre d'amis que j'ai, je trouverai bien un canapé libre quelque part.

Et c'est là que Mado se dit que c'est l'occasion rêvée d'ouvrir son jeu sur Alex.

— Si ça peut te rassurer, ajoute-t-elle du bout des lèvres, j'irai m'installer chez Alex...

Comme elle s'y attendait, sa dernière phrase a l'effet d'une bombe. Émilie l'a aussitôt inondée de questions. Mado s'est gardée une petite gêne pour certains détails, mais au final elle lui en a dit beaucoup plus qu'à Jimmy. Émilie se doutait bien que la relation de sa mère avec André battait de l'aile depuis un bon moment, Mado n'en parlait pratiquement jamais.

— Je disais à ta grand-mère pendant que nous survolions l'océan que les choses seraient beaucoup plus simples si j'étais avec John et toi avec Alex, mais bon tu sais comme moi qu'il n'y a rien de parfait.

— La vie est tout sauf simple, c'est toi qui me l'as appris. Et puis, qui a dit qu'on devait absolument tomber en amour avec quelqu'un qui a le même âge que nous ? La société ? Entre toi et moi, j'emmerde tous ceux qui nous regardent de travers quand John et moi nous embrassons en public. Je n'ai pas une aussi grande expérience que toi, mais je sais qu'il faut sauter sur le bonheur à pieds joints quand il frappe à notre porte. Je suis tellement contente pour toi, *mom*.

Mado n'est pas surprise de la réaction d'Émilie. Tout comme Jimmy, elle a toujours appliqué la philosophie du vivre et laisser vivre. À moins qu'elle se trompe, Mado croit que les choses seront complètement différentes avec Mathieu. D'abord parce qu'il adore

André et, ensuite, parce qu'il est beaucoup plus conservateur que son frère et sa sœur. Elle n'a qu'à repenser à la réaction qu'il a eue quand elle lui a appris qu'Émilie habitait avec John.

— Je trouve ça indécent et suis totalement contre. C'est avec le fils qu'elle devrait sortir, pas avec le père. Voyons donc, c'est quoi, cette histoire-là ? Avec la tête de cochon qu'elle a, ce n'est certainement pas moi qui vais réussir à la raisonner…

Mado l'invitera à manger au restaurant aussitôt qu'il arrivera en ville et lui présentera Alex. Elle se doute bien qu'il aura la même réaction avec elle qu'avec sa sœur, mais rendu là il n'aura pas le choix de faire avec. Après tout, rien ne dit que Mathieu doive penser comme Jimmy et Émilie.

La mère et la fille s'épanchent sur le cas d'Alex plusieurs minutes encore. Émilie ne tarit pas de questions à son sujet. Et bien sûr, elle fait promettre à sa mère de lui envoyer au moins une photo de son prince charmant en attendant de faire sa connaissance.

— Maintenant, il faut absolument que je te parle de la maison que j'ai décorée, lance joyeusement Émilie. Non seulement John a adoré ce que j'ai fait, mais il l'a vendue en moins d'une semaine. Tu te rends compte ! Elle était loin d'être bon marché ! Entre toi et moi, j'ai fait plus d'argent en moins d'un mois que pendant toute une année de travail. Et le plus drôle dans tout ça, c'est que je m'amuse comme une petite folle. Moi qui adore courir les magasins, voilà qu'on me paie pour le faire.

— Je suis tellement fière de toi !

— Attends de connaître la suite, s'écrie Émilie. Quand John a vu le résultat final, il m'en a tout de suite donné une autre deux fois plus grande à moderniser. Cette fois-ci, j'ai carte blanche pour le style de décoration et un budget illimité. Ce n'est pas mêlant, j'ai l'impression de flotter sur un nuage depuis que je suis avec lui. Si tu savais à quel point j'aime cet homme !

— Tant mieux !

Émilie a envoyé plusieurs photos à sa mère de la maison qu'elle a retapée. Chaque fois qu'elle en recevait une nouvelle et qu'elle voyait l'évolution du travail, Mado sentait son cœur de mère s'emballer devant tout ce que sa fille était en train d'accomplir. Elle a de quoi être fière de ses enfants. Elle n'a rien fait de plus que les autres parents, disons plutôt qu'elle a été chanceuse de tomber sur les enfants qu'elle a. Tous trois font ce qu'ils aiment et réussissent dans leur domaine. Si leur père respectif était encore vivant, aucun doute qu'ils seraient également fiers d'eux.

La mère et la fille poursuivent leur conversation jusqu'à ce qu'Émilie se mette à bâiller à répétition.

— Tu dors debout, ma princesse, dit Mado à contrecœur, tu devrais aller te coucher.

— Mais j'ai encore un tas de choses à te dire.

— On n'a qu'à fixer un autre moment pour se parler. Cette fois-là, c'est moi qui te bâillerai en plein visage. J'insiste sur ce point, je veux que tu sois en forme pour ton travail.

Dés qu'elles conviennent d'un prochain rendez-vous, Émilie retourne dormir alors que Mado se verse une autre coupe de vin.

***

Même si Mado voudrait faire sa brave et dire qu'elle n'est pas nerveuse à l'idée de rencontrer les parents d'Alex, elle en serait incapable. Elle a des bouffées de chaleur qui lui donnent l'impression de revivre sa ménopause et elle fait les cent pas en attendant ce dernier. C'est plus fort qu'elle, elle imagine les pires scénarios et est terrifiée à l'idée que cette rencontre puisse mal tourner. Ses parents la trouveront sûrement trop vieille pour leur fils. Ou alors ils diront qu'elle n'est pas assez bien pour lui. Ils ne l'aimeront pas et lui feront clairement comprendre qu'elle n'est pas la bienvenue dans leur famille. Elle a parlé de ses appréhensions à Alex la veille au soir et il lui a répété sur tous les tons qu'elle s'en faisait pour rien, que ses parents avaient l'esprit ouvert et qu'ils ne souhaitaient que son bonheur.

Aussitôt qu'Alex arrive au condo, Mado se jette dans ses bras et lui dit :

— Tu es vraiment certain qu'on ne peut pas remettre ça ? Je suis morte de peur, j'ai un nœud dans l'estomac et j'ai envie de vomir…

Alex lui caresse doucement la joue en plongeant son regard dans le sien.

— Au risque de me répéter, tu t'en fais pour rien. Allons-y, mes parents nous attendent.

Mado a beau se répéter les paroles rassurantes d'Alex, mais plus ils approchent de leur destination, plus elle est nerveuse. Le regard rivé sur la route, Alex lui tient la main. Il n'a pas besoin de l'observer pour savoir comment elle se sent, la moiteur de sa main en dit long sur son état.

— Je suis content de savoir que Jimmy et Émilie ont bien réagi, dit-il pour essayer de détendre l'atmosphère. Et j'ai hâte de rencontrer ta mère.

— Sois sans crainte, répond spontanément Mado, comme je te connais, tu vas la mettre de ton bord en moins d'une minute.

Les voilà maintenant devant la maison des parents d'Alex. Mado prend une grande inspiration avant d'attraper la main qu'il lui tend pour l'aider à descendre de la voiture. Elle n'est pas encore totalement redressée qu'elle entend son prénom. Elle tourne la tête pour savoir qui l'interpelle.

— Mado ! Je me disais, aussi, que je te connaissais. Dépêchez-vous, le rôti est prêt.

Pour une surprise, c'en est tout une ! Alors que Mado croyait se trouver en terrain inconnu, elle est rassurée lorsqu'elle se rend compte qu'elle connaît la mère d'Alex. Pas intimement, mais professionnellement, et c'est bien ainsi. En fait, elles siègent au même conseil d'administration. Mado n'en revient pas à quel point la vie est remplie de surprises. Alex est le fils d'Huguette. Une autre preuve que le monde est petit. Les deux femmes se font la bise et entrent dans la maison. Alex lui présente ensuite son père et Mado respire enfin. Elle est soulagée de voir qu'il est aussi gentil que sa femme.

Mado se sent tellement en confiance avec les parents d'Alex qu'elle leur demande ce qu'ils pensent de sa relation avec leur fils avant même d'avoir mangé le dessert.

— Je serais bien mal placée pour parler, avoue Huguette, Alex t'a sûrement dit que j'ai 12 ans de plus que Claude.

— Tout ce qu'il m'a dit, confie Mado, c'est que vous aviez l'esprit ouvert.

— Tu aurais dû le lui préciser, crie Huguette à son fils, ça l'aurait rassurée.

Devant le ton employé par la mère d'Alex, Mado se sent obligée de le défendre :

— Mais il a tout fait pour me rassurer, c'est moi qui étais morte de peur à l'idée de vous rencontrer.

— Pour ma part, ajoute Claude, la seule chose que j'ai besoin de savoir, c'est que mon fils est heureux.

Il est plus de 16 heures lorsque Mado et Alex reprennent la route. Ils ont passé un excellent moment. À peine Mado a-t-elle fermé sa portière qu'elle s'exclame :

— Je comprends mieux maintenant pourquoi tu es aussi gentil. Tes parents sont adorables. Le plus drôle, dans toute cette histoire, c'est que je connaissais ta mère sans le savoir. Je n'en reviens tout simplement pas et je ne suis pas fière de moi pour une chose, je ne connaissais que son prénom, et puisque j'ai manqué la dernière réunion, je n'ai pas pu faire le rapprochement. Je…

Plus Mado parle et plus Alex sourit. Il aurait envie de lui rappeler qu'elle s'inquiétait pour rien, mais ce serait inutile. L'essentiel, c'est que la rencontre se soit bien passée. Maintenant il doit se préparer mentalement parce que dans moins d'une heure ce sera à son tour d'être sous les projecteurs. Bien qu'il ne s'en fasse pas autant que sa douce, il se demande tout de même de quelle manière Gertrude l'accueillera. Il fait son possible pour ne rien laisser paraître, mais il n'a pas l'esprit tranquille.

Au moment de sonner à la porte du logement de Gertrude, Alex respire à fond. Heureusement pour lui, il sait qu'il n'a rien à craindre aussitôt qu'il se retrouve devant elle.

— Mado s'est enfin décidée à te sortir de la garde-robe, s'écrie la vieille dame, il était plus que temps. Approche un peu que je t'embrasse.

Alex aime déjà Gertrude et c'est réciproque. Elle le prend ensuite par le bras et lui dit :

— Bienvenue dans mon royaume.

— Je t'en supplie, dis-moi que tu as fait ton légendaire osso bucco, demande Mado.

Puis, à l'intention d'Alex, elle ajoute :

— Ma mère est une excellente cuisinière.

— Ne me vante pas trop vite, lui suggère Gertrude, depuis le temps que je ne l'ai pas fait, rien ne garantit que j'ai encore la main.

— Juste à l'odeur, la rassure Mado, je suis certaine que oui.

Mado va près de la cuisinière et enlève le couvercle des deux casseroles pour voir ce que sa mère a concocté pour accompagner le veau.

— Yé ! Il y a des fettucines à l'ail et au beurre et des rubans de courgette jaune. J'en ai déjà l'eau à la bouche !

— J'espère, Alex, que tu as la dent sucrée, parce que j'ai fait une tarte aux pacanes pour le dessert.

— Vous ne pouviez pas tomber mieux, confirme le jeune homme, c'est mon dessert préféré. Avec moi, votre tarte ne fera pas long feu.

— À la bonne heure ! Tu pourras même partir avec le reste, si tu veux.

— Vous ne me le direz pas deux fois...

— Et moi ? demande Mado d'une petite voix.

— Tu t'arrangeras avec Alex, ajoute Gertrude.

Décidément, Gertrude impressionne sa fille. Elle est tellement pimpante que Mado a du mal à la reconnaître. Elle se déplace encore plus allègrement que lorsqu'elles étaient en Australie. Mado la regarde et sourit. Si seulement Gertrude savait à quel point elle est contente de la voir ainsi. Même la présence d'Alex semble la stimuler.

— C'est vrai, s'exclame Gertrude d'un ton taquin, je ne vous ai pas dit ça : je me suis inscrite à des cours de salsa.

Mado passe à un cheveu de s'étouffer avec sa gorgée de vin en entendant cela. Elle a de la difficulté à imaginer sa mère en train de danser la salsa, il faut dire que Gertrude a toujours été une piètre danseuse. Son mari n'arrêtait pas de lui dire qu'elle avait deux pieds gauches. Aussi, il faut être drôlement en forme pour s'attaquer à cette activité.

— Alors, déclare Alex, je vous réserve tout de suite la première danse, mais il y a juste un petit problème, vous allez devoir me montrer.

Mado réfléchit et se retient de rire. Des images de sa mère en train de se déhancher affluent maintenant dans sa tête. Elle n'a pas l'habitude de se moquer d'elle, mais cette fois c'en est trop. Elle se met soudainement à rire comme une vraie malade. Alex la regarde sans comprendre. Quelques secondes suffisent pour que Gertrude lui emboîte le pas. Les deux femmes rient maintenant à en avoir mal aux côtes et de grosses larmes coulent sur leurs joues. Les voir ainsi a un effet d'entraînement irrésistible pour Alex qui se met lui aussi de la partie. Ils rient jusqu'à en pleurer. Ils s'essuient les yeux à répétition et, lorsqu'ils se calment enfin, Gertrude prend la parole entre deux hoquets :

— Sérieusement, vous m'imaginez vraiment en train de danser la salsa ? Ça me tuerait, et je ne suis pas pressée de me retrouver au ciel. Je suis vraiment des cours de danse, mais pour les tortues. On a pratiqué la valse la semaine passée.

— Il me semblait, aussi, laisse tomber Alex. Vous m'avez bien eu… vous…

— Excuse-moi, maman, dit Mado le souffle court, je t'imaginais en train de danser la salsa avec le vieux monsieur qui traîne toujours près de la réception. Tu sais sûrement de qui je veux parler, c'est celui qui se déplace avec une marchette. Crois-moi, ça n'avait aucun bon sens tellement tu étais drôle.

— Le pauvre homme, deux pas de danse suffiraient amplement pour le tuer. Mais vous devriez voir avec quelle jeunesse je danse…

Et ils repartent tous à rire de plus belle.

Ils ont bien mangé. Ils ont bien bu. Ils ont aussi bien ri. Il était près de 22 heures lorsqu'Alex et Mado ont quitté Gertrude. Elle les a embrassés chaleureusement, les a même serrés dans ses bras, et leur a rappelé la rencontre de famille prévue pour le samedi suivant au chalet, pour être bien certaine qu'ils ne l'oublient pas.

— Elle est vraiment cool, ta mère. Elle m'a bien eu avec son histoire de salsa.

— Elle a eu un grand passage à vide après la mort de mon père, mais depuis que j'ai pris ma retraite, j'ai retrouvé la mère qui me manquait tant. Tu ne peux même pas t'imaginer à quel point ça me rend heureuse. Et puis le fait d'aller voir Émilie ensemble nous a beaucoup rapprochées. C'était un voyage magique qui restera gravé dans ma mémoire à jamais.

Mado est heureuse d'avoir passé ce moment plus qu'agréable avec sa mère et Alex.

— Tu as vraiment un don, ajoute Mado en lui caressant la joue, c'est complètement fou, ma mère t'a adopté au premier coup d'œil.

Son cœur s'emballe et des milliers de petits papillons parcourent son corps chaque fois qu'elle le regarde. Elle doit reconnaître que, avant lui, jamais elle n'avait ressenti cette sensation de manière aussi intense.

— Ça te dirait qu'on s'arrête boire un verre au Cube avant de rentrer ?

— Quelle bonne idée !

— J'ai envie de montrer au monde entier la chance que j'ai d'être avec toi…

Chapitre 21

— Je suis tellement bien avec Gervais, s'exclame Monique, que si je le pouvais, je ferais pousser des enfants avec lui. Un grand jardin rempli d'enfants ! Je t'assure, aucun homme ne m'a rendue autant heureuse de toute ma vie. Je ne pourrai jamais remercier suffisamment Alex de nous avoir présentés.

— Ménage ta salive, lui suggère Mado. Te souviens-tu de ce qu'il t'a dit la dernière fois que tu t'es pendue à son cou pour le remercier ? « Tout ce que j'ai fait, c'est de lui trouver quelqu'un pour monter derrière lui afin qu'il me laisse un peu tranquille avec Mado. »

Comme si ce n'était pas suffisant, lorsqu'il y a une accalmie au magasin, Gervais passe son temps à parler de Monique à Alex, tellement que ce dernier n'en peut plus. Il faut dire que, sur ce plan, les deux hommes sont à des années-lumière. Alex est plutôt réservé en ce qui a trait à ses histoires de cœur alors que Gervais passe son temps à en parler, dans le bonheur comme dans le malheur. Alex lui dit souvent qu'il est pire qu'une femme, mais ça n'a aucun impact sur lui. C'est un verbomoteur. Heureusement qu'il est aussi attachant !

— Je sais tout ça, mais c'est plus fort que moi. Tu sais aussi que j'aime beaucoup Alex. Quand je te vois avec lui, je me demande comment tu faisais pour sortir avec André. Pauvre homme, il était d'un tel ennui, c'en était pathétique. En fait, ce n'est pas lui que je devrais plaindre, mais toi. Je devrais même te décerner une médaille d'or pour l'avoir supporté aussi longtemps.

Ce n'est pas la première fois que Monique parle de cette façon d'André. Elle ne l'appréciait pas beaucoup, ce n'est un secret pour personne. Elle n'était pas méchante avec lui, mais dès qu'il se trouvait dans la même pièce qu'elle, elle s'organisait pour s'en tenir le plus loin possible. Ce n'était qu'ainsi qu'elle arrivait à se retenir de parler. Elle n'a jamais aimé sa manière de se comporter avec Mado, elle le trouvait excessif. Elle n'appréciait pas non plus la façon qu'il avait de la regarder, ça lui donnait la nausée. Comment pouvait-il se permettre de poser les yeux sur elle comme si elle était une cible potentielle alors qu'il était en couple avec sa meilleure amie ? Monique n'a jamais été capable de tolérer ce genre de comportement. Jusqu'à ce que Mado mette un terme à sa relation avec lui, chaque fois que Monique osait dire un mot sur André, ou même lever les yeux en l'air, Mado montait instantanément aux barricades pour le défendre. Aujourd'hui, pour la première fois, elle ne proteste pas, même qu'elle est plutôt d'accord avec les dires de son amie. Elle n'a pas l'intention de s'étendre sur le sujet plus longtemps, elle sait pertinemment que ça ne donnerait rien, mais Monique a raison sur ce point, André n'était pas l'homme le plus palpitant que la terre ait porté. Il y a des jours où Mado se demande ce qu'elle pouvait bien lui trouver. Il y en a d'autres où elle se dit qu'il n'a sûrement pas croisé son chemin pour rien. Et puis, si elle est honnête, leur relation lui convenait jusqu'à ce qu'Alex fasse irruption dans sa vie.

— Au fait, poursuit Monique, as-tu de ses nouvelles ?

— Aucune ! Je tiens pour acquis que sa fille veille sur lui. J'ai pensé plusieurs fois à l'appeler pour savoir comment il allait, mais en même temps je me dis que si je veux qu'il m'oublie ce n'est pas la bonne chose à faire. Tu sais, il m'a vraiment fait la vie dure à partir du moment où j'ai pris ma retraite, et je profite de chaque instant de paix qui m'est accordé depuis que j'en suis débarrassée.

En entendant le mot « retraite » dans la bouche de Mado, Monique ne peut s'empêcher de rire.

— Tu es vraiment sérieuse ? De quelle retraite parles-tu ? Je connais un tas de gens qui ont pris leur retraite, mais ça ne ressemble en rien à ce que tu vis. Tu as fini de travailler le vendredi et tu as recommencé le lundi d'après. Si c'est ça, la retraite, je n'ai pas hâte de prendre la mienne.

— Franchement, s'indigne Mado, tu exagères ! Je suis même allée en Australie.

— Une maudite chance ! s'exclame Monique.

— L'association avec Louis et Jimmy n'était pas prévue. Et puis je te rappelle que je travaille seulement deux jours…

Quand elle se rend compte de ce qu'elle est en train de dire, Mado s'arrête brusquement. À la limite, elle peut se mentir à elle-même, mais pas à Monique.

— Disons plutôt trois jours par semaine, corrige-t-elle, et peut-être quatre et même cinq pour quelques mois.

Comme si elle se sentait obligée de s'expliquer, elle ajoute :

— Mais c'est temporaire, tout ça…

— Tu n'as pas à te justifier ! C'est ta vie ! Mais il faudrait être aveugle pour ne pas voir à quel point ça te rend heureuse. Jimmy a beaucoup de chance de t'avoir comme associée.

— Honnêtement, c'est moi qui suis la plus chanceuse dans cette histoire ! Je ne sais pas si je serai assez vieille un jour pour prendre ma retraite, enfin je veux dire au sens où plusieurs l'entendent. J'ai besoin d'une motivation pour me lever le matin et j'ai encore plus besoin de me sentir utile. Depuis que je travaille avec les gars, je sais hors de tout doute que j'aurais fait des pieds et des mains pour me trouver un autre emploi. Si la retraite m'a enseigné une chose, c'est que travailler m'est vital. J'ai déjà appris un tas de choses avec eux, et ils me font confiance. Pour te dire à quel point, ils ont même accepté de se lancer dans la gestion d'événements, et, crois-moi, c'est bien loin de leur champ d'expertise habituel.

Mado raconte en long et en large le projet sur lequel elle travaille en ce moment. Elle en parle et ses yeux pétillent.

— Mais j'y pense, lance-t-elle une fois arrivée au bout de son discours, je vais avoir besoin d'aide pour mon projet. Serais-tu intéressée de faire quelques heures par semaine ?

Monique travaille à plein temps, cependant elle ne roule pas sur l'or. Ses finances se portent mieux depuis que Gervais partage les frais avec elle, mais elle est toujours prête à gagner un peu plus d'argent.

— J'ai bien envie de te dire oui, mais je t'avertis par exemple, je n'ai strictement aucune connaissance en organisation d'événements.

— Tu me fais vraiment plaisir. Je commençais à me demander comment j'allais pouvoir faire pour livrer la marchandise à temps. Rassure-toi, je t'apprendrai tout ce que je sais.

Les deux amies s'entendent ensuite sur la disponibilité de Monique pour mener ce projet à terme. Mado ne lui en dit pas plus pour le moment, mais si les choses se passent comme elle l'espère, cet événement ne sera que le premier d'une longue liste. Elle devra convaincre Jimmy et Louis de soumissionner d'autres événements, mais elle a bon espoir que les résultats fassent une partie du travail à sa place. Si Monique s'acquitte de sa tâche aussi bien que Mado le souhaite, elle n'aura pas grand-chose à faire pour persuader ses associés de l'embaucher.

— Je t'avertis, ajoute Mado, il va falloir que tu sortes ton anglais de tes tiroirs.

— Aucun problème ! Je regarde toujours mes films en anglais juste pour être bien certaine de ne pas le perdre. Je dois avouer qu'un peu de pratique ne me fera pas de tort. Quand est-ce que je commence ?

Mado réfléchit quelques secondes avant de répondre :

— Il faut d'abord qu'on fasse approuver le matériel promotionnel par le client et le plan pour l'ouverture officielle... Disons dans environ deux semaines !

Monique est emballée à l'idée de sortir de son quotidien. Elle aime tellement apprendre que, si elle en avait les moyens, elle irait à l'université. Elle en rêve depuis si longtemps. Elle s'imagine très bien assise dans une classe en train de prendre des notes, de faire des recherches sur Internet, d'écrire des pages et des pages pour ses travaux... Ce n'est pas compliqué, elle a toujours adoré l'école. D'ailleurs, chaque fois qu'elle entend quelqu'un déblatérer sur celle-ci, plus souvent qu'autrement un jeune, elle ne se gêne pas pour lui dire qu'il devrait profiter de la chance qu'il a d'étudier. Évidemment, il lui jette un regard en coin et lui dépeint en long et en large le portrait de ce que celle-ci représente à ses yeux. Monique le relance aussitôt qu'il cesse de parler. Commence alors une joute qui n'a de fin que lorsque les deux parties sont à court d'arguments. Étant donné que chacun croit mordicus à ce qu'il avance, la discussion peut parfois durer très longtemps. Ses neveux et nièces pourraient en témoigner puisque l'histoire se répète à chaque souper de famille.

— J'ai une question pour toi, dit Monique. Comment fais-tu pour être aussi sûre de toi ? Tu n'as jamais peur ? Je t'écoute parler de ton projet et j'ai l'impression que tu as fait ça toute ta vie.

— En réalité, je n'ai pas de mérite. Tout ce que je peux te dire, c'est que je me sens comme un poisson dans l'eau quand je fais ce genre de travail. J'ai organisé quelques activités comme celle-là lorsque je travaillais au cégep, mais jamais de cette envergure. Le défi est de taille, j'en suis consciente, mais je sais qu'on réussira si on s'y met à deux.

— Au risque de me répéter, j'envie ton assurance.

— Tu n'as aucune raison de le faire.

De nature humble, Mado n'a jamais compris pourquoi Monique l'enviait autant. Elle peut paraître sûre d'elle en apparence, mais à l'intérieur elle est comme la majorité des gens. Elle est morte de trouille chaque fois qu'elle met un pied en terrain inconnu. La seule chose qui la distingue des autres, c'est qu'elle se sert de cette peur pour se propulser toujours plus loin. C'est la plus grande leçon que son père lui a apprise.

— Tu vas vraiment dessiner les plans d'un hôpital ? lui avait demandé Mado. Comment vas-tu faire ? C'est bien trop gros, tu ne pourras jamais y arriver.

— Ce ne sera sûrement pas facile, mais rassure-toi je vais réussir. Tu vois, c'est un peu comme si je venais de recevoir un éléphant en cadeau. Ma première pensée, lorsque je commence à travailler sur un projet comme celui-ci, c'est prendre mes jambes à mon cou et me sauver le plus loin possible, mais tu sais aussi bien que moi que je ne peux pas. Une fois que j'ai signé mon nom au bas de la feuille, je dois absolument livrer la marchandise dans les temps prévus. D'abord parce que personne ne m'a forcé la main pour accepter ce contrat. Ensuite parce que ce projet m'excite autant qu'il me fait peur. Comme tu peux voir, il ne me reste pas 50 solutions, à part baisser la tête et foncer.

— Mais c'est bien trop gros ! avait répété Mado. Tu n'y penses pas, papa. On ne dessine pas les plans d'un hôpital comme on fait ceux d'une maison.

— Tu as raison sur ce point, c'est comparable mais totalement différent. Revenons à mon éléphant, si tu veux. Même si je le voulais, je ne pourrais pas le manger en une seule bouchée. Es-tu d'accord avec moi ?

— Oui !

— C'est pourquoi je vais le découper en morceaux jusqu'à ce que je sois capable de l'avaler une bouchée à la fois. Pour que tu comprennes bien, imagine une pyramide à l'envers.

— La pointe en bas ?

— Exactement ! Tout en haut, c'est mon éléphant. Plus je descends vers la pointe, plus je le découpe, et moins il m'en reste à manger d'un coup. Ce n'est qu'en le défaisant en une multitude de petites bouchées que je viendrai à bout de mon éléphant. Et c'est exactement la même chose qui se passe avec mon nouveau projet. Ça me prendra beaucoup de temps à le préparer, mais plus mon travail de préparation sera de qualité, meilleurs seront les résultats.

Son père avait posé un regard rempli d'amour sur elle avant d'ajouter :

— Si je peux seulement t'enseigner à utiliser ta peur pour t'élever au lieu de te freiner, j'aurai réussi mon rôle de père. Rappelle-toi que personne ne peut gravir l'Everest en une seule journée. Et j'ai envie d'ajouter autre chose : le jour où tu perdras un être cher, souviens-toi que tu ne pourras pas libérer toute ta peine le même jour. Il y a plusieurs sortes d'éléphants, mais ils ont tous une chose en commun : aucun ne s'avale en une seule bouchée.

Chaque fois que Mado a peur de l'inconnu, elle pense aux paroles de son père. Les choses n'en sont pas plus faciles pour autant, mais elle se sent en contrôle. Comme elle ne craint pas le travail, elle fait les efforts qu'il faut pour arriver à ses fins. Mais le plus important, c'est prendre le temps de se préparer comme il se doit avant de sauter à pieds joints dans l'arène.

— Je n'y peux rien, ajoute Monique, tu as toujours été mon modèle.

— Arrête de dire des bêtises et parle-moi plutôt de la dernière crème miracle que tu as essayée.

Il faut vraiment que Mado soit mal à l'aise pour parler des crèmes de Monique et, à cet instant précis, elle l'est énormément. Selon elle, il en faut bien plus pour servir de modèle à quelqu'un. Les personnes inspirantes sont légion. Monique n'aurait qu'à penser à mère Teresa qui a été un exemple de bonté, ou à Nelson Mandela qui a reçu le prix Nobel de la paix, ou encore à Terry Fox qui a été l'un des plus grands héros canadiens du XXe siècle, ou encore à René Lévesque, un homme remarquable tant par ses idées que par ses actions. Mais pas elle !

De son côté, Monique sait qu'elle l'embarrasse lorsqu'elle revient sur le sujet, mais comme elle le lui a déjà dit :

— Pas besoin d'être une personne connue pour être le modèle de quelqu'un ! J'aurais pu choisir mon facteur, mais il est trop laid.

Les deux amies se mettent à rire de bon cœur. Mado se dit qu'il y a juste Monique pour dire de telles sottises.

— En réponse à ta question, finit par dire Monique, la dernière crème que j'ai essayée ne m'a pas convenu du tout. Tu aurais dû me voir, j'avais le visage couvert de rougeurs. Gervais n'arrêtait pas de rire et disait que j'avais l'air d'une lépreuse. Dès que j'ai vu ça, j'ai téléphoné à Ginette qui s'est contentée de me dire que je faisais partie du 1 % des femmes intolérantes à l'un des ingrédients. Elle me l'a nommé, mais j'ai oublié son nom.

— J'espère au moins que tu l'as pris en note, s'inquiète Mado.

— C'est sûr ! Au moins, tout est rentré dans l'ordre le lendemain comme Ginette me l'a promis.

— J'imagine qu'elle est allée te porter une autre petite crème pour t'aider.

— Tu as tout compris !

Mado regarde l'heure sur son cellulaire.

— J'ai une idée, s'exclame-t-elle. Si on part tout de suite, on aurait le temps d'aller frapper un panier de balles au club de golf.

Si Mado aime jouer au golf de temps en temps, ce n'est pas le cas de Monique. Et ce n'est pas faute de n'avoir jamais essayé. Elle déteste pratiquement tout de ce sport, et encore plus les balles perdues. D'ailleurs, elle ne comprend pas pourquoi certaines personnes s'entêtent à chercher leur balle au fond de l'eau ou dans le bois alors qu'elles savent que leurs chances de la retrouver sont quasi inexistantes. Ce n'est pas tout, les rares fois où elle a accepté de jouer pour faire plaisir à ses amies, elle a toujours eu l'impression de perdre sa journée. Et puis elle déteste le code d'éthique de ce sport presque autant qu'elle hait les lundis matins, ce qui est peu dire.

Monique sait que Mado attend sa réponse, mais elle prend son temps. Elle ne veut pas qu'il lui arrive la même chose que la dernière fois qu'elle y est allée. Elle était tellement nulle qu'au beau milieu de son panier de balles elle l'a vidé dans celui de Mado et est allée l'attendre au bar. Évidemment, cette dernière ne s'est pas gênée pour la taquiner.

En même temps, Monique se dit que frapper un panier de balles ne la tuera pas, et si ça peut faire plaisir à Mado, pourquoi pas…

— Je suis partante, lance Monique, mais à une condition. Je prends seulement un petit panier et on boit une bière sur place après.

— Je peux même te payer un hot-dog si tu veux ! lance Mado en souriant. On y va ?

Pour une fois, Monique a vidé son panier sans trop se plaindre, elle a même demandé à Mado de lui donner quelques balles supplémentaires. Elle devra attendre encore un peu avant de s'inscrire à un tournoi, mais elle a réussi à en frapper quelques bonnes, enfin, d'après ses critères.

— Félicitations ! la nargue Mado en levant son verre de bière. Tu as trouvé le fond de ton panier sans t'emporter.

— Je te conseille fortement d'arrêter de te moquer de moi si tu veux que je revienne.

Évidemment, Mado ne fait aucun cas du commentaire et se dépêche d'ajouter :

— Tu as même réussi de bons coups ! Je suis certaine que tu finirais par t'améliorer si tu venais plus souvent.

— N'essaie pas, tu ne m'auras pas. Je te l'ai déjà dit, m'améliorer ne fait pas partie de ma liste d'objectifs à atteindre dans cette vie-ci. Même si je parvenais à frapper toutes les balles, jamais je ne jouerai au golf. Je déteste ce sport et tout ce qui l'entoure.

— Dommage que Gervais ne joue pas..., laisse tomber Mado d'un air moqueur, parce que je suis certaine que tu t'y mettrais.

— Je te jure que non !

Mado aime beaucoup taquiner Monique. Son amie mord tellement vite que c'en est drôle. C'est d'ailleurs pour ça qu'elle s'en donne à cœur joie chaque fois qu'elle en a l'occasion.

— Je ne t'ai pas dit ça, Alex m'a offert de me montrer comment conduire sa moto et j'ai refusé. La conduite manuelle et moi n'avons jamais fait bon ménage et ça ne risque pas de changer.

— Tu vois, ajoute Monique, contrairement à toi, si Gervais me l'offrait, j'accepterais sans hésiter.

Depuis que Monique est toute petite, les moteurs la fascinent. Elle n'oserait jamais se mesurer à un mécanicien, mais elle s'y connaît tout de même un peu dans le domaine. Chaque fois que son père réparait son auto dans son garage, elle venait le trouver, l'inondait de questions et mettait aussi la main à la pâte. Lorsqu'ils rentraient manger, elle avait les mains et le visage tachés de cambouis. Monique a toujours aimé l'odeur de l'huile et des sièges en cuir. Lorsqu'elle a eu sa première voiture, elle pouvait dire qu'il y avait quelque chose qui ne tournait pas rond juste à l'écouter, et il en est encore de même aujourd'hui. Mais contrairement à Mado, Monique n'était jamais montée sur une moto avant de rencontrer Gervais. À peine avait-elle posé les fesses sur la selle qu'elle savait qu'elle aimerait ça. En fait, il serait plus juste de dire qu'elle adore ça et, à l'inverse de Mado, aimerait bien avoir les deux mains sur le guidon plutôt que d'être passagère, même si c'est loin de lui déplaire. Elle a beau aimer rêvasser, mais elle trouve que ça manque cruellement d'action. Depuis, elle ne cesse de rêver éveillée à la moto qu'elle s'achètera un jour. Elle n'en a encore parlé à personne, pas même à Gervais. La vie lui a appris qu'il y a des désirs qu'il vaut mieux garder pour soi tant qu'on ne les a pas réalisés. Ce n'est pas qu'elle soit superstitieuse, seulement en vieillissant elle essaie de se rendre la vie plus facile. Quand elle aura son bolide, elle se fera un plaisir de le dire au monde entier, mais pour le moment elle a bien l'intention de garder ça secret.

— Il passe tellement de temps à bichonner sa bécane que ça m'étonnerait beaucoup qu'il me laisse la conduire un jour. Je ne te mens pas, il y tient comme à la prunelle de ses yeux. C'est la même chanson à longueur de journée : ma Harley par-ci, ma Harley par-là.

— Alex est différent là-dessus. Il prend soin de sa moto, mais ne passe pas des heures à la frotter.

— Gervais, oui. Oh ! j'y pense, il faut que je te dise quelque chose d'important. J'ai parlé à Claire ce matin. Elle est allée manger avec Lucie hier.

— Claire est à Toronto ?

— Non ! Lucie est en ville.

Jusqu'à ce qu'elle parte travailler à Toronto, il y a de cela une dizaine d'années, Lucie était de leurs rencontres chaque fois qu'elle le pouvait. Elle est la plus fofolle des six filles, et la plus occupée aussi. Elle cumulait deux emplois même lorsqu'elle était à l'école secondaire. Malgré tout le travail qu'elle a, Lucie aime faire la fête. Elle rit fort, danse comme une latino, et il faut la voir à l'œuvre quand elle chasse les beaux mecs. Lucie est tellement douée qu'à côté d'elle Claire, pourtant championne en la matière, ne lui arrive pas à la cheville. Les filles ne l'ont pas vue très souvent depuis son départ. Elles se sont toujours promis d'aller faire une petite virée à Toronto, mais les années ont passé et finalement elles n'ont jamais pris le temps de s'y rendre. Heureusement, elles se reprennent chaque fois que Lucie vient en ville et font la fête jusqu'aux petites heures du matin en souvenir du bon vieux temps. D'ailleurs, ces soirées ont toujours déplu au mari d'Élise, au point qu'il lui cassait les oreilles une semaine avant l'arrivée de Lucie et une semaine après son départ. La dernière fois, Élise a inventé une gastro pour ne pas venir. Les filles ont insisté autant qu'elles ont pu, elles n'ont pas réussi à la faire changer d'idée. Le prix à payer était trop élevé pour elle.

— Comment va-t-elle ? demande joyeusement Mado.

— Très bien. Imagine-toi donc qu'elle revient s'installer dans le coin à la fin du mois. Elle a accepté un poste de gérante dans un magasin Tommy Hilfiger. Ne me demande pas lequel, je ne m'en souviens plus. Mais ce n'est pas tout... Elle anime des soirées à domicile depuis un an. Et tiens-toi bien... elle vend de la lingerie et des jouets érotiques ! Claire lui a fait promettre d'en organiser une chez elle aussitôt qu'elle sera installée.

Mado aime bien les petites tenues, mais jamais autant que Monique qui en a des tiroirs remplis. Lorsque son amie se plaint qu'elle manque d'argent, Mado ne se gêne pas pour lui dire qu'elle n'a qu'à acheter moins de lingerie.

— N'y pense même pas ! riposte-t-elle chaque fois. Je te l'ai déjà dit, pour moi, c'est aussi important que mes crèmes. Avec ma peau ridée, je n'ai pas le choix de détourner l'attention de mon homme. Tu devrais voir le regard que me jette Gervais quand je lui ouvre la porte à son retour du travail avec une nouvelle petite merveille. Fais-moi penser de te montrer le dernier ensemble que j'ai acheté, il est magnifique.

Mado n'a jamais participé à une soirée de démonstration de lingerie, ce sera une première pour elle. Elle n'aurait pas osé l'organiser, mais elle ira avec plaisir.

— J'ai hâte de revoir Lucie, dit Mado.

— Moi aussi ! En plus ça tombe bien, j'étais justement sur le point de m'offrir une nouvelle tenue. Ça vaut la peine d'attendre. De cette manière, qui sait, je pourrai peut-être même en avoir deux.

Mado comprend rapidement de quoi Monique parle. Elle a suffisamment fait les magasins en sa compagnie pour savoir que son amie ne peut pas résister quand elle voit quelque chose à son goût dans une vitrine. Heureusement qu'elle n'est pas aussi accro aux jouets érotiques parce qu'elle se serait ruinée depuis longtemps.

— Tu es vraiment indomptable! s'exclame Mado.

— Promets-moi de t'acheter au moins une petite tenue, la supplie Monique, Alex va adorer ça.

— On verra!

Chapitre 22

Mado est fière d'elle. Malgré qu'elle en brûle d'envie, elle n'a pas encore parlé de son solo à son entourage. Elle est passée très proche de s'échapper devant sa mère la dernière fois qu'elles sont allées magasiner ensemble, mais elle a réussi à se rattraper *in extremis*. Elle connaît sa chanson d'un bout à l'autre, il reste maintenant à voir comment elle réussira devant ses pairs. Chanter sous la douche ou dans son salon est une chose ; livrer une prestation devant un public en est une autre totalement différente. Elle le sait pour l'avoir expérimenté à plusieurs reprises lorsque la chorale donne un spectacle. Quand le rideau se lève et que les projecteurs vous éblouissent, il vous reste à donner le meilleur de vous-même.

Sans le savoir, Alex pourra dire qu'il lui a donné du fil à retordre pendant son séjour chez elle. Elle devait constamment surveiller l'heure pour être certaine de ne pas se faire surprendre en plein récital. Mais il lui arrivait fréquemment de passer le CD de Céline Dion quand ils étaient ensemble. Alex lui demandait gentiment s'ils étaient vraiment obligés de mettre celui-là aussitôt qu'il entendait la première mesure. Mado lui faisait son plus beau sourire et lui disait qu'elle désirait seulement écouter sa chanson préférée et qu'il pourrait choisir un autre disque après.

— C'est la huitième sur le CD, lui précisait-elle.

Il faisait avancer le lecteur jusque-là. Il n'arrêtait pas de lui dire qu'il ne comprenait pas pourquoi elle aimait autant cette pièce.

— Parce qu'elle me ressemble.

Pendant que Mado chantait à tue-tête par-dessus Céline, Alex essayait de saisir en quoi cette chanson pouvait ressembler à sa douce. Il n'a toujours pas trouvé la réponse, même après l'avoir entendue des dizaines de fois. Même si Alex courait changer de CD aussitôt que la chanson était finie, Mado doit avouer qu'elle l'a trouvé très patient par moment.

C'est ce soir que tous les solistes interpréteront leur chanson devant le groupe. Mado est nerveuse comme elle ne l'a jamais été. C'est à peine si elle a pu avaler une bouchée avant de venir à la répétition. Elle a une boule dans l'estomac, la même que lorsqu'elle passait une entrevue pour un emploi. Alors que Mado est habituellement l'une des premières personnes arrivées, le directeur musical commence la répétition au moment où elle fait son entrée. Elle s'excuse pour son retard et va vite prendre sa place. Lorsqu'elle passe à la hauteur de Renée, une soprano qu'elle connaît de longue date, celle-ci lui dit qu'elle doit absolument lui parler à la pause. Durant la première partie de la soirée, Mado est tellement nerveuse qu'elle n'arrête pas de faire des allers-retours aux toilettes.

— Nous allons maintenant entendre nos solistes, dit le directeur musical.

Mado était déjà nerveuse, mais maintenant elle n'a pas de mot pour exprimer comment elle se sent. Elle a les mains moites, elle a chaud, elle a mal au cœur et elle se dit que ce ne serait pas une mauvaise idée de s'enfuir en courant. « Qu'est-ce qui m'a pris de m'embarquer dans ça ? Je ne suis pas une chanteuse ! » Elle prend de grandes inspirations, qui, au lieu de la calmer, la rendent encore plus nerveuse. Elle essaie de se concentrer pour écouter les autres solistes, mais n'y arrive pas. Quand vient enfin son tour, elle prend son courage à deux mains et fonce. Plus vite elle chantera, plus vite elle se rassoira. Elle s'est fait la promesse de quitter la chorale si elle n'était pas capable de livrer la marchandise ce soir. Elle s'approche du micro et se concentre. Elle se retrouve dans un autre monde dès que la musique s'élève, elle s'en imprègne et se met à chanter comme si elle avait toujours fait ça. Les notes défilent, elle se sent en confiance et prend plaisir à chanter seule. C'est la première fois qu'elle éprouve une telle sensation, elle est bien. Ça lui plaît au point qu'elle arrive au bout de sa pièce sans effort. Les membres de la chorale l'ont trouvée tellement bonne qu'ils l'applaudissent un bon moment. Mado ne touche plus terre.

— On fait une pause de 15 minutes, lance le directeur musical.

À la grande surprise de Mado, il la félicite pour sa prestation qu'il qualifie de magnifique. Il ajoute qu'elle doit se faire à l'idée que ce solo n'est que le premier d'une longue série. Mado est survoltée. Elle a tellement aimé son expérience qu'elle ne demande pas mieux. Ses camarades viennent la féliciter à tour de rôle. C'est alors que Renée, qui est restée en retrait, lui demande de l'accompagner dehors.

— J'ai quelque chose à t'apprendre, dit Renée. Hier soir, à l'hôpital, on a conduit un homme en ambulance que tu connais très bien. André, ton ex, a fait une tentative de suicide.

Mado accuse le coup de la nouvelle et se dit que ce geste ne ressemble pas du tout à André. Au contraire, chaque fois qu'il entendait parler de quelqu'un qui s'était suicidé, il disait qu'il ne comprenait pas qu'on puisse être assez désespéré pour abandonner ainsi.

— Voyons donc ! s'écrie-t-elle. Tu es bien certaine que tu ne te trompes pas de personne ?

— Absolument ! Mais rassure-toi, il va bien. C'est même lui qui a appelé les secours.

Décidément, Mado n'y comprend rien.

— Ce que je veux te dire, c'est qu'il répète à tout le monde que c'est à cause de toi qu'il a fait ça, qu'il a tout fait pour toi, que tu es la pire des ingrates que la terre ait portées, que s'il a composé le 9-1-1 c'est parce qu'il a réalisé que tu ne méritais pas qu'il s'enlève la vie pour toi. Je tenais à ce que tu le saches.

Mado se fout de ce qu'André peut raconter sur son compte. Mais qu'il ait voulu mettre fin à ses jours à cause de leur séparation la secoue énormément.

— Je te remercie, tu as bien fait. Par contre, j'ai une question pour toi. Comment s'y est-il pris ?

Un petit sourire se dessine sur les lèvres de Renée. Depuis le temps qu'elle travaille comme infirmière, elle en a vu de toutes les couleurs.

— Il a avalé une boîte de comprimés laxatifs...

— J'ignorais qu'on pouvait se suicider avec des laxatifs, s'exclame Mado.

— Comme on dit à la blague entre nous, tout ce qu'il risquait de perdre, c'était des kilos, sa moquette et ses draps.

Mado est abasourdie par ce qu'elle entend. Elle se répète les paroles de Renée pour essayer de trouver un sens à tout ça.

— Alors il ne voulait pas vraiment mourir, finit-elle par ajouter.

— Je ne suis pas psychologue, ni psychiatre, mais le fait d'avoir posé un geste en ce sens démontre qu'il y a pensé et qu'il ne faut pas prendre ça à la légère. Il va être obligé de suivre une thérapie.

— J'espère au moins qu'il n'est pas seul ? s'inquiète Mado.

— Ne crains pas, il est très bien entouré.

— Je n'en reviens tout simplement pas. Je te remercie de m'en avoir parlé.

— Il n'y a pas de quoi. En passant, ton solo était super. Et pour André, tu as bien fait de le laisser, tu mérites mieux que lui.

Mado passe le reste de la répétition entre deux mondes. Elle est là de corps, mais son esprit est loin ailleurs. Depuis que Renée l'a mise au courant du geste de désespoir d'André, elle n'arrête pas d'y penser. Même si elle ne l'aime plus et qu'il lui tapait royalement sur les nerfs ces derniers temps, jamais elle ne lui souhaiterait un tel malheur. Elle savait qu'il l'aimait beaucoup, mais pas de là à attenter à ses jours à cause de leur séparation. Il a vraiment des problèmes à régler. Mado est contente qu'il doive suivre une thérapie, ça ne pourra que lui être bénéfique.

Au moment où elle monte dans son auto, Mado se demande si elle devrait aller le voir. Elle allume son cellulaire une fois installée derrière le volant. Alex lui a envoyé un message il y a une heure :

Tu me manques !

Ces mots suffisent à mettre un terme à ses interrogations. C'est décidé, elle n'ira pas voir André à l'hôpital. Elle n'a plus rien à faire avec lui. Elle est triste qu'il lui ait accordé autant d'importance, mais pour le reste il devra se débrouiller seul. Alors qu'elle allait composer le numéro d'Alex, elle reçoit un nouveau message.

Tu me manques tellement que j'ai tenté de me suicider.

Elle n'a pas besoin de regarder de qui il vient, elle le sait très bien. En une fraction de seconde, la colère la gagne. Elle en a plus qu'assez de ses fantaisies. Elle relit le texto d'André et se met à pitonner rageusement sur son clavier un message qu'elle n'aurait même pas pu imaginer écrire il y a moins d'une minute. Cette fois, il a dépassé les bornes.

Tu es malade, va te faire soigner et fiche-moi la paix.

La compassion qu'elle avait pour lui depuis que Renée l'avait mise au courant de ce qu'il avait fait s'est envolée d'un coup. Pire, elle s'est transformée en un sentiment d'exaspération, de dégoût, voire même de mépris à son égard. Elle a l'impression d'avoir un volcan en ébullition en elle. La colère la consume de l'intérieur. Elle respire un bon coup et appelle Alex. Il décroche seulement à la troisième sonnerie.

— Je suis désolée de t'avoir réveillé, dit-elle d'une petite voix.

— Ce n'est pas grave, je venais juste de me coucher. Comment vas-tu, mon amour ?

— Bien… non… mal, lui confie-t-elle. Est-ce que je pourrais venir dormir chez toi ?

— Je t'attends.

Alex n'est pas prêt à crier victoire, mais Mado baisse de plus en plus sa garde avec lui et ça le rend heureux. Il l'aime tellement qu'il est prêt à l'attendre le temps qu'il faudra.

Chapitre 23

Mado n'a pas encore digéré le dernier texto qu'André lui a envoyé. Elle se demande même si elle lui pardonnera un jour. Il y a des fois où elle a honte d'avoir donné sa confiance à un homme comme lui. De toutes les personnes qu'elle a rencontrées au cours de sa vie, André est sans contredit celui qui l'aura déçue le plus. Elle est consciente que tout le monde n'a pas le même seuil de tolérance face aux épreuves que la vie sème sur notre route et elle n'a pas besoin d'aller très loin pour s'en convaincre. Il lui suffit de regarder ses enfants. Ils ont été élevés tous les trois de la même façon et pourtant, lorsqu'une tragédie frappe la famille, chacun a sa façon bien à lui de la gérer. D'ailleurs, ça lui fait penser qu'elle n'a pas eu de nouvelles de Mathieu depuis qu'il l'a appelée pour lui parler d'André. Il est sûrement en ville depuis quelques jours et n'a pas daigné lui donner signe de vie, peut-être a-t-il peur de se faire rappeler de se mêler de ses affaires. Elle ne lui tient pas rigueur pour son geste de pure solidarité masculine, mais elle a bien l'intention d'exiger des excuses quand elle le verra à la fête de famille. Le respect est la base de tout pour Mado. Elle comprend que Mathieu adulait André, mais il n'avait pas le droit de mettre de la pression sur elle comme il l'a fait pour qu'elle retourne avec lui. Il a droit à son avis, elle n'a jamais dit le contraire, mais ça s'arrête là.

Les affaires vont tellement bien pour Mado et ses associés qu'ils ont travaillé tous les soirs cette semaine. Ils ont pris le temps de faire le point sur le travail exécuté et les dossiers à compléter avant de se quitter la veille. Ils en sont vite venus à la conclusion qu'ils n'y arriveront pas si les gars s'en tiennent à deux jours par semaine et Mado à trois, comme ils avaient prévu au départ. Si c'est facile pour Mado d'allonger les heures, c'est plus compliqué pour Jimmy et Louis.

— Je pourrais demander mes vacances à la caisse, lance Jimmy. Ça me permettrait d'abattre pas mal de travail si je suis à plein temps pendant deux semaines. J'en prendrais bien plus, mais c'est tout ce qui me reste.

— C'est une bonne idée, confirme Louis, mais le hic c'est qu'on en sera au même point une fois tes vacances terminées. À la vitesse où les nouveaux contrats entrent, il faut qu'on trouve une solution durable pour nous permettre de livrer la marchandise. On est en train d'établir notre réputation, ce n'est pas le moment de tourner les coins ronds.

— Si vous voulez mon avis, dit Mado, ce ne sera jamais le moment de jouer avec la qualité. Mais j'y pense, vous ne pourriez pas prendre un congé sans solde ?

— Oui, répond Louis, mais d'habitude c'est le genre de chose qu'il faut prévoir. Pour ma part, je dois tenir compte de ma réalité. J'ai une famille à faire vivre et je ne peux pas me permettre d'être sans salaire, même pas pour une semaine. Pour être honnête, c'est à peine si j'ai assez d'argent disponible sur ma marge de crédit pour tenir un mois et, ça, c'est si ma femme ne décide pas d'aller faire les boutiques.

Mado a tendance à oublier que le mot «économie» ne fait plus partie du dictionnaire des générations qui la suivent. Et ça ne va pas en s'améliorant, bien au contraire. Plus les gens sont jeunes, plus ils vivent à crédit. Pour couronner le tout, le coût de la vie n'arrête pas d'augmenter, c'est un fait incontestable, mais à les voir consommer on jurerait qu'ils sont en compétition avec la planète entière pour savoir qui réussira à dépenser le plus d'argent, incluant évidemment celui qu'ils n'ont pas encore gagné.

— Je ne veux pas te relancer, ajoute Jimmy, mais j'attends toujours avec impatience que ma paie soit déposée sur mon compte. Ma marge est dans le rouge et mes cartes de crédit sont toutes pleines. Je commence même à me demander si ce ne serait pas une bonne chose de faire faillite et de recommencer avec une page blanche.

Mado savait que son fils dépensait allègrement, mais elle était loin de se douter que sa situation financière pouvait être aussi mal en point. En tant que mère, elle en aurait long à lui dire, mais c'est en tant qu'associée qu'elle l'écoute partager sa réalité. Elle doit garder en mémoire qu'elle est en relation d'affaires avec son fils et avec Louis et s'y tenir.

— Je suis désolé, *mom*, ajoute Jimmy, je ne voulais pas t'embêter avec mes problèmes d'argent.

— On va mettre tout de suite quelque chose au clair, Jimmy. Quand on travaille ensemble, il n'y a pas de « mom » qui tienne. Ici, on est en affaires, mais à titre informatif, sache qu'il existe d'autres moyens que la faillite pour s'en sortir. Si tu veux, je t'en parlerai plus tard.

Alors que Jimmy était convaincu de lancer une bombe en parlant de sa situation financière devant sa mère, la réaction de Mado le prend de court.

— Je vous remercie beaucoup de votre confiance, ajoute-t-elle. Personne n'aime parler de ses problèmes d'argent, mais si on veut avoir une chance de réussir, il faut mettre cartes sur table. Maintenant, revenons à notre entreprise. On fait face à deux gros problèmes : un de liquidités et un de disponibilité des effectifs. Le premier est relativement facile à régler.

Jimmy et Louis ont les yeux fixés sur elle. Ils ont l'habitude de courir après l'argent et sont impatients de connaître quel est ce moyen miracle connu de Mado pour en trouver.

— Avec les contrats qu'on a décrochés, on devrait être capables d'avoir une marge de crédit de la banque en attendant de recevoir les premiers paiements de nos clients. Je peux m'en occuper si vous voulez, mais avant d'établir la somme dont on a besoin, il faut d'abord qu'on sache comment on réglera notre seul vrai problème, soit le manque de temps. Vous me suivez jusque-là ?

Si les gars l'écoutaient religieusement, ils sont maintenant suspendus à ses lèvres. L'un comme l'autre réalisent à quel point ils ont de la chance que Mado se soit jointe à eux.

Ils se sont quittés une heure plus tard avec des devoirs à faire et une réunion prévue pour le lundi suivant à 8 heures.

* * *

Gertrude est au chalet depuis la veille. Elle est très contente de revoir Alex, qu'elle embrasse chaleureusement sur les joues. Mado, qui est restée à distance, regarde la scène en souriant. À moins qu'elle se trompe, ce ne sont pas toutes les femmes de l'âge de Gertrude qui accepteraient aussi facilement que leur fille sorte avec un homme plus jeune qu'elle. Mais Alex est tellement charmant que la vieille dame n'a pas eu de difficulté à l'accepter.

— Dites-moi vite ce que je peux faire pour vous aider, dit Alex en tapant dans ses mains.

— J'espère que tu ne m'en voudras pas, répond Gertrude d'un ton taquin, j'ai même préparé une liste.

Chaque année, Gertrude ressort la liste des choses à faire pour recevoir la famille et y apporte quelques corrections.

— Il me semblait que Mathieu et Jimmy devaient venir nous donner un coup de main, s'exclame Mado.

— Ne t'inquiète pas, la rassure sa mère, ils m'ont appelée ce matin et devraient arriver d'une minute à l'autre.

— Et mon frère ?

— Tu sais aussi bien que moi que c'est une autre histoire. S'il est là, on en profitera, sinon on fera comme d'habitude et on s'en passera.

Mathieu et Jimmy arrivent en même temps. Mado les accueille et fait les présentations. Jimmy donne une poignée de main ferme à Alex et lui dit :

— Je rencontre enfin l'Adonis qui fait office de fond d'écran sur le cellulaire de ma mère, s'écrie-t-il.

Élodie lui assène aussitôt une tape sur le bras, mais il n'en fait aucun cas.

— J'espère que tu ne t'attends pas à ce que je t'appelle « papa », par exemple, ajoute-t-il en riant, et je t'interdis de m'appeler « fiston ». En même temps, ça dépend de ce que tu vas m'offrir pour Noël. Juste comme ça, j'ai passé l'âge de jouer avec des G.I. Joe, mais j'adore les bons cognacs, et le whisky aussi.

Alors que Mado est découragée de l'attitude cavalière de Jimmy, Gertrude rit, tout comme Alex, d'ailleurs, qui ne s'attendait vraiment pas à ça. Il sait déjà qu'il va bien s'entendre avec Jimmy. Quant à Élodie, il la trouve tout simplement charmante et elle n'a même pas encore dit un mot. Mado lui présente ensuite Mathieu et sa petite famille. Les enfants l'adoptent tout de suite et Martine, égale à elle-même, lui fait la bise en lui effleurant seulement les joues. Elle le fait si vite qu'Alex n'a même pas le temps de sentir son parfum. Mathieu lui tend la main et la retire aussitôt la poignée échangée. Contrairement à son frère, il ne fait aucun commentaire. On peut lire très clairement sur le visage de Mado que son attitude lui déplaît au plus haut point. Elle s'était promis de lui parler, mais il vient maintenant d'ajouter une raison de plus pour qu'elle le fasse. Comme ils ont tous mis la main à la pâte et que même les enfants ont aidé, ils ont le temps de boire un verre avant que les premiers invités se présentent. Assis dans son coin, Mathieu reste de glace et ne prend part à aucune conversation, ce qui bien sûr n'échappe pas à Mado.

— Dommage qu'Émilie n'ait pas pu arriver avant, dit Jimmy.

Il ne dira jamais ouvertement qu'il s'ennuie de sa sœur ou qu'il a hâte de la voir, même si c'est le cas. Mais depuis qu'il sait qu'elle va venir, il n'arrête pas d'en parler, tellement qu'Élodie le lui a fait remarquer.

— Elle doit vraiment être exceptionnelle, ta sœur, pour que tu en parles autant.

Jimmy a encaissé le commentaire sans dire un mot. Il sait très bien qu'il n'aurait pas pu avoir mieux comme sœur. Jusqu'à ce qu'Émilie parte pour l'Australie, ils se voyaient au moins deux fois par semaine et se racontaient absolument tout de leur vie. Jimmy a eu beaucoup de mal à surmonter le chagrin causé par son départ. Même s'ils se parlent régulièrement sur Skype, c'est loin d'être la même chose.

Mado aussi aurait aimé qu'Émilie soit avec eux. La fête familiale lui aurait permis de revoir tout le monde sans se déplacer. En même temps, Mado se dit que c'est mieux ainsi, ça lui permettra de profiter encore plus de sa fille. La connaissant, Mado sait qu'Émilie ne fera pas le tour de la parenté de façon systématique, elle a ses préférés.

— J'ai une grande nouvelle à vous apprendre, avant que tout le monde soit là, lâche Jimmy.

Un sourire radieux s'affiche sur les lèvres d'Élodie et tous les regards se tournent vers Jimmy.

— Je vous annonce qu'Élodie et moi sommes fiancés depuis trois jours.

Mado est tellement surprise par ce qu'elle entend qu'elle s'écrie :

— Est-ce que j'ai bien compris ? Parce que le 1er avril n'est pas tout de suite ! Tu es vraiment fiancé ?

Élodie s'empresse de tendre la main pour montrer la bague qu'elle porte fièrement au doigt. Martine est la première à s'extasier devant la finesse de l'anneau argenté serti d'un saphir aux multiples facettes. Gertrude lui emboîte aussitôt le pas. Mado est tellement sonnée par la nouvelle qu'elle est sans voix. Jimmy ne l'a pas quittée des yeux depuis qu'il a fait son annonce et vient la trouver. Il dépose un baiser sur sa joue et lui chuchote à l'oreille :

— Ne t'inquiète pas pour moi, *mom*, cette fois je suis certain que c'est la bonne.

Mado plonge son regard dans celui de son fils comme si elle essayait de sonder son âme. Quand elle voit à quel point ses yeux brillent, elle le prend dans ses bras et le sert de toutes ses forces.

— Je suis très heureuse pour toi, s'exclame-t-elle.

Elle s'approche ensuite d'Élodie et lui dit, en lui prenant la main :

— Montre-moi vite cette petite merveille.

Témoin de la scène qui s'est jouée sous ses yeux entre Mado et Jimmy, Alex fait ce qu'il peut pour cacher son émotivité. Il renifle à quelques reprises et ravale ses larmes. Heureusement pour lui, l'entrée de la première famille fait diversion et lui laisse le temps de sortir de son inconfort.

Tous ceux qui n'habitent pas trop loin sont là dans la demi-heure qui suit. Personne n'est surpris de constater que Béatrice brille encore une fois par son absence. Le froid entre Gertrude et elle perdure depuis près de cinq ans et leur relation ne semble pas sur le point de s'améliorer. Elles s'étaient obstinées vigoureusement lors du mariage de la fille aînée de Béatrice et, depuis, non seulement elles s'évitent, mais si par hasard elles se retrouvent dans la même pièce, elles ne se regardent même pas. Au début, c'était à qui allait réussir à les réconcilier, mais avec le temps les membres de la famille ont lâché prise. Les deux sœurs ne se parlent plus et ce n'est pas la fin du monde pour autant.

Gertrude papillonne d'un groupe à l'autre en souriant, elle prend un grand plaisir à dire un mot gentil à chacun au passage. C'est probablement elle qui tient le plus à cette rencontre de famille, au point qu'elle l'a organisée même au pire de sa période sombre. Dans ce temps-là, elle se collait un sourire sur le visage avant que la première personne fasse son entrée et le gardait jusqu'à ce que la place soit complètement vide. Il va sans dire que ça lui demandait beaucoup plus d'efforts qu'aujourd'hui. Plusieurs lui ont d'ailleurs fait la même remarque :

— Tu as vraiment l'air bien, on dirait que tu as rajeuni !

Bien que Gertrude ne coure pas après les compliments, elle les accueille avec joie.

Mado regarde la table d'un air découragé, celle-ci croule littéralement sous les victuailles. Le mot d'ordre est pourtant simple : chacun doit apporter à manger pour les siens, mais même après de nombreuses mises en garde il y en a toujours assez pour nourrir une armée et, évidemment, personne ne veut rapporter les restes à la maison.

— On te les laisse, Gertrude, s'écrient-ils à tour de rôle.

Avant, Gertrude congelait tout ce qui pouvait l'être et s'imposait de ne rien gaspiller. Résultat : elle mangeait la même chose tant qu'il y en avait. Un jour, il y a trois ans, elle en a eu tellement marre qu'elle a appelé au village et a demandé s'il y avait une façon de faire profiter les plus démunis de toute cette manne. C'est ainsi que depuis ce temps, une fois tout le monde parti, Gertrude compose le numéro de l'organisme en charge de la cueillette et attend patiemment les bénévoles en savourant un verre de Southern Comfort bien frappé. Cette année, elle a décidé de passer quelques jours seule au chalet. Mado n'était pas très chaude à cette idée, mais sa mère ne lui a pas donné le choix.

— Seule ici ou seule dans mon appartement, lui a dit Gertrude, c'est du pareil au même.

— Voyons donc, maman, tu cours plus de risques ici qu'en ville. Tu sais aussi bien que moi qu'il n'y pas d'infirmière ni d'hôpital au village. Et au cas où tu l'aurais oublié, on a fait débrancher le téléphone il y a deux ans.

Gertrude regarde sa fille et ajoute :

— Veux-tu bien arrêter ! Quand j'étais jeune, on n'avait pas le téléphone et on s'en sortait très bien. Si je dois mourir, je préfère que ce soit ici, au bord du lac, plutôt que dans mon petit deux et demi.

Elle s'est ensuite tournée vers Alex pour lui demander s'il pourrait venir la chercher à la fin de la semaine.

— Bien sûr !

Mado et Alex roulent depuis une bonne dizaine de minutes et Mado n'a pas encore ouvert la bouche.

— Est-ce que quelque chose ne va pas, mon amour? lui demande Alex.

Elle respire profondément. Elle hésite puis commence à déballer son sac.

— Je suis fâchée contre Mathieu.

Même s'il se doute du motif qui la met dans cet état, Alex se garde d'intervenir et attend patiemment la suite. Peu de temps après, Mado explose:

— Premièrement, il n'avait pas le droit de te traiter comme il l'a fait. Je ne me suis pas gênée pour le lui dire. Deuxièmement, il n'a même pas daigné s'excuser de s'être mêlé de mes histoires avec André alors que ça ne le regardait aucunement. Ce n'est pas comme ça que je l'ai élevé. Mais attends, tu ne sais pas la meilleure: il a même osé me dire que j'étais trop vieille pour sortir avec toi. Pas que tu étais trop jeune pour moi, non! Tu te rends compte à quel point il est effronté! Une chance que je n'étais pas seule avec lui parce que je lui aurais dévissé la tête. On dirait qu'il ne se rend pas compte de ce qu'il dit. À l'âge qu'il est rendu, il serait plus que temps qu'il réfléchisse avant de parler et d'agir.

Même si Alex voulait placer un mot, il en serait incapable. Mado est survoltée. Jamais elle ne s'était autant emportée, même dans ses pires moments avec André.

— Si je faisais comme lui, poursuit Mado, je sauterais sur mon téléphone et j'appellerais ma belle-fille adorée pour me vider le cœur. Tu peux être certain que je n'irais pas par quatre chemins. Je ne lui ai jamais dit le fond de ma pensée, mais entre toi et moi, je la tolère depuis le jour où j'ai fait sa connaissance. J'en ai assez de la voir prendre tout le monde de haut alors que tout ce qu'elle fait de ses journées est dépenser l'argent de mon fils. Elle ne pense qu'à elle et à son petit nombril. Si les besoins de madame ne sont pas complètement comblés, la terre entière doit arrêter de tourner. C'est une égocentrique narcissique qui ramène constamment les choses à elle. Je ne te mens pas…

— Arrête, l'implore Alex en mettant sa main sur la cuisse de Mado, personne ne mérite que tu lui accordes autant d'importance. Pas même Martine !

— Tu ne comprends pas, elle m'énerve tellement que chaque fois que je la vois je dois me retenir à deux mains pour ne pas lui dire ma façon de penser. Ça paraît que tu ne la connais pas ! À première vue, elle a l'air d'un ange, tous les hommes se font prendre, mais tu peux me croire, c'est le diable en personne.

Alex doit absolument trouver une façon de désamorcer la situation. Mado n'est pas obligée d'aimer sa bru, mais elle ne doit pas non plus se mettre dans cet état à cause d'elle.

— J'ai une question pour toi : as-tu déjà fait l'amour sur le bord de l'eau ?

Surprise, Mado se tourne vers lui et aperçoit un lac à sa gauche. Elle esquisse immédiatement un petit sourire coquin.

Chapitre 24

C'est le troisième matin que Gertrude se fait réveiller par le chant des oiseaux. Elle se frotte les yeux et se dépêche de se verser un café afin d'aller le boire sur la galerie qui donne sur le lac pour voir le lever du soleil. Elle a toujours adoré cet endroit. Son mari et elle venaient y passer des semaines entières, été comme hiver. Pendant que lui s'occupait à pêcher ou à nettoyer le sous-bois qui entoure le chalet, elle concoctait des petits plats ou lisait confortablement assise sur la galerie. Un livre dans une main ou sa cuillère en bois dans l'autre, elle ne voyait pas ses journées passer. Une immense bibliothèque occupe encore le seul mur sans fenêtres de la salle de séjour. Que vous cherchiez un roman policier, un bouquin sur les plantes médicinales ou un livre d'aventures, il est garanti que vous trouverez votre compte sur l'un des rayons. Gertrude et son mari ont toujours été de grands lecteurs et ont conservé tous les livres qu'ils ont lus au fil des années. Peu importait l'heure, ils n'allaient jamais au lit sans avoir parcouru au moins quelques lignes.

Pendant qu'elle savoure tranquillement son café, Gertrude repense aux nombreux moments heureux qu'elle a vécus ici et elle sourit. Comme il y en a plusieurs, elle a l'embarras du choix. Elle se souvient entre autres que son mari travaillait constamment comme un forcené, mais à son grand plaisir, chaque fois qu'ils prenaient le chemin du chalet, il mettait automatiquement son travail de côté. Gertrude savourait chacun de ces instants au maximum. Ils aimaient être ensemble. Ils étaient mariés depuis plus de 50 ans quand il a quitté ce monde, mais ils avaient encore l'air de jeunes tourtereaux aux yeux de tous, tellement que leurs amis les appelaient encore très affectueusement « les amoureux ». Ils pouvaient passer des heures à lire dans la même pièce et ils étaient bien. Chaque année, ils prenaient soin de démarrer un projet ensemble pour améliorer encore le chalet et le menaient jusqu'au bout. Certains leur demandaient tellement de travail qu'ils les commençaient à la fonte des neiges pour les terminer seulement à l'apparition des premiers flocons. Ils pouvaient en parler des heures sans se lasser, ce qui leur permettait de pousser leur réflexion encore plus loin. Le dernier qu'ils ont mené a donné des sueurs froides à tout le monde. Ils ont construit une maison dans les arbres pour leurs arrière-petits-enfants. Il fallait voir tous les échafauds qu'ils avaient installés. Chaque fois qu'elle se pointait au chalet et qu'elle voyait ça, Mado leur disait que ce n'était plus de leur âge de s'échiner dans les hauteurs comme ils le faisaient. Son père lui répondait toujours :

— Tu as le droit de t'inquiéter pour nous, mais pas de nous empêcher de vivre. Ta mère et moi sommes assez vieux pour savoir ce que nous faisons. Je te rappelle que je n'ai pas passé ma vie sur le plancher des vaches, mais dans les hauteurs. Tu sais bien que ce n'était pas tout de dessiner les plans, il fallait que je m'assure qu'ils soient respectés.

Ils ont fini de construire cette maison à peine un mois avant que son mari ne quitte ce monde. Gertrude a les larmes aux yeux lorsqu'elle la regarde, mais aujourd'hui ce sont des larmes de joie. Depuis qu'elle va mieux, elle se surprend de plus en plus souvent à se rappeler le plaisir qu'ils ont eu à la bâtir. Ils y ont travaillé sans relâche des mois, c'est pourquoi elle est très déçue de voir que l'habitation a servi aussi peu. À ce jour, elle a reçu la visite de plus d'adultes que d'enfants. Quand ceux de Mathieu veulent y monter, leur mère les en empêche sous prétexte que c'est beaucoup trop dangereux. Comme ce sont les seuls enfants de la famille immédiate de Gertrude, la maison devra attendre encore un peu avant d'être envahie par de petits visiteurs. Prise d'une vague d'émotion, Gertrude ne voit plus la maison dans les arbres qu'à travers ses larmes. C'est alors qu'une idée germe à la vitesse de l'éclair dans son esprit. Elle retourne aussi vite qu'elle le peut à la cuisine, se remplit un thermos de café et ressort sur la galerie. « Il y a si longtemps que je n'y suis pas montée... » Une fois devant la cabane, Gertrude hésite entre emprunter le petit escalier ou l'échelle. Son cœur choisirait l'échelle sans hésiter, elle adorait y grimper, mais comme elle n'a plus 20 ans et qu'elle est seule en pleine forêt, elle opte pour la sécurité et se place devant l'escalier. Elle tient la rampe et commence doucement son ascension. Chaque marche lui ramène son lot de souvenirs. Elle pleure à chaudes larmes au moment où elle pose le pied sur le cinquième degré. Elle s'essuie les yeux du revers de la main et poursuit sa montée. Une nouvelle vague de souvenirs l'envahit. Ils sont tellement réels qu'il s'en faut de peu pour qu'elle se mette à parler à son mari. Gertrude arrive sur la galerie de la petite maison. Les larmes coulent toujours aussi abondamment sur ses joues, mais elle ne s'en préoccupe pas. Elle avance jusqu'au banc de bois sous le porche et s'assoit. Elle avait oublié à quel point elle se sentait bien ici. La vue surplombe le lac.

L'idée de construire une maison dans les arbres est partie d'une discussion autour du feu entre son mari et elle, un soir où le vin avait coulé un peu plus que d'habitude. C'était il y a six ans, mais elle s'en souvient comme si c'était hier.

— Je t'ai déjà dit que mon père m'avait permis de transformer l'une des remises en maison de poupée quand j'étais jeune, avait dit Gertrude. Dieu sait que j'en ai passé, du temps, dans cette habitation. Mais moi, ce que je voulais avoir, c'était une maison dans les arbres, dans la forêt juste derrière la résidence. Je suis revenue à la charge auprès de mon père toute mon enfance, mais il ne voulait rien entendre. Il n'arrêtait pas de me dire que c'était trop dangereux et que j'étais aussi bien d'en faire mon deuil parce qu'il n'accéderait jamais à ma demande. Tu vas me trouver folle, mais il m'arrive encore d'y penser.

— On a qu'à t'en construire une ! s'est exclamé son mari du tac au tac. Je propose que ce soit notre prochain projet de construction.

— Tu n'y penses pas ! a objecté Gertrude. De quoi j'aurais l'air ? C'est gentil, mais j'ai passé l'âge d'avoir une maison dans les arbres.

Comme son homme n'abandonnait pas aussi facilement, il s'est dépêché de trouver une solution pour lui vendre l'idée. Indépendamment de son âge, Gertrude crevait d'envie d'en avoir une.

— On dira à tout le monde qu'on la construit pour nos arrière-petits-enfants et ça passera comme du beurre dans la poêle.

Gertrude s'est fait prier, mais le peu de réserve qui lui restait s'est vite envolé et elle a succombé.

— C'est d'accord, s'est-elle exclamée, mais à une seule condition. Personne ne devra jamais savoir que cette maison est en réalité pour moi.

L'idée a fait son chemin tellement rapidement que la première chose que Gertrude et son mari ont fait à leur réveil a été de décider de l'endroit où ils allaient l'installer. Une semaine plus tard, les plans étaient achevés et les matériaux étaient non seulement commandés mais également livrés. Gertrude était aux anges, elle aurait enfin sa maison dans les arbres. De tous les projets qu'ils ont menés ensemble, celui-là a été de loin le plus beau.

Gertrude se souvient encore que dès que ça avait été possible ils étaient allés boire leur café sur la galerie de la maison dans les arbres et avaient ri comme des enfants. Elle n'est jamais remontée depuis que son cher mari a quitté ce monde, mais aujourd'hui elle se demande pourquoi elle ne l'a pas fait avant. C'est tellement beau d'en haut ! Quelques secondes de réflexion lui suffisent pour qu'elle se rappelle qu'elle ne voyait plus la cabane, pas plus que l'échelle ou l'escalier d'ailleurs, qui sont pourtant très visibles dès qu'on sort du chalet.

Des bribes des longues discussions qu'ils avaient pendant la construction lui reviennent en rafale. Ils décidaient de chaque petit détail ensemble et ne prenaient une décision que lorsqu'ils s'étaient mis d'accord.

Gertrude dévisse le bouchon de son thermos et prend une grande gorgée de café. Elle laisse ensuite planer son regard sur le lac. À l'exception des oiseaux qui poursuivent leur concert matinal, le temps est mort, comme disait si bien son père. L'eau du lac est aussi lisse qu'un carré de soie et le grand héron tarde à se présenter. Pour l'avoir vu des centaines de fois, Gertrude sait que ce n'est qu'une question de temps avant qu'il entre en scène. Il surgira de nulle part et plongera la tête la première dans l'eau pour en ressortir aussitôt avec son déjeuner au bec. Gertrude a toujours apprécié ces périodes de grâce où la vie semble suspendue. Lorsque son mari vivait, elle lui disait d'en profiter parce que ces moments uniques de la journée leur donnaient l'occasion de changer de dimension pour un court instant. Elle le croyait dur comme fer, et elle le croit toujours.

— Je ne sais pas où tu vas chercher tout ça, lui disait son mari, mais j'ai envie de te suivre dans ta folie. Tu as raison de dire que le lever du jour n'a pas son pareil. Moi, si je devais choisir mon moment préféré de la journée, c'est sans contredit pour celui-là que j'opterais.

— Et tu aurais raison.

Gertrude se décide à entrer dans la petite maison. Elle tourne la poignée et ouvre grand la porte. Même si elle est de petite taille, elle doit se pencher pour y pénétrer. Aussitôt à l'intérieur, elle laisse planer son regard sur la pièce. Chaque meuble et chaque accessoire qui s'y trouvent ont été choisis avec soin. Gertrude dépose son thermos sur la table au passage et parcourt la courte distance qui la sépare de la chambre. Lorsqu'elle voit le minuscule lit, elle ne peut s'empêcher de sourire. Elle a reproduit dans cette pièce exactement le même décor que dans la remise qui lui servait de maison de poupée lorsqu'elle était encore une gamine. Elle a fait des pieds et des mains pour trouver la même couverture. Après des semaines de recherches infructueuses, elle a finalement décidé de solliciter les services d'une couturière. Gertrude s'approche du lit et s'étend. Elle n'est pas fatiguée, elle a très bien dormi la nuit passée, mais elle veut simplement avoir l'impression d'avoir encore dix ans, le temps de quelques chants d'oiseaux.

***

C'est seulement la deuxième fois qu'Alex et Mado vont au supermarché ensemble depuis qu'ils se connaissent. Pourquoi? Parce qu'Alex déteste faire les courses alors que Mado adore ça. Puisqu'ils recevront les parents d'Alex à souper, Mado a fortement insisté pour qu'il l'accompagne. Elle pourra ainsi cuisiner à son aise pendant qu'Alex ira chercher Gertrude au chalet. Elle trouve Huguette et Claude très sympathiques et ouverts d'esprit, néanmoins elle insiste pour que tout soit parfait, et, pour elle, ça commence par ce qu'ils auront dans leur assiette. Elle a proposé plusieurs menus à Alex, qui n'a pas cessé de lui répéter que ses parents seront ravis peu importe ce qu'elle leur servira.

— Tu t'en fais pour rien, lui répète-t-il, mes parents sont des gens simples. On pourrait leur donner des spaghettis italiens accompagnés d'une baguette de pain qu'ils seraient comblés. Je te l'ai déjà dit, ce qui importe, pour eux, c'est de passer un peu de temps avec nous.

— Je comprends tout ça, argumente Mado, mais c'est très important pour moi de bien les recevoir. Je t'en prie, je veux juste que tu m'aides à choisir. Des magrets de canard, des filets de porc farcis aux canneberges, du filet mignon de bœuf sur le barbecue ou du saumon et des fruits de mer ?

Entre deux soupirs, Alex lui fait son plus beau sourire en priant pour qu'elle le laisse tranquille et choisisse elle-même ce qu'elle veut préparer pour le souper.

— N'essaie pas de t'en sauver, le met en garde Mado en pointant son index dans sa direction, je ne te laisserai pas t'en tirer aussi facilement. Vas-y, je t'écoute, dis-moi vite ce que tu préfères.

— Mes parents adorent le poisson, finit par répondre Alex d'une voix lasse.

Ils filent donc vers le comptoir de la poissonnerie. Mado choisit un grand filet de saumon et le dépose dans le chariot. Elle va ensuite chercher des pétoncles et un sac de grosses crevettes grises dans l'allée des surgelés.

— Tes parents aiment-ils les épinards ?

— Je suppose que oui, ils adorent les légumes…

Les mains sur les hanches, Mado le regarde, exaspérée.

— Passe devant, dit-elle, c'est à l'autre bout.

Pressé d'en finir, Alex marche d'un bon pas, tellement que Mado a du mal à le suivre. Au détour d'une allée, il frappe de plein fouet un autre chariot. Alors qu'il allait se confondre en excuses, Mado s'écrie :

— André ?

— Mado ! s'exclame-t-il sur un ton joyeux. Je suis content de te voir. Tu as vraiment l'air en forme. Toujours amoureuse de… comment s'appelle-t-il donc ?

— Alex.

— Je suis très heureux pour toi. Moi aussi, j'ai rencontré quelqu'un. Je suis certain que vous vous entendriez à merveille. Tu m'excuseras, il faut que j'y aille, elle m'attend dans l'auto.

André recule son chariot et passe à côté d'Alex sans lui prêter la moindre attention.

— Je le trouvais plus sympathique lorsqu'il avait l'air d'un itinérant, laisse tomber Alex du bout des lèvres.

Comme Mado n'a aucune envie de prolonger la discussion sur le cas d'André, les paroles d'Alex ne font qu'un peu de bruit le temps de franchir ses lèvres.

— On continue ? lance-t-elle gaiement. Il ne nous manque qu'une ou deux choses à acheter avant que je te donne congé !

***

C'est une Gertrude encore plus épanouie qu'Alex a retrouvée à son arrivée au chalet. Ses bagages étaient alignés sur le bord de la porte, mais il a vite compris qu'elle n'était pas du tout pressée de partir.

— Je suis contente de te voir ! À moins que tu veuilles boire la même chose que moi, il y a de la bière au réfrigérateur, dit-elle, sers-toi.

Comme elle s'en doutait, Alex se prend une bière avant de venir s'asseoir dans le fauteuil en face du sien. De la musique classique joue en sourdine. Il règne dans le chalet une paix qu'on retrouve dans trop peu d'endroits.

— Si la musique te gêne, tu peux mettre autre chose.

— J'aime beaucoup la musique classique, répond Alex. Je vous mentirais si je vous disais que j'en écoute tous les jours, mais ça arrive à l'occasion. Curieusement, c'est toujours dans ma voiture que je m'offre ce petit plaisir. Je ne sais pas si c'est à cause de l'espace réduit, mais j'ai toujours trouvé que c'était le meilleur endroit pour l'apprécier à sa juste valeur.

— Je suis un peu comme toi, dit Gertrude. J'adore la musique classique, mais seulement à mes heures. Tu devrais jeter un coup d'œil à tout ce qu'il y a comme choix ici. Mon mari était un amoureux de la musique au sens large du terme. J'ai découvert grâce à lui un tas de styles dont je ne soupçonnais même pas l'existence. Tu vas rire, mais j'aime autant écouter Eminem que Diana Krall ou même Grand Corps Malade. Ah oui ! J'aime beaucoup ce que fait Bruno Mars aussi.

À l'air qu'Alex fait, Gertrude voit bien que ses propos le surprennent.

— Tu sais, Alex, poursuit-elle en lui souriant, quand on devient vieux, il n'y a que notre corps qui s'en ressente. Je ne peux plus courir comme je le faisais quand j'avais 20 ans. Je ne peux plus manger n'importe quoi avant d'aller dormir et je ne pourrais plus danser la salsa même si je le voulais. Mais dans ma tête, j'ai encore le feu sacré de mes 15 ans et, crois-moi, je ne suis pas la seule. J'ai toujours été curieuse et je le serai jusqu'à mon dernier souffle. Il m'arrive parfois d'écouter de la musique qui passait dans mon jeune temps, mais plus souvent qu'autrement c'est vers celle qui envahit les ondes de radio que je me tourne. Tu devrais me voir me trémousser sur une musique entraînante. Ce n'est sûrement pas très élégant, mais je m'en fous éperdument. J'ai l'intention de le faire aussi longtemps que ça me fera du bien.

Tout en écoutant Gertrude, Alex la compare à ses grands-parents. Les quatre sont en grande forme pour leur âge, mais aucun n'arrive à la cheville de la mère de Mado.

— Je réalise que mes grands-parents tant paternels que maternels n'ont rien en commun avec vous, et je trouve ça vraiment dommage.

— Ne te fie pas aux apparences. Il y a tellement de gens qui prennent les personnes âgées pour des demeurées que plusieurs d'entre elles endossent le rôle qu'on leur impose juste pour avoir la paix. Ce n'est qu'une fois qu'elles referment la porte de leur maison qu'elles se donnent la permission de redevenir elles-mêmes.

Les paroles de Gertrude ébranlent Alex plus qu'il le souhaiterait, au point qu'il se promet d'aller rendre visite à ses grands-parents la semaine suivante. Ils ne lui ouvriront probablement pas leur cœur en le voyant, mais il essaiera au moins de se rapprocher d'eux. En quelques phrases seulement, Gertrude lui a fait réaliser à quel point il les avait négligés alors qu'ils ont toujours été présents pour lui.

— Quand j'étais jeune, poursuit Gertrude entre deux gorgées de Southern Comfort, les aînés étaient importants. Toute la famille les consultait avant de prendre une décision majeure, on respectait leur expérience. Aujourd'hui, plus souvent qu'autrement, on les parque dans des résidences et on oublie jusqu'à leur existence. Moi, par exemple, je suis chanceuse d'avoir Mado et ses enfants, parce que mes fils ne se forcent pas pour venir me voir. Serais-tu assez gentil pour remplir mon verre, s'il te plaît ?

— Avec plaisir, répond promptement Alex, et si ça ne vous dérange pas, je vais en profiter pour me prendre une autre bière au passage.

Gertrude ne quitte pas Alex des yeux pendant qu'il va chercher la bouteille d'alcool dans le bar. Elle se dit que Mado a beaucoup de chance d'être aimée par un homme aussi charmant. D'ailleurs, il faudra qu'elle lui parle la prochaine fois qu'elle la verra. Elle n'a pas l'habitude de se mêler des histoires de cœur de sa fille, mais elle va quand même se permettre de lui demander ce qu'elle attend pour emménager avec lui.

Lorsqu'Alex finit de remplir son verre, Gertrude reprend la parole.

— Es-tu capable de garder un secret ? lui demande-t-elle à brûle pourpoint.

Surpris par la question, Alex lève la tête et sourit. Il se demande bien ce qu'elle s'apprête à lui dire.

— Bien sûr ! répond-il d'un ton ferme.

— Eh bien, va chercher ta bière et suis-moi.

Aussitôt dehors, Gertrude se dirige d'un pas assuré vers l'escalier de la petite maison dans les arbres.

— Es-tu déjà monté ? lui demande-t-elle.

— Pour être honnête, je l'ai remarquée à la fête de famille, mais il y avait tellement d'enfants qui jouaient par ici que je n'ai pas osé.

— Tu peux prendre l'échelle, si tu veux, lui offre Gertrude en la pointant du doigt. Moi, je vais emprunter l'escalier. Quand on sera là-haut, je te raconterai la vraie histoire de cette petite maison. Il faut juste me promettre de n'en parler à personne, pas même à Mado.

Alex ignore de quoi Gertrude désire l'entretenir, mais il se sent privilégié.

Une fois dans les arbres, ils n'ont pas vu le temps passer, tellement que Mado a appelé Alex pour savoir s'ils étaient sur le point d'arriver. Lorsqu'Alex lui a confié qu'ils n'étaient pas encore partis du chalet, elle lui a gentiment rappelé que ses parents seraient là dans moins de deux heures et qu'elle avait besoin de son aide pour terminer à temps.

— Je rapatrie les choses de ta mère et on prend la route. Ne t'en fais pas, je serai là avant qu'ils sonnent à la porte.

Mado se retient d'inonder Alex de questions. Il est déjà suffisamment en retard pour ne pas en rajouter.

— À tout de suite ! dit Mado. Ah oui, j'allais oublier le plus important : tu me manques.

Il n'y a pas de mots plus doux à son oreille. Chaque fois qu'Alex entend Mado les prononcer, il sent des petits frissons lui parcourir le corps.

— Mado ? Crois-tu que ta mère pourrait manger avec nous ?

Mado prend quelques secondes avant de lui répondre :

— À toi de décider, mon amour ! Si tu crois que tes parents s'entendront bien avec elle, c'est parfait pour moi.

— On arrive !

Chapitre 25

S'il pouvait y avoir plus de jours dans une semaine, Mado serait preneuse à coup sûr. Elle travaille du lundi au vendredi sans relâche, de jour comme de soir, et encore ça ne suffit pas. Comme on dit, c'est un beau problème pour une entreprise d'avoir trop de contrats, mais il y a des limites à ce qu'on peut faire lorsqu'on est en effectif réduit. L'obtention de leur marge de crédit a permis à Jimmy de quitter son emploi. Tout comme Mado, il travaille d'arrache-pied. Quant à Louis, il a réussi à se faire remplacer pour l'un de ses cours, ce qui lui permet de se consacrer à l'entreprise trois jours et demi par semaine. Mado a réquisitionné Monique aussitôt qu'elle a eu le feu vert pour organiser l'ouverture officielle de l'entreprise de serviettes hygiéniques. Monique commence à travailler plus tôt et retrouve Mado dans leurs nouveaux locaux aussitôt qu'elle a terminé sa journée. Elles s'entendent à merveille et, aux dires des gars, elles valent au minimum trois employés à elles deux. Vu toutes les tâches qu'elles doivent accomplir, c'est très heureux qu'elles soient aussi productives ensemble.

Monique n'arrête pas de dire à Mado à quel point elle aime ça, et ce, depuis son premier jour au sein de la compagnie.

— Si j'étais assez riche, répète-t-elle, vous n'auriez même pas besoin de me payer. C'est rendu que j'aime le lundi matin ! Pour tout te dire, je me prends à chantonner pendant que je travaille. Et devine ce que je chante !

Mado a une petite idée, mais Monique n'attend pas sa réponse avant de poursuivre :

— *Moi, quand je pleure* de Céline Dion, et c'est grâce à toi. Il faut vraiment que je sois heureuse pour chanter ça. Je te le dis, j'avais oublié qu'on pouvait être aussi bien dans un emploi. Je ne pourrai jamais assez te remercier de m'avoir offert cette occasion de m'épanouir. Au fait, tu ne pourrais pas apprendre une autre chanson ? Parce que celle-là, je l'ai assez entendue.

Si seulement Monique savait pourquoi Mado fredonne inlassablement la même chanson, elle la rouerait de petits coups de poing sur l'épaule pour ensuite lui sauter au cou et la féliciter de son audace.

— Maintenant, dit Mado, j'aimerais qu'on revoie l'échéancier.

— Non seulement on est dans les temps, la rassure Monique, mais d'après mes calculs on est même un peu en avance. Je vais sortir tout ce qu'il te faut.

Installées à la table de conférence, Mado et Monique vérifient chacune des étapes effectuées, en cours et à venir.

— Tu avais raison, confirme Mado, on est en avance partout, sauf pour la location des limousines qui iront chercher les invités, mais il fallait d'abord avoir le nombre exact de convives dans chaque région. La liste n'est pas finale, mais je pense qu'on pourrait se débrouiller avec ce qu'on a et réserver dès maintenant.

Monique regarde l'heure sur sa montre.

— Je devrais pouvoir régler ça avant que les bureaux ferment.

Travailler en dehors des heures habituelles n'a pas que des avantages. Après 17 heures, le téléphone devient muet, le boulot avance plus vite, mais à l'inverse on ne peut appeler nulle part. C'est pourquoi chaque matin Mado en a pour plusieurs heures à passer des appels. Elle ne s'en plaint pas car, comme Monique, elle se plaît dans ce travail.

— Pendant ce temps, dit Mado, je vais vérifier où on en est avec les dépenses.

Concentrées sur leur travail, les deux amies ne lèvent la tête que lorsqu'elles entendent claquer des talons aiguilles sur le plancher de bois. Une femme d'une cinquantaine d'années élégamment vêtue vient de faire son entrée. Mado dépose ses lunettes et va à sa rencontre.

— Êtes-vous Mado Côté? demande la visiteuse sans plus de cérémonie.

— Oui.

— Je veux que vous organisiez la réception de mon mariage.

Même si elle est en attente sur la ligne téléphonique, Monique tend l'oreille. Lorsqu'il est question de mariage, ça l'intéresse toujours.

— Désolée, mais nous n'organisons pas ce genre d'événement, objecte poliment Mado.

— Eh bien, ça prend une première fois à tout. Je tiens absolument à ce que vous soyez en charge de la réception. J'ai croisé le nouveau propriétaire de l'entreprise de serviettes hygiéniques la semaine dernière et il vous a chaudement recommandée. Aussi bien vous préparer, parce qu'il vante vos mérites à la grandeur de la ville.

Mado est à la fois flattée et très inquiète. Certes, le client en question a adoré la nouvelle image corporative que les gars lui ont proposée et il a aussi beaucoup aimé le plan que Mado lui a présenté.

— C'est excellent, répétait-il à chaque nouvel élément qu'elle lui apportait. Surtout, ne changez rien, c'est parfait!

De là à vanter les mérites de Mado sur la place publique en matière de gestion d'événements alors que le sien n'a même pas encore eu lieu, il y a tout de même une marge. Et puis elle n'a jamais pensé qu'elle pourrait organiser quelque chose en lien avec un mariage, quoique… Non, ça n'a pas de sens ! Déjà qu'elle a dû faire des pieds et des mains pour convaincre Jimmy et Louis d'accepter le contrat de leur client, elle ne voit vraiment pas ce qu'elle pourrait dire pour qu'ils adhèrent à celui-ci, encore plus éloigné de leur champ de spécialisation.

— Alors ?

— Comme je vous l'ai dit, répète poliment Mado, ce n'est pas notre domaine.

Aussitôt que Monique a complété la réservation des limousines, elle raccroche et suit attentivement la scène à distance.

— Écoutez, ajoute la femme, je ne sortirai pas d'ici tant que vous n'aurez pas dit oui. Je peux m'asseoir ?

Monique se retient d'éclater de rire. Elle ne connaît cette femme ni d'Ève ni d'Adam, mais elle lui plaît. Ça demande un sacré culot pour agir comme elle le fait. De son côté, Mado commence à sentir la boucane lui sortir par les oreilles. Ce n'est pas qu'elle ne veut pas s'occuper de ce dossier, elle ne peut tout simplement pas. Il faut vite qu'elle trouve un moyen de se débarrasser de cette femme. C'est alors qu'elle se tourne vers Monique et lui dit :

— Je viens d'expliquer à la dame qu'on ne peut pas organiser la réception de son mariage, mais elle refuse de m'entendre.

Il n'en faut pas plus pour que Monique vienne les rejoindre.

— Bonjour, je m'appelle Monique. Et vous ?

— Charlotte.

— Je suis désolée, mais comme ma collègue vous l'a expliqué, nous ne nous spécialisons pas dans les mariages.

— Vous ne comprenez pas, je tiens absolument à ce que ce soit vous qui preniez en charge ma réception, c'est une surprise pour mon futur mari. Pour ce qui est de l'argent, vous n'avez pas à vous inquiéter, vous avez carte blanche.

Monique est intéressée, au point qu'elle ne peut s'empêcher de lui demander ce qu'elle souhaite comme réception.

— Juste par curiosité…

Si Mado avait des fusils à la place des yeux, Monique serait morte sur-le-champ. Alors qu'elle fait tout pour se débarrasser de l'intruse, voilà qu'au contraire son amie l'encourage.

— En réalité, dit la dame, je ne veux rien de moins que la plus belle réception de mariage qui n'ait jamais été organisée dans cette ville. Je veux que toutes les personnes présentes en parlent encore dans 10 ans. Ce n'est pas compliqué, je veux que vous me surpreniez sur toute la ligne.

Monique sait parfaitement qu'elle travaille contre Mado, mais c'est plus fort qu'elle.

— Et le mariage est prévu pour quand ?

— Dans moins de deux mois.

Mado implore Monique du regard de mettre fin à ce cirque.

— Laissez-moi votre numéro de téléphone et je vous rappelle demain sans faute, à la même heure.

Mais Charlotte ne l'entend pas ainsi. Elle n'est pas venue pour se faire éconduire, personne n'y est arrivé à ce jour, mais plutôt pour confier l'organisation de la réception de son mariage à Mado Côté, et c'est ce qu'elle a l'intention de faire.

— À moins que vous ayez une mémoire phénoménale, dit-elle en s'adressant à Monique, vous seriez mieux de noter ce que je vais vous dire. Comme je l'ai expliqué à Mado pendant que vous étiez au téléphone, j'exige que tout soit parfait dans les moindres détails. La réception se tiendra au Vieux Moulin, il y aura seulement une centaine d'invités...

Charlotte raconte ensuite comment avait été la réception de ses deux mariages précédents.

— Mais je ne veux rien de tout ça puisque je l'ai déjà eu.

À force d'écouter la visiteuse, Mado a fini par s'intéresser à son discours bien malgré elle. Elle est toujours contre l'idée de s'occuper de cette réception, mais le personnage qu'elle a devant elle est tout sauf ennuyeux. C'est alors qu'elle s'entend demander la date du mariage à son tour.

— Dans 46 jours précisément, répond Charlotte.

— Est-ce qu'on peut connaître le nom de l'heureux élu? la questionne Monique.

— Non! répond Charlotte sans aucune hésitation. Le mien vous suffit amplement. Je vous répète que c'est une surprise et il est hors de question de courir le risque que tout soit gâché à cause d'une fuite. Bon, vous m'excuserez, mais je suis attendue ailleurs. Je repasserai demain à la même heure pour vous donner un acompte. Est-ce que 10 000 $ suffiront?

Charlotte s'empresse de leur serrer la main avant de sortir du bureau aussi vite qu'elle y est entrée. À peine la porte est-elle refermée que Mado tombe sur le dos de Monique.

— Veux-tu bien me dire ce qui t'a pris ?

— Je ne sais pas, répond Monique en haussant les épaules. Je l'écoutais à distance et je me disais que ce serait tout un défi de travailler pour elle. Je suis désolée, tu sais à quel point j'adore les mariages, les robes blanches, les cérémonies à grand déploiement et tout ce qui vient avec.

— Toi et tes histoires de robe blanche, gémit Mado en se laissant tomber sur sa chaise. Tu l'as vu comme moi, cette femme est pire qu'un pitbull. Elle a refermé sa mâchoire sur nous et ne lâchera pas prise tant qu'elle n'aura pas obtenu ce qu'elle veut. Je ne sais vraiment pas comment je vais pouvoir vendre l'idée à Jimmy et Louis.

En voyant l'air triomphant de Monique, Mado la met aussitôt en garde :

— Ne te réjouis pas trop vite. Puisque c'est toi qui nous as mis dans le pétrin, tu vas devoir m'aider à convaincre les gars avant que cette folle franchisse de nouveau le seuil de la porte. Mais je t'avertis, dans le cas où ils ne voudront rien entendre, tu devras t'arranger avec Charlotte. Peux-tu faire un saut au bureau sur l'heure du dîner demain ? On a déjà une réunion prévue.

— Compte sur moi, je serai là.

* * *

Lorsque Mado arrive chez sa mère, cette dernière est en larmes. Elle vient d'apprendre que Georges, son frère aîné, est mort d'une crise cardiaque en début d'après-midi. Elle ne le voyait pas souvent, mais il a toujours été son préféré parmi ses frères et sœurs, et il en était de même pour lui. Ils se téléphonaient tous les dimanches matin, et lorsque l'un des deux partait en voyage, il ne manquait pas d'envoyer une carte postale à l'attention de l'autre.

— Ma pauvre maman, dit Mado en l'embrassant sur la joue, voudrais-tu aller aux funérailles ?

Gertrude renifle un bon coup et s'essuie les yeux avant de répondre.

— C'est certain que j'aimerais y aller, mais ça me pèse trop de faire le voyage toute seule.

Mado comprend parfaitement sa mère. Depuis les événements du 11 septembre 2001, passer les douanes américaines n'est pas une partie de plaisir, et c'est encore plus stressant à l'âge de Gertrude. Elle lui offrirait bien de l'accompagner, mais ce n'est pas le moment pour elle de s'absenter du bureau, encore moins si elle réussit à convaincre les gars d'accéder à la demande de Charlotte.

— Tu pourrais sûrement y aller avec quelqu'un de la famille, ajoute Mado.

— Je me suis informée, et d'après ce que je sais, Béatrice est la seule qui se déplacera. Je ne lui demanderai certainement pas si je peux voyager avec elle.

Comme on dit, tout ce qui traîne se salit. C'est pour cette raison que beaucoup d'eau a coulé sous les ponts depuis leur altercation et que ni l'une ni l'autre n'a levé le petit doigt pour essayer de régler leur différend. Depuis, Gertrude n'a qu'un vague souvenir de ce qui s'est passé le jour où elles se sont querellées, et c'est probablement la même chose pour Béatrice.

Mado sait à quel point sa mère aimait son frère Georges, et avec raison. De tous ses oncles, c'était son préféré. Elle ne manquait pas de le supplier de revenir habiter au Québec chaque fois qu'elle avait la chance de lui rendre visite.

— Tu n'as qu'à venir me voir, lui disait-il, j'aurai toujours une chambre pour toi.

Entre la famille, le travail et les amis, la vie a passé si vite que Mado a profité une seule fois de l'offre de son oncle, et c'était l'année du décès de son père. Sa mère était tellement abattue que Mado l'avait obligée à l'accompagner. Elles n'étaient restées qu'une semaine chez lui, mais Georges avait pris soin d'elles et les avait emmenées à Las Vegas. Pendant deux jours, Gertrude avait jeté des pièces de 25 cents dans les machines à sous. Lorsque Mado avait su combien sa mère avait perdu, elle s'était mise à rire.

— Est-ce que ça t'a fait du bien, au moins ?

— Encore plus que tu penses, avait répondu Gertrude.

L'effet n'avait malheureusement été que de courte durée. Dès que Gertrude était revenue chez elle, elle était tombée encore plus bas qu'au moment de prendre l'avion. Le décès de son mari adoré avait laissé un vide tellement grand qu'elle n'arrivait pas à le remplir.

— Voyons, ajoute Mado, il doit sûrement y avoir quelqu'un d'autre que tante Béatrice qui fait le voyage, tout le monde l'aimait, oncle Georges. Donne-moi ton petit carnet, je vais passer quelques appels.

— Ne te donne pas ce mal, l'implore Gertrude, ma belle-sœur ne m'en tiendra pas rigueur si je n'y vais pas. Je lui téléphonerai demain et elle comprendra.

— Laisse-moi au moins essayer.

Mado s'installe au téléphone, mais constate vite que sa mère avait raison. Sa tante Béatrice sera l'unique représentante de la famille, et ce n'est pas parce que les autres refusent d'y aller. Ils sont tous âgés et pas suffisamment en forme pour faire le voyage. Le combiné en main, Mado réfléchit. Elle voit bien à quel point Gertrude aimerait se rendre dans le Nevada. «Je dois l'accompagner.» Elle sait parfaitement que ce n'est pas le bon moment pour elle de partir, mais elle ne peut pas non plus priver sa mère de faire ses adieux à son frère préféré.

— Tu y seras, aux funérailles, s'exclame-t-elle, j'irai avec toi. Je demanderai à Alex de me donner un coup de main pour réserver nos billets d'avion par Internet.

Gertrude est tellement touchée par le geste de sa fille qu'elle se jette à son cou et lui couvre les joues de petits becs. Elle sait que Mado est débordée, mais c'est tellement important pour elle de saluer son frère une dernière fois qu'elle est incapable de refuser son offre. À voir la réaction de sa mère, Mado se dit que ça vaut bien toutes les prouesses qu'elle devra faire pour respecter ses échéances.

— As-tu les détails?

— Tiens! J'ai tout noté sur cette feuille. Je te le dis, c'est moi qui paie.

Mado n'a pas l'intention de s'obstiner cette fois. C'est inévitable, quand quelqu'un lui rend service, Gertrude sort son portefeuille. Elle a fait le coup à Alex quand il est allé la chercher au chalet. Au moment de descendre de l'auto, elle lui a glissé un billet de 100$ dans la main et lui a dit qu'elle ne voulait pas entendre un seul mot de protestation. Alex a adoré chacune des secondes passées avec Gertrude, tellement qu'il en parle encore à Mado.

— Commence à faire ta valise, dit Mado, je t'appelle aussitôt que c'est réservé. L'idéal serait qu'on parte demain matin. Ah oui ! Peux-tu téléphoner à ma tante pour lui demander le nom d'un hôtel à proximité de l'endroit où auront lieu les funérailles ?

— Je suis convaincue qu'elle nous offrira de rester chez elle ! s'exclame Gertrude. À moins que ça te dérange...

— Non ! Non ! C'est juste que je ne veux pas qu'on soit une surcharge pour elle. Bon, j'y vais.

Avant de démarrer sa voiture, Mado appelle Alex, elle veut passer le voir.

— Bien sûr, mon amour ! lui répond-il d'un ton enjoué. Est-ce que j'ai des chances de te convaincre de rester à dormir ?

— Si notre avion décolle aux aurores, je crois bien que je vais profiter de toi ce soir.

— Je t'attends !

Au lieu de dormir chez Alex, Mado a couru jusque chez elle pour faire sa valise. Il n'est pas encore 7 heures le lendemain lorsqu'elle va chercher sa mère. Elles filent ensuite en direction de l'aéroport.

— Tu as l'air fatiguée, maman, dit Mado.

— Je n'ai pas très bien dormi, je n'arrêtais pas de penser à Georges. Ne t'inquiète pas, ça va aller.

Mado caresse doucement la main de sa mère. C'est dans des moments comme celui-là qu'elle réalise que Gertrude ne sera pas toujours présente. Georges est le premier de la famille maternelle à partir. Bien qu'aucun de ses frères et sœurs ne soit gravement malade, le fait qu'ils ne soient pas suffisamment en forme pour faire le voyage jusque dans le Nevada en dit long. Mado est contente de s'être autant rapprochée de sa mère, et elle a bien l'intention de passer encore plus de temps avec elle. De son côté, Gertrude remercie le ciel d'avoir Mado comme fille et désire ardemment se rattraper.

— J'allais oublier, s'exclame Mado, j'ai un cadeau pour toi de la part d'Alex. Il est dans ma sacoche. Prends-le, c'est un sac en papier brun.

Gertrude adore les surprises. Ce n'est pas tant le cadeau qui lui fait plaisir que la pensée qui se cache derrière. Si Mado pouvait voir à quel point les yeux de sa mère pétillent en ce moment, elle se dépêcherait d'appeler Alex pour le remercier de son attention. Même si Mado a insisté, Alex a refusé de lui dire ce que contenait le sac.

— Je ne parlerai pas même sous la torture, c'est entre ta mère et moi.

Impatiente de savoir ce qu'Alex lui a envoyé, Gertrude ouvre vivement son cadeau et, quand elle aperçoit un plein sac de jujubes multicolores, elle s'écrie :

— Tu peux bien l'aimer, ton homme ! Ça prenait juste lui pour penser à ça.

— Peux-tu me dire ce qu'il t'a envoyé ? lui demande Mado.

— Des jujubes !

— Pour vrai ?

Gertrude sort son sac de friandises de celui en papier et le lui montre, un sourire radieux sur les lèvres.

— Tu es contente ?

— Oui ! Quand il est venu me chercher au chalet, je lui ai dit que ça me gênait d'aller m'en acheter au dépanneur et qu'il m'arrivait parfois d'envoyer les petits-enfants de ma voisine m'en chercher quand ils viennent lui rendre visite. Qu'Alex l'ait fait pour moi me touche beaucoup. Tu as énormément de chance d'être tombé sur un gars comme lui. En tout cas, moi je serais presque prête à dire qu'il est parfait.

Mado réalise soudainement qu'elle est loin de tout connaître à propos de sa mère. Gertrude a la dent sucrée, mais Mado ignorait totalement qu'elle pouvait aimer les jujubes à ce point.

— À bien y penser, ajoute Gertrude, son seul défaut est qu'il est trop beau. Si j'étais à ta place, j'aurais peur de me le faire voler.

La seconde d'après, elle plonge la main dans son sac et en ressort un long serpent qu'elle porte à sa bouche.

— Aimerais-tu en avoir un? demande-t-elle à Mado en mâchouillant.

— Je te remercie! répond Mado en frissonnant. Il est bien trop tôt pour manger des bonbons, surtout des jujubes.

— À l'âge que j'ai, il n'y a plus d'heure qui tienne. Quand j'ai envie de manger quelque chose, je le fais et je ne me pose pas de question. Hier soir, j'ai mangé la moitié d'un sac de maïs à éclater en regardant un film.

— Et tu réussis à dormir?

— La plupart du temps. Sinon je me lève tout de suite et me recouche dans la journée.

La voiture arrive à l'aéroport. Mado se dirige vers le débarcadère, fait descendre sa mère et dépose les valises.

— Attends-moi ici, lui dit-elle, je reviens tout de suite.

Chapitre 26

Mado sait bien qu'elle aurait dû avertir Monique qu'elle ne pourrait assister à la réunion et que, par le fait même, celle-ci sera obligée de convaincre Jimmy et Louis seule de sauter à pieds joints dans l'organisation de la réception du mariage de Charlotte, mais elle ne l'a pas fait. Il était trop tard la veille au soir et trop tôt ce matin pour lui téléphoner. En même temps, elle s'est dit que c'était d'une certaine façon un juste retour du balancier. Monique n'avait qu'à ne pas encourager Charlotte comme elle l'a fait, c'est donc normal qu'elle les sorte du pétrin dans lequel elle les a mis. La seule personne que Mado a avisée de son départ est Jimmy, et encore, elle l'a fait par texto juste avant qu'il entre en réunion. Ce n'est pas dans ses habitudes d'agir ainsi, mais un mort ne peut pas attendre, et l'avion encore moins.

À l'heure où Mado a écrit à Jimmy, Monique l'avait déjà mis au courant de la raison de sa présence. Il n'a pas sourcillé, il s'est contenté de lui dire qu'ils allaient attendre les autres. Lorsque Louis a fait son entrée, il s'est tout de suite inquiété de ne pas voir Mado.

— Je viens de recevoir un texto de sa part, dit Jimmy. Un des frères de ma grand-mère est mort et, en ce moment, les deux femmes passent les douanes pour se rendre dans le Nevada. Mado sera de retour dans trois jours si tout va comme prévu.

Monique a blêmi en entendant la nouvelle, elle savait ce qui lui pendait au bout du nez. Elle était venue pour soutenir Mado, non pour porter seule le dossier sur ses épaules. Si ça avait été le cas, elle se serait mieux préparée. Elle n'est pas associée, elle n'est qu'une surnuméraire, et uniquement sur un projet, en plus.

— C'est tout ? demande Monique.

— Oui, répond Jimmy.

Si Mado était devant elle à cet instant, Monique ne se gênerait pas pour lui dire sa façon de penser. Elle sait bien que son amie n'est pas responsable de la mort de son oncle, seulement avec tout ce qu'elles ont à faire le moment n'était pas propice pour partir. Monique commence sérieusement à penser qu'il serait préférable de refuser la demande de Charlotte, bien qu'elle n'en ait pas envie.

— Je propose que Monique nous parle tout de suite du projet dont elle et Mado souhaitaient nous informer, dit Louis.

Jimmy confirme son accord d'un simple hochement de tête. Pour sa part, Monique se demande bien par quoi commencer. Ce n'est pas le premier dossier qu'elle doit défendre de sa carrière, mais compte tenu des circonstances ça l'énerve au plus haut point. D'abord, d'après ce que Mado lui a dit, les gars n'étaient pas enthousiastes à l'idée d'organiser l'ouverture officielle de l'entreprise de l'un de leurs clients. Ensuite, il y a tout un monde entre ce mandat et l'organisation de la réception d'un mariage. Alors s'il a été difficile d'obtenir l'aval pour le premier, elle doit trouver le bon filon pour présenter de son mieux le second.

Comme l'heure n'est plus à la réflexion ni aux lamentations, Monique se redresse sur sa chaise et se lance.

— Je vais d'abord vous demander de m'écouter jusqu'à la fin sans m'interrompre. Après, je répondrai à toutes vos questions.

Monique n'a jamais aussi bien communiqué ses idées de toute sa vie, tellement qu'elle s'étonnait elle-même. Pendant une dizaine de minutes, elle n'a pas entendu de soupir de la part des gars. Ça ne veut peut-être rien dire, mais ça l'encourage à poursuivre son laïus.

— En conclusion, ajoute-t-elle, je sais que la gestion d'événements ne faisait pas partie des services que vous souhaitiez offrir, mais si j'étais à votre place j'y réfléchirais à deux fois avant de refuser ce nouveau contrat. Comme on dit en affaires, c'est de l'argent facilement gagné. Si Mado et moi réussissons à épater la galerie dans les deux dossiers, ce dont je ne doute aucunement, la nouvelle se répandra partout en ville et les contrats afflueront. J'ajouterai pour finir que Mado et moi adorons organiser ce genre d'événements. Je suis même prête à prendre un congé sans solde de mon travail pour mener à bien le second mandat, si c'est nécessaire. Avez-vous des questions?

Devant le silence prolongé des deux hommes, Monique ramasse ses effets et ajoute:

— Je ne veux pas vous mettre de la pression, mais Charlotte viendra porter un acompte de 10 000 $ en fin d'après-midi. Je vous laisse son numéro de téléphone, au cas où vous voudriez l'appeler, si jamais vous décidiez de ne pas vous charger de la réception de son mariage.

Monique pourrait les mettre en garde à propos du personnage, mais elle ne veut pas saper les efforts qu'elle vient de faire. D'ailleurs, elle n'est pas certaine que ça aiderait la cause de Charlotte si elle la présentait aux gars.

— On se voit plus tard!

Louis l'interpelle alors qu'elle allait ouvrir la porte. Monique revient sur ses pas et se poste devant lui.

— Je suis peut-être dans l'erreur, dit-il, mais je crois que Monique a raison. On devrait accepter ce contrat. Ça nous permettra de nous faire la main sur un genre complètement différent. Une fois qu'on aura livré la marchandise des deux contrats, on fera un *post mortem* et on décidera si on poursuit ou non dans cette voie.

Jimmy se gratte le menton. Il a écouté attentivement la présentation de Monique et réfléchit à ce que vient de dire Louis. Il croit que s'ils acceptent ce nouveau mandat ils confirment en quelque sorte que leur entreprise offre ce service.

Il ne s'est écoulé que quelques secondes avant que Jimmy prenne la parole, mais elles ont semblé une éternité à Monique.

— Plus j'y pense, dit Jimmy, plus je crois que la gestion d'événements est aussi une question d'image, autant qu'une brochure ou une capsule télé. Au fond, seul le médium change. On a la chance de posséder les deux expertises, alors on serait bien bêtes de passer à côté. Et puis ça crève les yeux que les femmes veulent ce projet. Donc, je suis d'accord pour qu'on mène ces deux mandats à terme et, comme tu l'as dit, Louis, on s'assoira après et on décidera de la suite des choses.

Monique devrait se contenter de savourer sa victoire, mais au lieu de cela elle se permet d'ajouter :

— Autant que vous le sachiez avant de vous lancer, la cliente en question est un phénomène. Si elle est satisfaite, et croyez-moi qu'elle le sera, la planète entière va savoir à quel point on est bons.

— Ce n'est pas un problème pour moi, ajoute Louis, au contraire. Je propose qu'on profite de cette occasion.

— Je seconde, renchérit Jimmy.

— Vous ne le regretterez pas !

***

Alors que tout le monde se lève de son siège pour sortir de l'avion, Mado croit reconnaître sa tante à l'avant de l'appareil. Elle se dit qu'elle a sûrement la berlue, que si Béatrice était à bord du même avion sa mère et elle l'auraient repérée à l'aéroport. Elle étire le cou pour voir si elle fait erreur, mais plus elle observe la femme qu'elle considère être sa tante, plus elle lui trouve des ressemblances.

— Je sais bien que tu n'as pas vu tante Béatrice depuis des années, dit Mado, mais tu l'as sûrement aperçue sur des photos de famille.

— Elle a changé, répond promptement Gertrude, elle est rendue avec les cheveux roux.

La femme que Mado surveille a elle aussi les cheveux roux.

— Est-ce que tu sais si elle a engraissé ?

— Elle a dû prendre quelques kilos, parce que sur la dernière photo où elle apparaissait elle affichait un visage rond au lieu de ses éternelles joues creuses. Veux-tu bien me dire pourquoi tu me parles d'elle tout à coup ? On aura bien assez de devoir l'endurer aux funérailles…

Au lieu de détourner la conversation, Mado décide plutôt de plonger la tête la première dans la saga Béatrice-Gertrude.

— Lève-toi et regarde devant. Est-ce que par hasard la femme aux cheveux roux dans les premières rangées serait tante Béatrice ?

Gertrude se met debout et se laisse tomber dans son siège la seconde d'après.

— Il n'y a qu'elle pour porter du rouge à des funérailles. On va sortir en dernier, ça mettra un peu de distance entre elle et nous.

— Mais, maman, c'est ridicule. Aussi bien te préparer tout de suite, parce qu'on montera sûrement dans la même voiture pour se rendre à la maison d'oncle Georges. Si j'étais à ta place, je prendrais le taureau par les cornes et j'irais la saluer.

— Eh bien tu n'es pas à ma place.

— Comme tu veux!

Il y a des choses difficiles à comprendre quand on les observe de l'extérieur; la guerre entre sa mère et sa tante fait partie de celles-là pour Mado. Les deux sœurs étaient les meilleures amies du monde avant leur dispute, au point qu'il ne se passait pas une seule journée sans qu'elles se parlent. Dans la famille, on avait l'habitude de dire que, lorsqu'on voyait Gertrude, Béatrice n'était jamais loin, et c'était la vérité. Pour sa part, Mado aurait été prête à accepter bien des choses pour avoir une telle relation avec l'un de ses frères, mais il y a longtemps qu'elle a compris que ça n'arriverait jamais. Comme on dit si bien, on ne choisit pas sa famille, on en reçoit une à la naissance et on fait avec.

Mado et Gertrude sont les dernières à sortir de l'avion. Elles vont chercher leurs valises. Gertrude regarde autour d'elle et, dès qu'elle repère Béatrice, s'installe à un endroit d'où sa sœur ne pourra pas la voir.

— J'aperçois nos valises, dit-elle.

— Recule un peu, ordonne Mado, je vais les prendre.

Au moment où elles se tournent pour aller passer le dernier contrôle, elles tombent face à face avec Béatrice.

— Il me semblait, aussi, que c'était toi, s'exclame Béatrice.

— Bonjour, tante Béatrice, se dépêche de dire Mado, je suis contente de vous voir.

— Moi aussi, Mado. Viens que je t'embrasse. Il va falloir que tu me donnes ta recette, on dirait que tu as rajeuni de 10 ans.

— C'est gentil, ma tante, mais je peux vous retourner le compliment. Votre nouvelle coiffure vous va très bien.

Muette, Gertrude songe qu'il serait peut-être temps d'enterrer la hache de guerre, d'autant qu'elle est tellement contente de revoir sa sœur qu'elle en a mal au ventre. Mue par une force inconnue, elle se place devant Béatrice et lui dit en souriant :

— Ça te dirait qu'on s'assoit toutes les deux à l'arrière de la voiture pour aller chez Georges ?

Béatrice comprend rapidement le sens des mots de Gertrude.

— On pourrait même dormir dans la même chambre, si tu es d'accord.

Les deux sœurs se tombent dans les bras et, l'instant d'après, pleurent à chaudes larmes. Mado se laisse également émouvoir par la scène qui se déroule sous ses yeux.

Lorsque Béatrice et Gertrude se séparent enfin, un grand sourire illumine leur visage. Bras dessus, bras dessous, elles tirent leur valise de leur main libre et papotent comme deux adolescentes qui se seraient quittées la veille. Quelques pas derrière elles, Mado est heureuse. Assister à la réconciliation des deux femmes valait à elle seule le déplacement.

***

Lorsque Monique entend s'ouvrir la porte, elle sait que Charlotte arrive. Vêtue d'une petite robe cocktail vert kiwi, la femme s'avance.

— Bonjour, Monique, dit-elle, je vous apporte les 10 000 $, tel que nous l'avons convenu.

Charlotte dépose la liasse de billets sur le coin du bureau et ajoute :

— J'aimerais bien savoir à quoi vous avez pensé pour mon enterrement de vie de jeune fille.

Monique tombe des nues en l'entendant. Elle s'attendait à tout, mais certainement pas à ça. Elle regarde sa cliente et se retient d'éclater de rire.

— Il n'a jamais été question de ça hier, objecte-t-elle. Voyons donc, je m'en souviendrais. Vous nous avez seulement demandé d'organiser votre réception de mariage, jamais nous n'avons parlé de votre enterrement de vie de jeune fille. Demandez à l'une de vos amies de s'en occuper pour vous…

— Pour qu'on se retrouve au 281 ? Non merci ! Je veux quelque chose de spécial, quelque chose qui a de la classe, et je compte sur vous pour me le donner.

Charlotte défie Monique du regard. Elle plonge ensuite la main dans son sac et en sort une seconde liasse de billets qu'elle dépose devant Monique :

— Je ne vous laisse pas le choix ! Je vous donne 10 000 $ de plus en acompte pour préparer ma soirée de filles. Notez bien : je les veux beaux, grands et musclés. Qu'ils aient les cheveux blonds, bruns ou noirs, je m'en fous. Je répète, je veux qu'ils soient beaux, grands et musclés. N'oubliez pas que je suis prête à payer ce qu'il faut.

Charlotte tourne les talons et se dirige vers la sortie sans ajouter un mot.

Monique est obligée de reconnaître que sa cliente compte au nombre de ceux qui pensent que le monde leur appartient et qu'ils n'ont qu'à ajouter quelques billets pour obtenir ce qu'ils souhaitent. Le pire, c'est que, la plupart du temps, ils arrivent à leurs fins.

À peine la porte est-elle refermée que Monique se met à rire. Jamais elle n'a rencontré une personne éclatée comme cette Charlotte. Elle la trouve à la fois drôle, envahissante, rafraîchissante, exigeante…

Lorsqu'elle est entrée au travail ce matin, Monique a demandé à sa patronne si elle pourrait prendre quelques semaines sans solde. Comme ce n'est pas le moment le plus occupé de l'année pour leur service, sa supérieure lui a dit qu'il n'y aurait aucun problème. Sa réponse a enlevé un énorme poids des épaules de Monique. Elle s'est dit qu'avec toute la charge de travail que Mado et elle ont présentement, et puisqu'elle s'est fait imposer l'organisation de l'enterrement de vie de jeune fille de Charlotte, elles ne seront pas trop de deux à plein temps pour y arriver.

Monique travaille d'arrache-pied jusqu'à ce que la sonnerie du téléphone la fasse sursauter. Elle saisit le combiné.

— Salut, c'est Mado.

En entendant la voix de son amie, Monique est d'abord tentée de déverser sur elle sa frustration et sa colère. Dans son livre à elle, on n'abandonne pas une collègue au milieu d'une bataille, une personne qui, de surcroît, est venue vous prêter main forte. Et c'est précisément ce que Mado a fait ce matin. Mais au lieu de lui tomber sur la tête, Monique décide de lui rendre la monnaie de sa pièce.

— Ah, Mado ! Les grands esprits se rencontrent, j'allais t'appeler. Charlotte sort à peine d'ici. Imagine-toi donc qu'elle m'a demandé si on pouvait aussi organiser son enterrement de vie de jeune fille.

— Franchement ! s'indigne Mado, il est hors de question qu'on s'occupe de ça. J'espère que tu lui as dit non.

— Je voulais justement t'en parler, ajoute Monique d'une voix remplie de douceur. Tu sais à quel point j'affectionne tout ce qui tourne autour des mariages. Eh bien j'espère que tu ne seras pas fâchée contre moi, mais devant l'insistance de Charlotte, j'ai cédé.

À l'autre bout du fil, Mado fulmine. Elle connaît suffisamment Monique pour savoir qu'il y a anguille sous roche. Elle serait même prête à parier que Monique a accepté ce contrat juste pour se venger.

Devant le silence de Mado, Monique ajoute :

— Je me suis dit que si tu me faisais assez confiance pour convaincre les gars de nous laisser mener notre projet à terme sans même m'avertir pour que j'aie le temps de me préparer, tu te fiais aussi à moi pour que je prenne quelques décisions par moi-même. Mais je n'ai peut-être pas bien compris ton message...

— On n'a pas encore commencé à travailler pour elle et elle me tape déjà sur les nerfs, ta Charlotte. Tu n'aurais jamais dû accepter !

— Et toi, tu aurais dû m'avertir que tu ne serais pas là ce matin. Mais non ! Au lieu de ça, madame volait au-dessus de ma tête pendant que je m'échinais à vendre notre projet à ses associés.

Mado sent qu'elle va exploser si Monique prononce une seule parole de plus. Elle est prête à reconnaître ses torts, mais Monique dépasse les bornes. Elle n'avait pas le droit d'accepter un contrat sans en discuter d'abord avec elle. Mado revient à la charge.

— Tu aurais dû m'en parler avant !

Monique comprend qu'il est temps pour elle de battre en retraite. Si Mado était devant elle, elle commencerait même à craindre pour sa vie. C'est pourquoi elle se met à rire, dédramatisant ainsi la situation. Et ce rire, Mado le connaît bien. Elle n'a d'autre solution que d'en faire autant.

Mado demande à Monique de lui raconter le fond de l'histoire lorsqu'elles cessent enfin leur fou rire.

— Disons que je n'ai pas vraiment eu le choix, confie Monique. Charlotte a ajouté 10 000 $ à ceux qu'elle venait de me donner et m'a dit que c'était à prendre ou à laisser.

La vraie raison qui a poussé Monique à accéder à la nouvelle demande de Charlotte réconforte quelque peu Mado. Avec le caractère qu'a cette femme, elles sont toutes les deux conscientes qu'elles ne sont pas au bout de leurs peines. D'un autre côté, c'est une occasion en or de faire leurs preuves. Si elles résistent à Charlotte et parviennent à la satisfaire, la réputation de leur entreprise en matière de gestion d'événements sera assurée.

— J'aime mieux ça ! ajoute Mado. Maintenant, j'ai une faveur à te demander. Peux-tu me promettre de ne pas prendre de nouveaux contrats avant que je revienne, s'il te plaît ?

Chapitre 27

Béatrice et Gertrude étaient tellement contentes de se retrouver que c'était gênant de voir le sourire qu'elles arboraient à travers leurs larmes pendant les funérailles. Comme elles avaient cinq ans à rattraper, elles ont décidé d'aller passer quelques jours à Las Vegas ensemble, au lieu de prendre l'avion de retour comme prévu.

Mado aurait adoré être du voyage, elle qui a toujours aimé cette ville, mais l'idée de prolonger son voyage d'une seule journée était impossible vu son horaire. C'est donc du bout des lèvres qu'elle leur a offert de les accompagner.

— Pars en paix, lui a dit sa mère, tu en as assez fait.

— Laissez-moi au moins m'occuper de changer vos billets d'avion.

— Ce serait très gentil, a confirmé Béatrice. Ta mère et moi baragouinons l'anglais, mais pas suffisamment pour faire ce genre de démarche.

La réconciliation des deux sœurs est une vraie bénédiction. Il faut voir à quel point elles sont heureuses de s'être enfin retrouvées. Non seulement elles ont déjà planifié de nombreuses sorties ensemble, mais Béatrice a également dit à Gertrude que celle-ci devrait déménager dans la même résidence qu'elle.

— Il va falloir que tu prennes ton mal en patience, parce que je n'ai pas encore accepté ce déménagement, a aussitôt répondu Gertrude.

***

Bien qu'Alex et elle se soient parlés chaque jour, Mado avait vraiment hâte de se retrouver à nouveau dans ses bras. À peine était-elle sortie de l'avion qu'elle lui envoyait un message texte. Le regard fixé sur l'écran de son cellulaire, elle s'impatientait de lire sa réponse.

Tu m'as tellement manqué. Je t'attends !

Et Mado de lui écrire aussitôt :

J'arrive, mon amour !

Si quelqu'un lui avait dit qu'elle serait aussi éprise d'un homme un jour qu'elle l'est d'Alex, elle lui aurait ri au nez. Mais voilà, c'est arrivé. Alex s'est glissé dans sa vie tout doucement et, maintenant, elle ne souhaite que partager son quotidien. Elle ne lui a pas encore demandé de venir habiter avec elle, mais c'est une simple question de temps. Toutes les réticences qu'elle avait ont fondu comme neige au soleil. La dernière fois qu'elle est allée manger avec JP, quelques jours avant de s'envoler pour le Nevada, son ancien collègue lui avait dit qu'elle était carrément folle si elle laissait passer le bonheur alors qu'elle le tient entre ses mains.

— Et s'il refuse ? a objecté Mado.

— Crois-moi, a répondu JP, il n'attend qu'un signe de ta part.

— Il aurait pu me le proposer…

— Dois-je te rappeler que tu as joué au yoyo avec lui un bon moment ? Tu me connais, je suis toujours le premier à prendre les devants en amour, mais si j'étais dans la position d'Alex, je ferais comme lui et j'attendrais que tu fasses les premiers pas.

— À t'entendre, on dirait que je suis un monstre.

— Sans en être un, disons que tu fais les choses quand et seulement quand tu es prête à les faire. C'est une qualité la plupart du temps. Sauf en amour, peut-être. Fie-toi à moi, l'amour passe.

Mado n'a pas encore décidé du moment où elle en parlera avec Alex, mais au fond d'elle-même elle sait que ça ne devrait plus tarder. Elle se languit de plus en plus de se réveiller à ses côtés chaque matin et de faire des milliers de projets avec lui. Elle est même prête à déménager, si c'est nécessaire. Elle aime son condo mais ne versera pas une larme le jour où elle partira. Elle l'avait l'acheté parce qu'elle en avait assez d'entretenir sa maison toute seule, mais les choses sont désormais différentes. Elle adorerait qu'ils aillent s'installer dans une petite maison à la campagne. Elle rêve de voir des arbres de la fenêtre de sa chambre au lieu des fils électriques et du béton. Elle troquerait volontiers le bruit du marteau-piqueur et des camions de livraison pour le chant des oiseaux et le souffle du vent dans les feuilles des arbres. Elle est même prête à servir de dîner aux maringouins si c'est le prix à payer !

— Dois-je comprendre que tu es de nouveau célibataire ?

— Eh oui ! J'ai battu mon record, je n'ai jamais été si peu longtemps avec quelqu'un que j'avais autorisé à s'installer chez moi.

— As-tu quelqu'un d'autre en vue ?

— Tu ne me croiras pas, mais j'ai décidé de faire une pause. J'ignore combien de temps je vais tenir, mais pour le moment ça me fait un bien fou d'être seul.

Les hommes qui aiment le sexe autant que JP n'abandonnent pas. C'est pourquoi Mado ne croit pas tellement à sa traversée du désert. Elle connaît trop bien son ami pour savoir que dès qu'un beau mâle apparaîtra dans son champ de vision il oubliera instantanément ses bonnes résolutions.

Le lendemain, lorsqu'elle arrive devant la porte de leur bureau, Mado est surprise d'y voir de la lumière. Vu l'heure qu'il est, ce n'est certainement pas Jimmy ou Louis. « Et ça ne peut pas être Monique non plus. » Elle entre. Quand elle voit son amie derrière le bureau, elle s'empresse de lui demander ce qu'elle fait là.

— Je travaille, répond aussitôt Monique.

— Ça, je m'en doute. Ce que je veux savoir, c'est pourquoi tu n'es pas à ton emploi, enfin à ton autre emploi.

— C'est simple, j'ai pris un congé sabbatique de deux mois.

Décidément, Mado va de surprise en surprise avec Monique, qui a décidé, cette fois, de travailler à plein temps sans même lui en glisser un mot. Devant l'air que fait son amie, Monique se dépêche d'ajouter :

— Tu n'as pas à t'inquiéter, je vais faire le même nombre d'heures que d'habitude, mais de jour plutôt que de soir.

— Mais je ne peux pas te donner le même salaire, objecte vivement Mado.

— Rassure-toi, je sais déjà tout ça. Pendant que tu étais partie, je me suis amusée à estimer le nombre d'heures que ça devrait nous prendre pour livrer la marchandise, et, crois-moi, on ne sera pas trop de deux à temps plein pour tout faire. Pour une fois que je suis emballée par un travail, j'ai décidé de prendre le taureau par les cornes. Si tout se passe comme je l'espère, j'aurai un nouvel emploi. Dans le pire des cas, je retournerai à mon ancien et j'aurai au moins de bons souvenirs. J'aime travailler avec toi et je suis certaine qu'on va faire de grandes choses ensemble. Pour ce qui est de l'argent, je suis prête à courir le risque. Si ça peut te rassurer, j'en ai discuté avec Gervais et il m'encourage.

La seule chose que Mado peut faire devant autant de détermination est d'accepter l'offre de Monique.

— Moi aussi, je suis heureuse de travailler avec toi et je sais, hors de tout doute, qu'on excellera dans les trois événements qu'on doit organiser. Laisse-moi juste le temps d'aller me chercher un café et je voudrais que tu me montres tes calculs après.

Monique se sent aussi légère qu'une plume depuis qu'elle a rencontré sa patronne la veille pour officialiser son congé. Depuis qu'elle donne un coup de main à Mado, aller travailler était devenu une réelle corvée. Elle n'était pas sitôt arrivée qu'elle priait pour que la journée finisse au plus vite. Comme ils sont dans une période où le travail se fait rare, elle trouvait le temps encore plus long, ce qui est loin d'être le cas quand elle se présente ici. Au contraire, elle est motivée et ne voit pas le temps passer. Elle avait besoin d'un changement dans sa vie professionnelle et a l'intention de tout faire pour se créer un emploi parce que c'est ce genre de travail qui la rend heureuse.

Monique présente ses prévisions à Mado. À plus d'une reprise, son amie opine du bonnet.

— Beau travail ! s'exclame Mado. Ne le prends pas mal, mais si on veut être certaines de respecter les temps, j'ajouterais 10 % à tes calculs. Je ne t'apprendrai rien en te disant que pour un tas de raisons que j'ignore encore tous les projets sur lesquels j'ai travaillé ont fait mentir les prévisions et toujours à la hausse.

— J'allais justement t'en parler.

Mado ne peut pas augmenter le salaire de Monique, mais elle est forcée de majorer, de beaucoup, le nombre d'heures travaillées. Elle se dit même qu'une troisième personne ne serait pas de trop, mais encore faut-il trouver la bonne.

— Est-ce que Charlotte t'a précisé ce qu'elle voulait ?

— Oui et non. Je sais ce qu'elle ne veut pas, pour le reste elle souhaite qu'on la surprenne. Elle est venue au bureau tous les jours pendant ton absence.

— Pourquoi elle n'appelle pas au lieu de se déplacer ?

— C'est justement ce que je lui ai demandé. Elle m'a dit qu'il n'y avait rien de mieux qu'une rencontre pour traiter des affaires.

— J'espère qu'elle ne viendra pas nous déranger tout le temps.

Monique aimerait dire à Mado de ne pas s'en faire et que Charlotte finira par se fatiguer, mais elle s'abstient. Pourquoi ? Parce qu'elle ne croit pas que leur cliente lâchera le morceau aussi facilement.

— Si ça peut te rassurer, ajoute Monique, je me chargerai d'elle.

— J'y compte bien. As-tu au moins le nom des invitées pour son enterrement de vie de jeune fille ?

— Tout ce que je sais, c'est qu'elles seront 20. Elle s'occupera elle-même des invitations. Veux-tu que je te parle de l'idée que j'ai eue ? demande Monique d'une voix enjouée. Je suis certaine que tu vas l'adorer. Ça coûte la peau des fesses, mais crois-moi, ça vaut le coup.

Les filles travaillent d'arrache-pied jusqu'à l'heure du dîner. Monique avait raison de croire que son idée plairait à Mado.

— On pourrait commander quelque chose, suggère Mado, c'est moi qui invite. Ça te dirait de manger des sushis ?

— Oui, mais je t'avertis, je suis affamée.

Alors que Mado s'entête à manger avec des baguettes sans y parvenir, Monique les manie de main de maître. Elle ne se gêne pas pour dire qu'elle n'a pas de mérite. Elle a tout de suite su comment s'en servir dès qu'elle en a tenues dans la main.

— À la vitesse où tu manges, l'avise Monique, c'est une question de temps avant que je pige dans ton assiette.

— N'y pense même pas ! la met en garde Mado en la menaçant de ses baguettes.

— Est-ce que je me trompe ou c'est demain qu'Émilie arrive ?

Un large sourire s'installe sur les lèvres de Mado.

— Oui ! Mais le pire, c'est que je ne pourrai pas passer beaucoup de temps avec elle.

— Je peux très bien m'arranger.

Mado voudrait accepter l'offre de Monique, mais son bon sens le lui interdit. Elle pourra au mieux prendre quelques heures, mais pas plus, si elle ne veut pas compromettre le succès de leurs projets. Elle en a déjà glissé un mot à Émilie.

— Ne t'en fais pas, maman. De toute façon, je ne m'attendais pas à ce que tu nous accompagnes partout.

Pour Mado, la visite de sa fille revêt autant d'importance que celle de la reine d'Angleterre pour les Britanniques.

— C'est très gentil de ta part, mais après les évaluations que j'ai vues ce matin, il est hors de question que j'accepte.

Même si Monique insistait, elle n'aurait pas gain de cause. Si Mado a décidé qu'elle ne pouvait pas se permettre de prendre congé, eh bien il en sera ainsi. D'une certaine manière, sa décision rassure Monique.

— Et comment va Alex ?

— Aux dernières nouvelles, il allait très bien.

Depuis que Monique a vendu la mèche pour son cadeau de retraite, Mado est plus frileuse de lui parler de ses histoires de cœur.

— Voyons donc, lance son amie, tu ne vas quand même pas m'en vouloir jusqu'à la fin de tes jours…

— Tu as raison. Alex allait très bien quand je l'ai quitté ce matin. Je ne t'en ai pas encore parlé, mais je vais m'installer chez lui pendant le séjour d'Émilie.

— Wow ! On peut dire que tu en as fait, du chemin, depuis le soir de ton *party* de départ à la retraite.

— Je vais te faire une confidence, mais avant jure-moi de n'en parler à personne, pas même à Gervais.

Bien que la remarque de Mado ne lui plaise pas, la curiosité de Monique l'emporte sur le reste et elle lui promet de ne rien dire.

— Je commence à penser sérieusement à demander à Alex s'il aimerait qu'on vive ensemble.

— Il était temps que tu te décides, s'exclame Monique. Quand as-tu l'intention de lui en parler ?

— Je ne sais pas, répond Mado en haussant les épaules, quand l'occasion se présentera.

Les derniers mots de Mado abasourdissent Monique. Elle ne la comprend pas. Mado vient de lui dire qu'elle veut vivre avec Alex et, dans la phrase suivante, déclare qu'il n'y a pas d'urgence.

— Arrête d'avoir peur et plonge. Si jamais ça ne marche pas, au moins tu auras essayé.

— Je t'interdis de parler comme ça, s'indigne Mado. Moi, je veux que ça marche. J'ai tout essayé pour me le sortir du cœur, du corps et même de la tête, et je n'y suis pas arrivée. Tu comprends, je suis follement amoureuse de lui. Pire, je l'aime comme une vraie malade.

Monique commençait sérieusement à désespérer d'entendre un jour ces mots sortir de la bouche de Mado.

— Viens ici que je t'embrasse, espèce de tête de mule, s'écrie Monique. Maintenant, crois-en mon expérience, il faut que tu décides quand lui en parler. Sinon tu vas faire comme mon ancienne collègue qui nous casse les oreilles depuis 10 ans avec le livre qu'elle va écrire. Tu veux savoir où elle en est rendue ?

Sans attendre la réponse, elle déclare :

— Nulle part ! Pourquoi ? Parce qu'au lieu d'agir elle se contente de parler. Je t'en prie, ne passe pas à côté du bonheur !

Pendant quelques secondes, les deux amies gardent le silence. C'est à ce moment que Charlotte fait subitement son entrée dans le bureau. Elle s'approche d'elles et leur annonce sans aucun préambule :

— J'ai oublié de vous dire que je déteste les…

Et elle retourne aussitôt d'où elle est venue. Son bref passage entraîne un éclat de rire chez les filles. Cette Charlotte est tout un personnage !

— J'aimerais bien savoir avec qui elle se marie, laisse tomber Mado lorsqu'elle a repris son souffle.

— Moi, ajoute Monique, j'ai déjà envie de le prendre en pitié. Oh ! tant que j'y pense, pendant que tu étais partie Claire m'a téléphoné pour qu'on arrête une date pour notre petite soirée de filles.

Lorsqu'elle voit l'air de Mado, elle précise :

— Comment as-tu pu oublier que Lucie allait nous présenter de la lingerie et des jouets érotiques ? En tout cas, moi j'ai hâte ! On a pensé la faire prochainement, un vendredi ou un samedi.

— Pas vendredi cette semaine ! C'est le spectacle de la chorale.

— J'envoie tout de suite un texto à Claire pour le lui dire. Mais au fait, quand avais-tu l'intention de me vendre un billet pour ton spectacle ?

Si Monique savait que Mado n'en a offert à personne, pas même à Alex, elle la cuisinerait jusqu'à ce qu'elle lui avoue la raison qui se cache derrière tout ça. Mado se trouve idiote, mais c'est plus fort qu'elle. Elle est morte de peur à l'idée de chanter devant ses amis.

— Excuse-moi, dit Mado pour sa défense, j'ai tellement de choses à penser ces temps-ci, ça m'est complètement sorti de la tête. Tu viens de me rappeler que je n'en ai parlé à personne.

— Je me charge des filles. Est-ce que ta mère sera là ? Et Alex ? Et JP ? Et Jimmy ?

Cette fois, Mado se sent comme la dernière des ingrates. Alors que tout ce beau monde a toujours été là pour l'encourager, elle n'a pas daigné leur offrir de billets.

— Comme je viens de te le dire, personne n'est au courant.

Mado sort une pile de billets de son sac à main et les met sur la table.

— C'est gentil de vouloir m'aider, mais je vais m'en occuper. J'enverrai un texto aux filles, ainsi qu'à Jimmy et JP. Ensuite, j'appellerai ma mère et j'en parlerai à Alex ce soir.

— Tu n'oublierais pas quelque chose, par hasard ?

Les sourcils froncés, Mado regarde Monique sans comprendre.

— Je savais que tu avais la mémoire courte, mais jamais à ce point. On vient tout juste d'en discuter.

Une étincelle s'allume dans les yeux de Mado.

— Ça ? Je te promets de lui en parler aussi. On se remet au travail maintenant ?

Chapitre 28

Il y a des moments dans la vie où tout arrive en même temps. C'est ainsi que se présente la semaine de Mado. Elle était déjà débordée avant de s'envoler pour assister aux funérailles de son oncle, mais ce n'était rien comparé à maintenant. Entre Émilie, John, Peter, le travail, les répétitions tous les deux jours de la chorale et Charlotte, elle ne sait plus où donner de la tête. Heureusement qu'il y a Alex pour s'occuper d'elle. Elle se sent apaisée aussitôt qu'elle passe le pas de la porte de son appartement. Il faut dire qu'il la traite toujours aux petits oignons.

Mado a tenu sa promesse. La veille au soir, alors qu'ils venaient de s'asseoir à la table, elle lui a demandé s'il aimerait qu'ils vivent ensemble. Il l'a regardée tendrement, s'est levé et l'a embrassée passionnément.

— Je commençais à penser que ce jour n'arriverait jamais, a-t-il dit en retournant à sa place. En es-tu bien certaine ?

— Oui, lui a répondu Mado en lui caressant la main. Je veux vivre avec toi parce que je t'aime et que je me fous éperdument de ce que les gens peuvent dire ou penser en nous voyant ensemble. Alors ?

— Alors je suis le plus heureux des hommes. J'appellerai mon propriétaire tout à l'heure pour l'aviser de mon départ prochain. Tu es vraiment sûre que tu ne changeras pas d'idée ?

— Absolument ! Tu viens t'installer au condo quand tu veux, à la condition que ce soit dans mon lit. D'ailleurs, j'aimerais te parler de quelque chose.

Mado lui a raconté en détail le rêve qu'elle avait de s'installer à la campagne. À mesure qu'elle parlait, Alex opinait en souriant.

— J'adorerais avoir une maison, mais comme tu le sais, mes moyens sont limités. D'ailleurs, il va falloir qu'on discute des conditions pour que j'habite avec toi.

Mado aurait préféré ne pas être obligée de parler d'argent, mais elle comprend très bien que ce soit important pour Alex.

— Tu sais à quel point je déteste aborder ce sujet avec toi. On s'entendra sur un montant que tu devras me verser chaque mois pour partager les frais, mais je t'avertis tout de suite, il sera fixé au prorata de nos revenus respectifs. Dis-toi une chose, je n'aurais pas lancé l'idée d'acheter une maison à la campagne si je n'en avais pas les moyens. Dis-toi aussi que tu pourras largement compenser en te chargeant de l'entretien, parce que j'ai deux mains gauches lorsqu'il s'agit des travaux manuels. Je ne voudrais pas que l'argent fasse de l'ombre à notre amour un jour.

Alex est orgueilleux, mais pas au point de laisser passer sa chance de partager sa vie avec la femme qu'il aime pour une simple question d'argent. Mado connaissait parfaitement sa situation financière avant de lui en parler.

— Sais-tu au moins combien je t'aime ?

Ils n'ont pas beaucoup dormi cette nuit-là. Alex était au septième ciel et s'est fait un point d'honneur d'y emmener Mado chaque fois qu'ils ont fait l'amour. Quant à Mado, elle se sentait tellement légère qu'elle avait l'impression de flotter sur un nuage.

C'est ainsi que le soir du spectacle de chant est arrivé sans qu'elle le réalise vraiment. En coulisse, elle attend son tour d'entrer en scène. Elle est tellement nerveuse qu'elle craint de ne plus se souvenir des paroles de sa chanson. C'est le vide total dans sa tête. La salle est pleine à craquer. Il faut entendre les applaudissements qui résonnent après chacune des prestations. Ce sera bientôt à elle d'être sous les projecteurs. Elle aurait préféré faire son solo devant une foule anonyme plutôt que devant les gens qu'elle aime, mais elle tenait malgré tout à partager ce moment avec eux. N'eut été de Monique, elle aurait quand même fini par leur dire que c'était le spectacle de sa chorale. Elle leur devait bien ça puisqu'à ce jour ils n'en ont pas manqué un seul. Elle se disait que plus elle les avisait tard, plus il y avait de possibilités qu'ils aient d'autres obligations et, par le fait même, qu'ils ne puissent pas venir l'entendre. Au moment de partir pour la salle, Mado a finalement décidé de mettre Alex dans le secret.

— J'ai quelque chose d'important à t'annoncer, lui a-t-elle révélé sur le pas de la porte. Ce soir, quand tu entendras la chanson *Moi, quand je pleure*, je veux que tu saches que c'est pour toi que je la chanterai.

Devant son peu de réaction, Mado a compris qu'il ne saisissait pas bien et s'est expliquée en d'autres mots.

— Ce soir, pendant le spectacle, j'interpréterai cette chanson seule, pour toi. Il n'y a que toi qui es au courant. Même Monique ne le sait pas.

Petit à petit, le message de Mado s'est frayé un chemin dans la tête d'Alex.

— Es-tu en train de me dire que c'est pour ça que tu l'as passée aussi souvent ? s'est-il exclamé. Tu chanteras vraiment en solo ? Petite cachottière !

— Je ne veux pas que tu en parles, pas même à ma mère.

— Promis, chérie ! Je suis vraiment fier de toi.

Mado voudrait faire les 100 pas dans les coulisses, mais elle en est incapable. Elle est figée comme si quelqu'un l'avait changée en statue de sel. Les gens qui entrent et sortent de scène papillonnent autour d'elle, mais elle les remarque à peine. Quand la pièce qui précède la sienne prend fin, elle sent une main sur son épaule.

— Tiens-toi prête, Mado. Dans 3, 2, 1. Vas-y!

Mado s'anime instantanément. Elle avance jusqu'au centre de la scène et, même si elle ne voit absolument rien à cause des projecteurs, elle sourit. Lorsque le silence revient de nouveau dans la salle, elle est complètement enveloppée d'une lumière bleue. Avant que les musiciens attaquent la première mesure, Émilie s'écrie:

— *Mom*?

Mado se concentre sur la musique en priant de toutes ses forces pour que les paroles de sa chanson lui reviennent à temps. Quand arrive le moment où elle doit commencer, un miracle se produit. Elle se met à chanter comme par magie, en y mettant tout son cœur. Sitôt la dernière parole entendue, les applaudissements fusent dans la salle. Il y a même quelqu'un dans la foule qui se permet de siffler avec ses doigts. Mado n'y voit toujours rien, mais elle serait prête à gager que c'est Jimmy. Elle n'a pas la prétention d'avoir livré une prestation digne de Céline Dion, mais elle est tout de même très fière d'elle. Les larmes aux yeux, elle salue et retourne en coulisse. Il faut qu'elle s'assoit au plus vite, ses jambes sont tellement molles qu'elle craint de s'écrouler. Comme c'est l'entracte, tous ses camarades en profitent pour venir la féliciter. Mado les remercie et se laisse tomber sur la première chaise qu'elle voit.

— Bravo, Mado! lui dit le directeur musical. C'était excellent! Est-ce que ça va? Tu es toute pâle.

— Oui, oui. J'ai l'impression de redescendre sur terre d'un seul coup, disons que c'est un peu brutal.

— C'est le stress. Avec le temps, tu apprendras à mieux le gérer. Viens, on va aller rejoindre les autres à la salle de répétition.

Bien qu'il reste encore la seconde partie du spectacle à livrer, l'euphorie la plus totale règne dans la salle de répétition. Aussitôt entré, le directeur musical prend les choses en main.

— Éteignez vos cellulaires et rangez-les. Je sais que vous mourez d'envie de connaître l'avis de vos amis, mais je ne veux pas les revoir avant la fin du spectacle. Vous avez donné une excellente première partie, tant les choristes que les solistes, mais il en reste une autre et elle est encore plus exigeante. Assoyez-vous et discutez calmement. On retourne sur scène dans 15 minutes.

Mado reprend lentement le dessus. Elle a du mal à nommer ce qu'elle vient de vivre. C'était à la fois l'une des choses les plus traumatisantes qu'elle ait faites dans sa vie, mais aussi l'une des plus stimulantes. C'est fou ! Elle s'est entraînée des semaines, et tout était fini en quelques minutes seulement. Elle a adoré son expérience et a vraiment hâte de voir les siens pour savoir comment ils ont trouvé sa prestation.

Mado se sent aussi légère qu'une plume au moment où elle retourne sur scène avec les autres choristes. Si c'était possible, elle croirait dur comme fer que des ailes lui ont poussé durant l'entracte.

Les applaudissements du public étaient tellement soutenus à la fin du spectacle que la chorale a offert rien de moins que trois rappels. C'était l'euphorie totale sur la scène quand le rideau est enfin tombé.

— Merci à vous tous, a crié le directeur musical, c'était génial. Allez vite retrouver votre monde et on se dit à mardi prochain.

À la demande de la majorité des participants de la chorale, cette année il n'y a pas de *party* après le spectacle. Comme la salle est remplie principalement des membres de leur famille, de leurs amis et de leurs connaissances, ils étaient toujours tiraillés entre partir avec eux pour faire la fête ou rester avec leurs camarades. Mardi, ils boiront un verre de vin ensemble et feront le bilan.

Tous les proches de Mado s'agglutinent autour d'elle lorsqu'elle fait son apparition dans le hall, tellement qu'elle ne sait plus où donner de la tête. Tout le monde l'embrasse et c'est à qui parlera le plus fort pour attirer son attention. Un compliment n'attend pas l'autre. Elle savoure chacun d'eux au maximum. Restés en retrait, Gertrude et Alex attendent patiemment leur tour. Mado s'approche d'eux lorsqu'elle les aperçoit. Sa mère la prend dans ses bras et lui dit à l'oreille :

— Tu chantes comme un ange, ma fille.

Gertrude la serre très fort dans ses bras. Alex la prend par la main et l'attire à lui aussitôt que sa mère la libère. La seconde qui suit, ils s'embrassent avec fougue.

— Merci pour ce beau cadeau, mon amour, lui dit Alex, tu étais la meilleure.

À l'âge où elle est rendue, Mado sait qu'elle ne devrait pas croire ce qu'Alex vient de lui dire, mais elle le veut ne serait-ce que quelques secondes. Il lui remet ensuite une rose rouge. Elle lui chuchote un « je t'aime » à l'oreille.

— *Mom*, s'exclame Émilie d'une voix forte, John veut offrir un verre à tout le monde. Que proposes-tu ?

— J'ai une idée, lance Jimmy, on pourrait aller à la microbrasserie sur Daniel. Je suis certain que ça plairait à Peter.

— C'est un excellent choix ! confirme Mado. On se retrouve tous là-bas.

Les amies de Mado sont survoltées. Elles rient et parlent fort, elles lèvent le coude aussi haut que les meilleurs buveurs de la place. Puisque aucune d'elles n'est amatrice de bière, à la suggestion de Jimmy et d'Alex, elles ont commandé le forfait dégustation et y ont trouvé leur compte. Assis juste à côté de Mado, John essaie tant bien que mal de suivre la conversation. Heureusement, à l'exception de Gertrude, tous s'adressent à lui en anglais, de même qu'à Peter, mais plus souvent qu'autrement c'est en français qu'a lieu la discussion.

— En tout cas, s'écrie Jimmy à l'adresse de sa mère, tu nous as fait toute une surprise. Pour être franc, je n'avais jamais entendu cette chanson, mais tu l'as vraiment bien interprétée. Je suis fier de toi, *mom*.

— Moi aussi ! confirme Émilie. Quand j'ai vu le projecteur sur toi, je n'en croyais pas mes yeux.

Les compliments reprennent de plus belle.

— On peut dire que tu es bonne pour garder un secret, ajoute Monique. Je te vois pratiquement tous les jours depuis des semaines et jamais tu n'as fait allusion à quoi que ce soit qui aurait pu me mettre la puce à l'oreille.

Lorsque l'attention se tourne vers quelqu'un d'autre, John met sa main sur le bras de Mado et lui dit :

— Je vous l'ai déjà dit, mais je veux que vous sachiez que j'aime Émilie comme je n'ai jamais aimé une autre femme avant. Elle n'est pas encore au courant, mais j'ai l'intention de la demander en mariage.

Heureusement qu'il fait sombre parce que tout le monde verrait à quel point Mado est émue par ce qu'elle entend.

— Y voyez-vous un inconvénient ?

Mado renifle discrètement avant de répondre :

— Aucun ! Tout ce que je veux, c'est son bonheur, et je n'ai nul doute qu'il passe par vous.

L'instant d'après, John prend son verre et le lève pour porter un toast à Mado.

À l'exception d'Élise, qui était le chauffeur désigné des filles, personne n'était en état de conduire au moment de quitter la microbrasserie. Ceux qui habitent à proximité sont retournés chez eux à pied et les autres ont pris un taxi.

Alex et Mado ont bu un dernier verre lorsqu'ils sont revenus à l'appartement.

— Il ne manquait que Mathieu, dit Mado.

— Il n'est peut-être pas encore rentré de Fermont, lance Alex.

D'après ce que Martine lui a dit, il devait arriver la veille. Elle ne connaît pas la raison exacte de son absence, mais elle a de sérieux doutes sur le sujet.

— Je tirerai tout ça au clair demain. Ça te dirait d'aller prendre un bain ?

Chapitre 29

Charlotte est passée au bureau tous les jours de la semaine. C'est rendu que chaque fois qu'elle fait son entrée, Mado l'accueille presque chaleureusement, lui offrant un café aussitôt qu'elle met les pieds dans la pièce, ce que Charlotte refuse inlassablement. Tout ça fait bien rire Monique. Égale à elle-même, Charlotte revendique quelque chose de nouveau à chacune de ses visites. Elle prend toujours le soin de préciser qu'elle est prête à payer ce qu'il faut.

Charlotte ne rate jamais une occasion de dire à Mado et Monique à quel point elle est contente qu'elles organisent ses deux événements. Étant donné leur expérience naissante dans le domaine, les amies ne comprennent pas pourquoi cette cliente les encense tant, mais en même temps elles se disent qu'elles ne sont pas obligées de tout savoir dans la vie.

— Tu ne peux pas dire qu'elle n'est pas reconnaissante ! répète continuellement Monique. En tout cas, moi, elle me plaît beaucoup. Peut-être pas au point de devenir ma meilleure amie, mais je l'aime bien et je la trouve drôle. Je n'ai pas rencontré beaucoup de riches dans ma vie, et j'ose espérer qu'ils ne sont pas tous comme elle, mais à la voir agir je comprends un peu mieux comment ces gens fonctionnent. Elle a une telle assurance dans tout ce qu'elle entreprend que je l'envie. Le doute n'existe pas pour elle. Elle veut quelque chose et fait ce qu'il faut pour l'obtenir, ce n'est pas plus compliqué que ça.

— Oui, mais n'oublie pas qu'elle a quelque chose que ni toi ni moi n'avons : elle a les moyens de ses ambitions. On essaie de nous faire croire que l'argent n'est pas le remède à tous les maux, mais le moins qu'on puisse dire c'est qu'il met du baume sur plusieurs d'entre eux.

Malgré les nombreuses nouvelles demandes de Charlotte, le travail avance bien dans son dossier. Les filles ont saisi que leur cliente ne faisait pas autant exception à la règle qu'elle pouvait le penser. Elle ne veut pas fêter son enterrement de vie de jeune fille au 281, mais elle tient absolument à avoir des danseurs, par exemple. C'est d'ailleurs ce qui leur cause le plus de problèmes pour le moment. Elles trouveront bien une solution, mais pour l'instant elles multiplient les appels à gauche et à droite sans grand résultat.

— Je ne sais vraiment plus quoi inventer pour lui trouver des danseurs, s'exclame Monique d'un ton découragé. J'ai tout essayé et il n'y a absolument rien qui marche.

Mado se doutait bien qu'elles finiraient tôt ou tard par tomber sur un os, mais elle aurait préféré qu'il soit d'un autre ordre. Elles n'arrivent pas à trouver des danseurs de la trempe de ceux du 281. Comme elles commencent dans le métier, leur carnet de contacts est à remplir en entier, ce qui fait que leur tâche est plus importante qu'elle ne le sera dans quelques mois.

— On pourrait aller faire un tour au 281, laisse tomber Mado, un sourire en coin.

— C'est quand tu veux, confirme Monique.

— Attends un peu! ajoute Mado. J'ai une meilleure idée. Comme on a encore un peu de temps devant nous, on en parlera à Claire samedi. Au nombre de gars qu'elle a rencontrés, je suis certaine qu'elle pourra nous aider.

Monique ne saisit pas quel est le lien entre les danseurs du 281 et Claire, mais elle fait confiance à Mado.

— Pourquoi attendre samedi ? Je l'appelle tout de suite et, dans le pire des cas, je lui laisserai un message. De cette manière, elle aura un peu de temps devant elle pour faire marcher ses contacts.

Comme elle s'y attendait, Monique accède à la boîte vocale de Claire.

— Est-ce que j'ai été assez précise ? demande Monique en raccrochant.

— Excuse-moi, je ne t'ai pas écoutée. J'étais en train de vérifier ce qu'il restait à faire dans le dossier de notre client et, à part remplir les sacs cadeaux, tout est prêt.

— C'est lundi prochain... J'ai engagé ma nièce et trois de ses amies comme prévu, elles viendront samedi matin s'occuper des sacs. Tu n'auras pas besoin d'y être.

— Ça m'aurait fait plaisir, mais Émilie prend l'avion à midi. Il me semble qu'elle vient juste d'arriver, je ne l'ai pas vue assez à mon goût. Il faut dire qu'elle est tombée sur les deux pires semaines de l'année. Elle n'est pas partie qu'elle me manque déjà.

Mado n'a pas l'habitude de se plaindre, mais là c'est plus fort qu'elle. Elle est triste de ne pas avoir pu profiter du séjour de sa princesse comme elle l'aurait souhaité. C'est à peine si la mère et la fille ont passé deux heures seules depuis qu'Émilie est arrivée. Entre les amis, la famille et les sorties pour montrer un peu le Québec à John et Peter, il ne leur est resté que des miettes.

— Je te comprends, dit Monique, mais elle a sa vie, maintenant.

— Je sais tout ça, mais ce n'est pas plus facile pour autant. L'Australie, ce n'est pas la porte à côté.

Mado secoue la tête quelques fois, soupire et se reprend :

— Bon, ça suffit ! Revenons à nos danseurs. Je sais que Charlotte tient mordicus à ceux du 281, mais je crois qu'on va être forcées de regarder ailleurs.

Suspendue aux lèvres de Mado, Monique attend la suite avec impatience. Comme ça ne vient pas assez vite à son goût, elle lui demande d'être plus précise, ce qui fait sourire son amie.

— Je pense qu'on devrait voir du côté des écoles de danse. Je suis convaincue qu'on pourrait trouver une formule originale et chic, en plus. Il faut qu'on sorte des sentiers battus si on veut réussir à faire notre marque.

— De prime abord, l'idée n'est pas mauvaise, mais ce n'est probablement pas ce que Charlotte souhaite. Tu sais comme moi qu'elle n'a que le célèbre club sur les lèvres quand elle parle de danseurs.

— Fais-moi confiance, confirme Mado, je m'arrangerai avec elle le moment venu.

***

Émilie prend sa mère à part peu de temps avant de partir pour l'aéroport.

— J'ai deux grandes nouvelles à t'apprendre, dit-elle d'une voix enjouée, je suis enceinte.

Les paroles d'Émilie ont du mal à se frayer un chemin dans le cerveau de Mado. Mado rêvait du jour où sa fille lui annoncerait qu'elle serait de nouveau grand-mère, mais elle ignore comment réagir.

— Et John ? demande-t-elle d'un ton neutre.

— Tu aurais dû le voir quand on a vu que le test était positif, il était fou comme un balai.

Émilie réalise alors que sa mère habituellement si expressive n'a encore eu aucune réaction.

— Moi qui croyais que ça te ferait plaisir… C'est tout l'effet que ça te fait ?

Au lieu de trouver un tas d'excuses pour expliquer son manque d'enthousiasme, Mado choisit de dire la vérité.

— Quand je suis allée te voir en Australie, John m'a dit qu'il ne voulait pas avoir d'autre enfant. Ça m'inquiète, je ne voudrais pas que tu sois obligée de l'élever seule.

Émilie s'approche de sa mère et lui prend les mains.

— Beaucoup de choses ont changé depuis, souligne-t-elle, le sourire aux lèvres. Ma grossesse n'est pas accidentelle, tu sais, John et moi en avons discuté longuement et avons décidé d'avoir un enfant.

— Tu me rassures, laisse tomber Mado bien malgré elle.

— Mais attends, ce n'est pas tout. Il m'a demandée en mariage. Je suis si heureuse, je ne touche plus terre. Jure-moi que tu viendras à mon mariage !

Toutes les craintes de Mado s'envolent instantanément. Elle prend Émilie dans ses bras et la serre très fort.

— Je t'aime tellement, déclare Mado, que je ne voudrais pas que la vie te malmène. Est-ce que tu me donnes la permission de féliciter John ?

— Bien sûr ! Et Peter aussi, si tu veux. Il était tellement drôle quand on lui a appris la nouvelle. Imagine-toi qu'il a toujours rêvé d'avoir un petit frère... ou une petite sœur.

— Tant mieux alors !

C'est la larme à l'œil mais le cœur léger que Mado a fait ses adieux à sa fille, à John et à Peter. Elle s'est dit en les regardant partir qu'il existe un tas de modèles de famille différents et que rien ne garantit le succès de l'un ou de l'autre. Ça crève les yeux qu'Émilie et John s'aiment. Pour le reste, elle peut juste croiser les doigts pour que le bonheur ne les quitte jamais.

Une fois seule, Mado téléphone au bureau pour savoir si Monique a besoin d'elle. Vu qu'elle n'obtient pas de réponse, elle tient pour acquis que la corvée des sacs est terminée et que Monique l'aurait appelée si elle avait eu le moindre problème. Elle part ensuite à la recherche de quelque chose à se mettre sous la dent. Elle avait rempli le réfrigérateur avant que ses invités débarquent chez elle, et bien qu'ils aient rarement mangé au condo, il ne semble pas y avoir grand-chose pour la satisfaire. Histoire de s'en assurer, elle approche la poubelle et se met à faire l'inventaire. La poubelle est pleine à ras bord et le frigo est pratiquement vide lorsqu'elle finit son inspection. Il lui reste en tout et pour tout trois œufs, un paquet d'échalotes flétries, une tomate et un morceau de Brie. « Une omelette fera l'affaire ! »

Mado pense à Alex pendant qu'elle cuisine. Ce matin, au moment de partir travailler, il l'a embrassée avec passion et lui a soufflé à l'oreille qu'il l'aimait et voulait passer le reste de sa vie à ses côtés. Mado adore quand il lui parle ainsi et elle reste sur son petit nuage rose tant qu'une petite voix ne vient pas semer le doute en elle. Jusqu'à tout récemment, Mado se laissait envahir par cette voix et broyait du noir lorsqu'elle n'était pas occupée. Heureusement, elle parvient maintenant à s'en débarrasser aussi vite qu'elle surgit, du moins la plupart du temps. Elle a mis des jours à se convaincre qu'elle pouvait être heureuse avec Alex ; désormais plus rien ni personne ne pourra changer sa vision du bonheur. C'est sa vie, et comme c'est la seule qu'elle aura jusqu'à preuve du contraire, elle a bien l'intention de profiter de chaque seconde à son maximum. Elle est prête à défendre son bonheur, même contre Mathieu, s'il le faut, qui n'a pas daigné lui téléphoner depuis la fête de famille au chalet. Pour sa part, elle a été tellement occupée qu'elle n'a pas fait mieux. Cependant, elle ne le laissera pas s'en tirer aussi facilement parce que l'attitude qu'il a adoptée avec Alex lui a déplu au plus haut point et elle veut le lui faire savoir. Il n'est pas obligé d'aimer l'homme qui partage sa vie, mais il lui doit le respect pour la simple et bonne raison qu'elle l'aime. Mathieu peut continuer à voir André s'il le souhaite. Elle ne fera rien pour l'en empêcher, parce que ça ne regarde que lui. Mais il a dépassé les bornes et c'est pour ça qu'il devra faire face à la musique. Mado veut l'inviter à dîner pour clore le sujet une fois pour toutes lors de son prochain congé.

Depuis que Mado a lancé à Alex l'idée d'acheter une maison à la campagne, ils n'ont pas cessé d'en parler. Chacun a déterminé des endroits où il voudrait s'installer et, à quelques différences près, ils s'entendent sur les lieux retenus.

Mado va s'asseoir dans son fauteuil dès qu'elle avale sa dernière bouchée. Elle ferme les yeux et s'endort aussitôt. Alex la réveille à son retour du travail. Elle se demande ce qu'il fait à la maison en plein cœur de l'après-midi.

— Bonjour, mon amour ! dit-elle en se frottant les yeux. Il me semblait que tu travaillais jusqu'à 17 heures…

— C'est ce que j'ai fait, répond Alex en s'approchant pour l'embrasser, il est 17 h 30.

— Oh non ! J'avais promis à Claire d'arriver avant tout le monde.

Mado s'étire et sort péniblement de son fauteuil.

— Je suis désolée, confesse-t-elle, Émilie est partie, j'ai mangé et je n'ai rien fait d'autre. Je n'ai même pas nettoyé la cuisine. Vas-tu pouvoir changer les draps de notre lit ?

— Pars en paix, je m'en charge.

C'est la première fois que Mado fait une sieste l'après-midi depuis qu'Alex la connaît. Il faut dire qu'elle vit à la vitesse grand V ces derniers temps. On dirait que tout se bouscule depuis qu'elle est revenue d'Australie.

— Sincèrement, je n'ai pas envie d'aller à cette démonstration de vêtements et de jouets érotiques.

— Ça peut être très amusant, laisse tomber Alex.

— Je n'ai jamais été très friande de ce genre de démonstrations, mais il faut vraiment que j'y aille, j'ai promis.

***

Tout le monde est déjà là lorsque Mado fait son entrée chez Claire. Elle commence par saluer Lucie.

— Alors, tu t'es enfin décidée à revenir par ici ? lui dit-elle d'un ton enjoué.

— Disons que j'étais mûre pour un changement. J'espère que tu viendras me voir, j'habite à deux rues d'ici.

— Oh ! s'écrie Mado, les hommes ont intérêt à bien se tenir si Claire et toi commencez à vadrouiller dans la ville.

— Les filles m'ont dit que tu avais trouvé la perle rare.

— Il n'est pas seulement fin, lance Monique de sa place, il est beau et très jeune aussi.

Voilà le commentaire que Mado déteste, mais c'est aussi celui que Monique affectionne. Depuis que Mado fréquente Alex, Monique ne manque jamais une occasion de souligner leur différence d'âge et ça lui donne des boutons.

— Claire m'a raconté comment tu l'as rencontré, dit Lucie.

Et c'est reparti ! Mado pourrait s'emporter contre Claire et lui dire qu'elle n'a pas le droit de colporter des pans de sa vie amoureuse comme elle le fait constamment, mais ça ne donnerait rien. Pour Claire, Mado a payé Alex pour qu'il passe une fin de semaine avec elle ; elle n'est pas près de changer son discours.

— Depuis le temps que tu connais Claire, précise Mado, tu devrais savoir qu'elle ne retient que ce qui l'intéresse. Un jour, je te donnerai ma version, si tu veux.

Ses quatre autres amies viennent ensuite la saluer et, bien sûr, lui demandent pourquoi elle arrive aussi tard. Quand Mado leur raconte qu'elle s'est endormie dans son fauteuil, elles éclatent de rire et lui disent qu'elle aurait pu trouver mieux comme excuse.

— Mais c'est la vérité, se défend Mado. Vous n'avez qu'à téléphoner à Alex, si vous ne me croyez pas.

Au lieu de servir sa cause, sa dernière phrase suscite un rire général.

— Et tu penses qu'on va le croire ? s'exclame Claire. Suis-moi, que je te serve à boire.

— Je vous avertis, dit Mado, il n'est pas question que je dorme sur le canapé cette nuit.

— Es-tu en train de nous dire que tu ne boiras pas ? lui demande Ginette.

— Je boirai, mais raisonnablement, répond Mado.

— C'est ce que nous verrons, la défie Claire. J'ai ouvert une bonne bouteille rien que pour toi.

— N'essaie pas de me prendre par les sentiments, parce que ce soir ça ne marchera pas. Ça fait deux semaines que je n'ai pas dormi dans mon lit et j'ai bien l'intention d'y passer la nuit.

Aussitôt que Lucie commence à vider une première valise, les filles s'agglutinent autour d'elle et se mettent à toucher à tout.

— Hé ! Hé ! s'exclame-t-elle en riant. Laissez-moi au moins le temps de m'installer.

Lucie est toujours témoin de la même scène depuis qu'elle fait des démonstrations à domicile. On dirait que les femmes deviennent folles dès qu'elle dévoile au grand jour le premier morceau de lingerie, et ce, peu importe leur âge. Elle a vite appris à ne pas sortir tout son matériel d'un coup. En plus de faire durer le plaisir, ça lui permet de mieux contrôler son inventaire. Comme elles sont entre amies, elle n'a aucune inquiétude de ce côté-là ce soir, mais ce n'est pas toujours le cas. En fait, même si elle surveille son stock, une fois sur deux elle se retrouve avec une petite culotte ou un gadget en moins, et ça l'enrage chaque fois.

À part Mado, qui n'a pas bougé de son siège, les amies trépignent d'impatience. Elles ont l'air de gamines attendant le signal de leur professeur pour s'élancer.

— Encore une minute, déclare Lucie, et je pourrai commencer ma présentation. Je vous avertis, vous allez vouloir tout acheter.

— Pour ma part, confirme joyeusement Monique, c'est certain que je sortirai d'ici plus pauvre qu'au moment d'arriver. J'adore m'offrir des petites tenues aguichantes. Vous devriez voir Gervais quand je l'accueille vêtue de dentelle… Croyez-moi, c'est plus un investissement qu'une dépense.

— Je ne connais aucun homme insensible à la fine lingerie, s'exclame Claire. J'espère que tu as apporté des déguisements.

Autant Mado adore le sexe, autant elle n'a aucun intérêt pour tous les artifices qui s'y rattachent. Les tenues d'infirmière, de maîtresse d'école ou de prostituée ne lui disent rien, pas plus d'ailleurs que tous les objets de domination qui viennent avec.

— Rassure-toi, répond Lucie, j'ai tout ce qu'il faut. Vous êtes prêtes ?

Elle présente aussitôt une minuscule combinaison de dentelle noire.

— Vous pouvez essayer tout ce que vous voulez, ajoute-t-elle.

Pendant les trois heures qui suivent, le salon de Claire se transforme en podium. Toutes les inhibitions sont restées à la porte lorsque les filles sont arrivées. Mado les regarde et sourit. Elle y voit de petites filles à l'heure de la récréation. Évidemment, Monique veut tout acheter, elle accumule devant elle tout ce qui l'intéresse. À voir la pile, Mado se dit que son amie devra travailler jour et nuit pendant des mois pour régler la facture.

Curieusement, à la fin de la démonstration, Ginette arrive à égalité avec Monique pour ce qui est de la quantité de petites tenues qu'elle convoite.

— À te voir, lui lance Monique, on pourrait croire que tu as rencontré le prince charmant.

— J'ai toujours mon vilain petit canard, mais j'ai bon espoir que mon amoureux d'antan reprenne du service. Imaginez-vous que mon *chum* vient d'accepter un contrat de trois mois pour son ancien employeur. Ça fait une semaine qu'il a commencé à travailler et ce n'est déjà plus le même homme.

Élise a également changé depuis qu'elle s'est débarrassée de son mari. Elle a retrouvé sa joie de vivre. À son grand étonnement, il ne lui a fait aucunes représailles depuis qu'elle a demandé le divorce. Est-ce parce qu'il a peur de Claire ou parce qu'il lui a déjà trouvé une remplaçante ? Élise n'en sait rien et elle s'en porte très bien. Elle a ramassé quelques babioles au passage, mais rien de très intéressant.

— Les filles, s'écrie-t-elle soudainement, si vous connaissez un célibataire, faites-moi signe.

— Voyons, Élise, s'exclame Claire, tu n'as pas encore eu ta leçon ? J'ai bien mieux qu'une *date* pour toi, avec qui tu perdrais ton temps de toute façon, puisque ça ne fonctionne jamais. Tu n'as qu'à faire comme moi et sortir quelques billets.

— Je te rappelle que je n'ai pas tes moyens. Le métier d'enseignante est beaucoup moins payant que celui d'avocate. Même si je pouvais me le permettre, je ne suis pas certaine que je serais capable de faire l'amour avec quelqu'un que j'ai payé. Je trouve ça bien *cute*, mais ce n'est pas pour moi.

Claire et Lucie s'échangent un regard complice.

— Dommage, ajoute Claire, parce que Lucie et moi avions l'intention de te faire un cadeau. Ce n'aurait pas été gratuit, mais plus abordable pour toi.

Surprise par les propos de Claire, Mado se redresse sur son siège. D'aussi loin qu'elle se souvienne, Claire et Lucie ont toujours manigancé ensemble. Du temps où cette dernière demeurait en ville, elles étaient collées l'une sur l'autre et préparaient des mauvais coups. En matière d'hommes, elles n'avaient pas leur pareil.

— Qu'est-ce que vous avez encore comploté ? leur demande Mado.

Un large sourire sur les lèvres, Lucie prend la parole.

— Claire et moi avons eu une idée géniale. On a pensé monter une espèce d'écurie de beaux et jeunes hommes, un peu comme David, dont on louerait les services aux femmes qui recherchent un peu d'action dans leur lit. On se servirait de mes démonstrations à domicile pour répandre la bonne nouvelle.

— Avec l'aide de David, ajoute Claire, on a commencé à recruter. Je peux vous montrer la photo de nos premiers poulains, si vous voulez.

— Mais vous êtes malades ! s'écrie Mado. C'est de la prostitution déguisée et c'est illégal !

— Tu es bien mal placée pour parler, lui jette Claire au visage, c'est toi qui as ouvert le bal. Et je te rappelle que c'est toi aussi qui m'as mise en contact avec David.

Mado en a assez entendu. Elle se lève, prend son sac à main et sort sans ajouter un mot. Sitôt assise dans son auto, elle met le moteur en marche et rentre chez elle, pied au plancher. Plus vite elle y sera, mieux elle se portera. Cette fois, Claire a dépassé les bornes.

Comme il n'est pas très tard, Alex veille au salon.

— Allô, mon amour, lui lance-t-il en la voyant. Je ne t'attendais pas aussi tôt.

Mado se met en frais de lui parler de la dernière idée de génie de Claire. Elle lui demande ensuite s'il était au courant de quelque chose.

— Oui et non, répond franchement Alex. L'autre jour, David m'a demandé si j'avais le numéro de téléphone de deux gars qu'on connaît. Quand j'ai voulu savoir pourquoi il s'intéressait tout à coup à eux, alors qu'il ne les avait jamais appréciés, il m'a dit que c'était pour Claire. Après, on a été interrompus, ce qui fait que je n'ai pas pu en savoir davantage. Tu me connais, je n'ai pas pensé à lui en reparler. Je savais qu'il était prêt à faire beaucoup de choses pour de l'argent, mais pas de se lancer dans un réseau semblable. Je ne l'aurais jamais mis en contact avec Claire, si j'avais su.

— Tu ne connais pas Claire comme je la connais. À partir du moment où Monique est allée bavasser que je t'avais donné 2 000 $ pour passer la fin de semaine avec…

Alex déteste que certaines personnes croient que Mado a payé pour ses services. Il est l'un des bons amis de David, mais il est loin d'être comme lui. En plus d'avoir une conscience élastique, David n'a pas de morale. En autant que ça lui rapporte de l'argent, il est toujours partant.

— Mais je t'ai rendu pratiquement toute la somme, se défend Alex.

— C'est ce que je me tue à dire à Claire, mais quand elle a une idée derrière la tête, rien ne peut l'en faire démordre. Crois-moi, si ça n'avait pas été David, elle aurait trouvé quelqu'un d'autre. J'ai besoin d'un verre. Ça te dirait qu'on ouvre une bouteille de vin ?

— J'y vais !

— Et elle est avocate ! poursuit Mado. S'il y en a une qui connaît les lois, c'est bien elle.

— C'est parfois les pires, justement, parce qu'ils les connaissent par cœur.

***

Seule Lucie est restée à coucher chez Claire. Un verre de vin à la main, les deux amies peaufinent leur plan de mettre sur pied un bassin de charmants jeunes hommes. Elles se sont vite rendu compte que l'entreprise sera beaucoup plus périlleuse que ce qu'elles avaient pu imaginer. Elles ont trouvé la réaction de Mado exagérée, mais ce n'est certainement pas ça qui les arrêtera. Elles croient réellement qu'il existe un marché pour le type de service qu'elles veulent offrir et feront tout pour mener à bien leur projet.

— Tu sais ce que je n'aime pas dans tout cela ? lance Lucie. C'est que tu en as toujours pour ton argent. Moi, par contre, même si je le voulais, je n'ai pas les moyens de payer 2 000 $ pour une fin de semaine comme Mado et toi. Et pourtant, Dieu sait à quel point j'ai besoin autant que vous d'un peu de fantaisie et, pourquoi pas, de jeunesse dans mon lit.

— Te souviens-tu de la première fois que je t'ai parlé de mon projet ? Je t'ai dit que je voulais que nos services soient accessibles à toutes les femmes, indépendamment de leur situation financière, et je n'ai pas changé d'idée depuis. Je tiens à ce qu'une fille comme Élise, qui en a bavé des années, ait elle aussi accès de temps en temps au plaisir. Elle n'est pas la seule dans cette situation. À mon cabinet, il ne se passe pas une journée sans que nous refusions des clientes parce qu'elles n'ont pas les moyens de s'offrir nos services.

Sous ses airs sévères, Claire est dotée d'une grande sensibilité, mais elle se garde bien de le montrer.

C'est alors que Lucie lance à la blague :

— On n'a qu'à démarrer une coopérative !

— Une coopérative… une coopérative…

L'index sur le menton, Claire réfléchit.

— C'est une idée géniale ! s'exclame-t-elle. Avec une coopérative, on aura toute la liberté de faire ce qu'on veut.

— Quand est-ce qu'on commence à recruter des membres? demande Lucie.

— Woh! Woh! Chaque chose en son temps. Si on veut en faire une entreprise, on doit y aller une étape à la fois.

Les filles discutent de leur projet jusqu'aux petites heures du matin. Elles n'ont pas tout réglé, mais si elles maintiennent leur vitesse de croisière leur entreprise devrait voir le jour plus tôt que prévu. Et ce sera du solide!

Chapitre 30

Depuis le jour où sa mère s'est réconciliée avec sa tante, Mado a du mal à l'attraper chez elle. Comme Béatrice, Gertrude est devenue hyperactive, elle court dans tous les sens. Elle a même changé le message de sa boîte vocale, ce qui n'est pas rien, puisqu'elle avait le même depuis presque 20 ans.

Bonjour! Vous êtes bien chez Gertrude, mais vous allez devoir vous contenter de la boîte vocale. À bientôt!

La dernière fois que Mado a réussi à lui parler, elle lui a dit qu'elle aimerait avoir de ses nouvelles au moins une fois par semaine, si c'était possible.

— Je vais faire mieux que ça, lui a dit sa mère. Je vais m'acheter une tablette et je la traînerai toujours avec moi.

— Une tablette ?

— Mais oui, tu ne vas quand même pas me dire que tu ne connais pas ça !

— Non ! s'est écriée Mado en riant. Je suis seulement surprise de t'entendre dire que tu en veux une.

— Tu sauras, ma fille, que je sais même comment m'en servir.

Décidément, Mado va de surprise en surprise avec la nouvelle Gertrude.

— On aura tout vu ! Te souviens-tu seulement combien de fois je t'ai offert de t'acheter un ordinateur ? Tu prétextais toujours que tu étais trop vieille pour apprendre à l'utiliser. Bravo, maman ! Je suis fière de toi.

— Crois-tu qu'Alex accepterait de venir magasiner avec moi?

— Tu sais bien qu'il ne te refuse jamais rien.

— Peux-tu lui demander de m'appeler? Il n'y a pas d'urgence, mais plus vite je l'aurai, mieux ce sera. Béatrice et moi jouons à Candy Crush à tour de rôle, mais ce sera beaucoup plus facile quand j'aurai ma propre tablette électronique. Tu m'excuseras, mais je dois être chez elle dans quinze minutes. On a décidé d'aller rendre visite à des amis à Oka. Et avant que j'oublie, on va passer la prochaine semaine au chalet. Je t'embrasse!

Alors que Mado venait à peine de se rapprocher de sa mère, voilà que Gertrude n'a plus de temps pour elle. Sur le coup, ça lui fait quelque chose, mais elle se console vite en se disant qu'il est normal que sa mère vive sa propre vie au lieu de dépendre de la sienne.

***

Mado et Monique se sont permis de rentrer au bureau seulement à 10 heures ce matin, et ce, même si elles ont une semaine de fou. C'était l'enterrement de vie de jeune fille de Charlotte la veille au soir. Comme elles s'y attendaient, leur cliente a tenu à ce qu'elles restent jusqu'à la fin, c'est-à-dire assez tard. Ç'a été une réussite sur toute la ligne. D'ailleurs, elles doivent une fière chandelle à Claire de ce côté-là. Elles ont pu communiquer avec un danseur du 281 grâce à l'un de ses contacts et, de fil en aiguille, elles en ont regroupé suffisamment pour satisfaire Charlotte et ses invitées le temps de quelques danses. Toutes les femmes présentes ont été ravies par l'endroit qui était sublime, par les hommes qui étaient beaux comme des dieux, par les amuse-gueules délicieux et les cocktails divins. Comme Charlotte adore les bleuets, toutes les boissons en contenaient. Il fallait goûter aux mojitos bleus qui n'avaient, aux dires de la future mariée, ni plus ni moins que la saveur du ciel. Au nombre qu'elle a ingurgité, nul doute qu'ils étaient bons.

— Pour être franche, dit Mado, même si je me suis habituée à elle, je ne suis pas fâchée que la saga Charlotte tire à sa fin. On criera victoire dans moins de 24 heures. En tout cas, elle pourra dire qu'elle nous en a fait voir de toutes les couleurs.

— C'est vrai, réagit Monique, mais grâce à ses nombreuses et extravagantes demandes, notre carnet de contacts est de plus en plus garni. Juste pour te faire sourire : sais-tu combien de jours elle ne nous a pas honorées de sa présence depuis la première fois où elle a mis les pieds dans notre bureau ?

Mado est étonnée que Monique lui pose cette question. Ce détail est assurément le cadet de ses soucis. Elle hausse les épaules et fronce les sourcils pour la forme.

— Aucun ! s'exclame Monique. Elle s'est pointée ici au moins une fois par jour.

— Avoue qu'il faut avoir du temps à perdre. Elle engage des gens et les suit à la trace. Je peux te dire que si tu n'avais pas été là, je n'y serais jamais arrivée.

Monique accepte le compliment. Bien qu'elles soient les meilleures amies du monde, Mado et elle sont différentes sur plusieurs points, mais heureusement, dans le travail, elles se complètent à merveille. Alors que Mado excelle dans les chiffres et dans tout ce qui est en lien avec les affaires, Monique est la championne des relations humaines. Un personnage comme Charlotte ne lui fait pas peur, au contraire, il la stimule et l'encourage à se dépasser. Ça l'amuse énormément d'essayer de comprendre pourquoi les gens agissent comme ils le font.

— Tu t'es bien reprise, ajoute Monique.

— Une chance, parce que, les premières fois qu'elle débarquait ici sans crier gare, je l'aurais sortie à coups de pied dans le derrière si je m'étais écoutée. Tu ne peux même pas t'imaginer le nombre de fois que je me suis répété dans ma tête qu'elle était importante pour nous.

— Je ne voudrais pas lui donner trop de mérite, mais Charlotte est en quelque sorte notre carte de visite. Réussir à la satisfaire nous confirme qu'on est capables de contenter n'importe qui.

— Tu as raison ! Et puis, grâce à ses références, on vient de signer trois nouveaux contrats.

— Je me demande si elle viendra nous voir aujourd'hui, lance Monique d'un ton moqueur.

Elles éclatent de rire car l'une et l'autre sont convaincues que Charlotte s'amènera au bureau d'ici la fin de la journée. Demain, c'est le grand jour et, si les filles ont bien compris, son mari et elle s'envoleront pour la Jamaïque pour deux semaines, ce qui leur donnera un peu de répit, au cas où Charlotte déciderait de poursuivre ses visites à son retour.

— As-tu réfléchi à ma proposition ? demande Mado.

Mado a offert à Monique de travailler avec elle en gestion d'événements il y a deux jours et elle n'a pas manqué de lui dire à quel point ses associés et elle appréciaient son travail.

Monique était folle de joie, mais pour une fois elle a décidé de prendre le temps de réfléchir avant de répondre.

— Je meurs d'envie de dire oui.

— Comme je te l'ai expliqué, tout ce que je peux te garantir pour le moment, c'est trois mois de salaire. Mais tu sais aussi bien que moi que nous sommes en pleine expansion.

— Depuis que je travaille ici, confie Monique, je me sens revivre. Laisse-moi le temps de vérifier auprès de ma patronne si je peux prolonger mon congé sans solde et je t'en reparle en début de semaine prochaine sans faute.

Ce que Monique ne dit pas à Mado, c'est que si sa patronne ne lui accorde pas son congé, elle a l'intention de lui donner sa démission. C'est bien beau de garder un emploi pour les avantages sociaux et le fonds de pension, mais pendant ce temps-là la vie passe. Monique a besoin plus que jamais d'exécuter un travail qui la passionne et qui nourrit son âme.

— Je propose qu'on revoit une dernière fois si tout est parfait pour demain, dit Mado. On pourra commencer à plancher sur l'organisation du 50e anniversaire de notre nouveau client après.

— Je suis prête ! confirme Monique.

***

— Il faut absolument que tu sois à mon mariage, s'exclame Émilie. Jure-moi que tu y seras avec Alex.

— Arrête de t'inquiéter, la rassure Mado, regarde, je l'ai inscrit dans mon agenda, dit-elle en lui montrant la page où elle vient de le noter.

— Je sais que c'est loin et que ça coûte cher, venir en Australie, mais j'aimerais beaucoup que mes frères et grand-maman Gertrude soient là aussi. Je vais leur téléphoner.

— Dis à tes frères que je payerai leur billet d'avion, ça va sûrement les aider à prendre une décision. Et pour ta grand-mère, si tu veux la convaincre plus facilement de faire le voyage, tu n'as qu'à inviter tante Béatrice. Elles sont toujours ensemble depuis qu'elles se sont réconciliées.

— Merci pour tout, maman. Je suis certaine que Peter serait ravi d'avoir deux grands-mères rien que pour lui.

Savoir que sa princesse se mariera bientôt réjouit Mado au plus haut point. Il n'y a qu'une chose qui la peine : elle ne pourra participer à la préparation du mariage. Émilie a promis de lui en parler régulièrement par Skype et de lui envoyer des photos, mais ça ne remplacera jamais le fait d'y être pour de vrai. Depuis que sa fille est née, Mado rêve du jour où elles feront les magasins ensemble pour trouver sa robe de mariée. Si Émilie n'habitait pas si loin, Monique et Mado se feraient un plaisir d'organiser sa réception. Au lieu de ça, Mado doit se contenter de vivre l'avant-mariage de l'autre bout du globe.

***

Le grand jour est enfin arrivé, c'est aujourd'hui que Charlotte se marie. Vêtues de leurs plus belles robes, Monique et Mado s'assurent une dernière fois que tout est parfait dans la salle pour la réception.

— C'est magnifique ! s'exclame Monique. Si je me marie un jour, je veux que ce soit aussi beau. Je suis sûre que Charlotte va adorer.

— Je l'espère de tout mon cœur, parce qu'entre toi et moi il est trop tard pour changer quoi que ce soit. Mais au fait, depuis quand veux-tu te marier ?

— Il y a encore beaucoup de choses que tu ignores sur moi. On fait tout ce qu'on peut pour s'en sortir élégamment quand on croit qu'une chose n'arrivera jamais. J'ai toujours voulu me marier, mais pas avec n'importe qui.

— Et avec Gervais ?

— On a commencé à en parler.

Mado est si contente pour son amie qu'elle lui saute au cou. Deux petites larmes apparaissent même au coin de ses yeux. Comme elle ne veut pas abîmer son maquillage, elle se dépêche de les essuyer avant qu'elles fassent des dommages.

— Je suis vraiment contente pour toi, le vent tourne enfin.

— Et toi ?

— On va d'abord emménager ensemble.

— Tu veux dire que tu…

Mado ne lui laisse pas terminer sa phrase.

— Je ne sais pas. Ça te dirait qu'on aille faire un tour à l'église ? Depuis le temps qu'on travaille sur la réception de ce mariage, il me semble qu'il serait temps qu'on sache qui est l'heureux élu.

— Bonne idée !

Au moment de sortir de la salle, Mado se rend compte qu'elle a oublié de ranger son sac à main en lieu sûr.

— Pars devant, dit-elle, je te rejoins.

Lorsque Monique s'approche de l'église, la chanson de Jean-Pierre Ferland *Une chance qu'on s'a* lui parvient distinctement. La version qu'elle entend est différente de l'originale, mais est tout de même très belle. Monique se tourne pour voir si Mado arrive bientôt. Comme elle ne la voit pas, elle ouvre la porte de l'église et s'avance d'un pas. Puis elle reconnaît le marié. Prise d'un fou rire incontrôlable, elle sort aussi vite qu'elle est entrée et s'esclaffe. Elle est pliée en deux tellement elle rit quand Mado la rejoint. En la voyant, cette dernière presse le pas malgré la hauteur de ses talons.

— Monique, s'écrie-t-elle en mettant une main sur l'épaule de son amie, est-ce que ça va ?

Monique fait un effort surhumain pour se redresser. De grosses larmes coulent sur ses joues et sa robe, elle ne cesse de rire. Rassurée, Mado respire mieux.

— Peux-tu me dire ce qui te fait rire autant ?

Monique lui pointe la porte de l'église et réussit à lui dire entre deux hoquets d'aller voir par elle-même. Devant son hésitation, elle rajoute :

— Vas-y !

Mado se glisse à l'intérieur de l'église sur la pointe des pieds. Comme elle oublie de retenir la porte, celle-ci fait un vacarme d'enfer en se refermant. Par conséquent, tous les regards se tournent vers elle. Même les mariés, occupés à prononcer leurs vœux, se retournent. Et c'est là que retentit un grand cri d'un bout à l'autre de l'église :

— ANDRÉ !

Remerciements

Je tiens à souligner le travail remarquable de Lucas Paradis tout au long de l'écriture de ce roman. Je salue bien haut son imagination débordante et son sens critique. Nul doute, cette collaboration est la première d'une longue série.